节水型社会架构研究

赵卫民　任立新　李根峰　刘九玉　著

U0286699

黄河水利出版社
·郑州·

内 容 提 要

本书系统梳理了节水型社会的理论体系,对节水型社会的综合特征进行了学理描述,提出节水型社会的高度复合性,勾勒了由水制度、科学技术、节水文化、环境情景、目标要求、实现手段等组成的节水型社会总架构,对水制度、科学技术、节水文化组成的节水型社会三元主架构进行了分析,并以陕西省榆林市为研究区域开展了实证研究,以及对宁夏回族自治区等地节水型社会建设实践进行了考察和总结。本书可为水资源管理、水利政策研究、节水型社会建设规划和管理、相关科学研究等提供参考。

图书在版编目(CIP)数据

节水型社会架构研究/赵卫民等著. —郑州:黄河水利出版社,2009.12

ISBN 978 - 7 - 80734 - 764 - 4

Ⅰ.①节… Ⅱ.①赵… Ⅲ.①节约用水 - 研究 -中国 Ⅳ.①TU991.64

中国版本图书馆 CIP 数据核字(2009)第 230080 号

出 版 社:黄河水利出版社

地址:河南省郑州市顺河路黄委会综合楼 14 层 邮政编码:450003

发行单位:黄河水利出版社

发行部电话及传真:0371 - 66026940、66020550、66028024、66022620(传真)

E-mail:hhslcbs@126.com

承印单位:河南省瑞光印务股份有限公司

开本:890 mm × 1 240 mm 1/32

印张:8.875

字数:256 千字 印数:1—1 500

版次:2009 年 12 月第 1 版 印次:2009 年 12 月第 1 次印刷

定价:22.00 元

前　言

目前,我国节水型社会建设工作在试点经验的基础上,开始在全社会全面推行,实现了由水利行业推动到全社会建设的跨越。新的节水型社会的实践呼唤相应的理论研究的升华及其对实践的指导。基于此,本书从节水型社会理论体系、架构和实现途径方面,对节水型社会进行了探索。

首先,比较系统地梳理了节水型社会的理论体系。从整体、主客体、社会形态、文化组分角度对节水型社会综合特征进行了四次较严密的学理描述,明确提出节水型社会的高度复合性。

其次,较全方位地勾勒了由水制度、科学技术、节水文化、环境情景、目标要求、实现技术等组成的节水型社会总架构,提出了由水制度、科学技术、节水文化组成的节水型社会的三元架构,并对每一架构组分进行了较全面的解释。在三元架构中,提出了水制度的概念系统、组织系统、规范系统和设备系统的框架,以及包括节水文化定义、节水价值观、主流意识形态、习俗习惯及生活方式、道德规范、文化功能、物质文化等多组分和功能的节水文化体系,并对节水文化进行了较系统的阐述,提出了全民参与的节水文化框架。

再次,以陕西省榆林市为研究区域开展了实证研究,提出了尚未见应用先例的"双累积法"和"规划校核法"的需水预测方法。应用主成分分析和聚类分析,从66个指标中遴选出34个主要指标,对榆林市12个县(区)的节水型社会构建潜力进行初步评价和分类,对节水型社会目标体系进行了探讨。

最后,对宁夏回族自治区、内蒙古自治区鄂尔多斯市、广东省深圳市等地节水型社会建设的实践进行了考察,同时也对黄河水量统一调度情况进行了考察。

　　本书由赵卫民、任立新、李根峰、刘九玉合作完成。在编写过程中，作者参考了国内外许多专家学者的著作和研究成果，在此表示最真诚的谢意。由于作者水平有限，不当之处，恳请读者不吝指正。

作　者

2009 年 10 月

目　录

第 1 章　绪　论

1.1　研究背景与意义

　　我国是水资源缺乏国家。据统计,我国多年平均降水量 649.9 mm,以体积计为 62 390 亿 m^3,年径流量 27 375 亿 m^3,折合径流深 285.2 mm,包括地下水在内的水资源总量为 28 384 亿 m^3。2005 年我国总人口 13.075 6 亿人,人均水资源占有量 2 150 m^3,属轻度缺水国家。据分析,2050 年前后我国人口将达到高峰,约为 16 亿人,人均水资源占有量为 1 760 m^3 左右,我国将进入中度缺水国家。

　　由于我国幅员辽阔,经向、纬向跨度大,各地区处于不同的气候带和水文带,降水在时间和空间分布上极不均衡,水资源与土地、矿产资源分布和工农业用水结构不相适应。水污染严重、水质型缺水更加剧了水资源的短缺。受全球性气候变化等影响,近年来我国部分地区降水发生变化,北方地区水资源明显减少。

　　从地域上看,我国北方黑龙江、辽河、黄河、淮河、海河流域,从经济和人口角度分析均属重度或严重缺水地区,在生态环境上处于维持自然生态系统的边缘。由于该地区人口密集、经济发达,经济和生活用水大量挤占生态用水,生态系统严重退化。南方的长江、珠江、东南和西南诸河流域属于丰水区,但也有局部地区缺水现象,其原因是水污染严重,不少地区发生水质性缺水。全国以城市和农村井灌区为中心形成的地下水超采区数量已从 20 世纪 80 年代初的 56 个发展到目前的 164 个,超采区面积从 8.7 万 km^2 扩展到 18 万 km^2,引起地面下沉、水质变硬、海水倒灌等严重生态问题。一些生态严重恶化的地区,河流断流、湖泊干涸、湿地萎缩、绿洲消失。

　　目前,我国有 23 个省(市、区)严重缺水,15 个省(市、区)出现水荒,每年因缺水而带来的直接经济损失在 1 000 亿元以上,全国有 400 余座城市供水不足,比较严重缺水的有 110 座。按目前的正常需要和不超采地下水的要求,正常年份全国缺水量近 400 亿 m^3。全国农村有 3.2 亿人饮水不安全。水资源缺乏已成为许多地区经济社会发展的制约性因素,也是各级政府需解决的燃眉之急。

我国的水资源特点反映出我国总体上是一个干旱缺水的国家。同时,我国来水的时空分布不均给水资源开发利用带来很大困难,必须修建相应的蓄水、调水等水利工程实现来水和需水的匹配。但我国水资源开发利用的难度越来越大。北方大多数河流水资源开发利用超出水资源承载能力。淮河流域、西北部分内陆河、辽河和黄河流域水资源开发利用率均超过或接近 60%,海河流域已经超过 100%,远远超过流域允许的水资源开发利用极限。未来我国需水量,尤其是工业和生活用水量,将随着人口的增长和经济的发展而进一步增加,我国水资源供需矛盾将更加突出。

在水资源缺乏的同时,我国水资源浪费问题又十分突出,全社会的节水意识较为淡漠,生产、生活的各个环节均存在浪费水资源现象。高耗水产业(设备、技术、工艺)仍占产业结构的较大比例,农业灌溉渠系利用系数不高(2005 年水平为 0.45),灌溉方式落后,生活及服务业用水循环利用程度偏低,废污水处理回用滞后,水污染严重。

从宏观上看,我国用水水平与发达国家相比仍有不小差距。一是万元国内生产总值(GDP)耗水偏高。2004 年,我国万元 GDP 用水量 399 m^3,约为世界平均水平的 4 倍;万元工业增加值用水量 196 m^3,发达国家一般在 50 m^3 以下;工业用水重复利用率为 60% ~65%,发达国家一般在 80% ~85%。2005 年全国万元 GDP 用水量为 357 m^3,万元工业增加值用水 169 m^3,仍远高于发达国家水平。二是用水结构不合理。2005 年我国农业仍是用水大户,约占总用水量的 60%,发展高效节水型农业潜力显著。我国平均单方灌溉水粮食产量约为 1 kg,世界先进水平的国家(如以色列)达 2.5 ~3.0 kg;我国节水灌溉面积占有效灌溉面积的比例为 35%,先进国家一般在 80% 以上;我国灌溉水有效利用系数为 0.4 ~0.5,以色列为 0.7 ~0.8。随着城乡生活及工业用水的增加,用水结构将进一步调整,对供水水质和保障率的要求更高。三是在生活用水方面,公众节水意识有待提高,节水器具使用率普遍偏低。此外,我国海水利用和再生水利用及其他非常规水源的利用水平较低。

我国一方面严重缺水,另一方面水资源利用方式粗放,用水效率不高,浪费严重。要从根本上解决这些问题,必须大力提倡节约用水,不断提高水资源利用效率和效益。因此,建设节水型社会是保障我国经济社会可持续发展的必然选择。节约用水、高效用水是缓解水资源供需矛盾、解决水资源缺乏问题的根本途径。节约用水的核心是提高用水效率和效益。大力推行节约用水措施,建设节水型社会是我国经济社会发展要走的必由之路。

我国一向十分重视节水型社会建设。2000 年,《中共中央关于制定国民经济和社会发展第十个五年计划的建议》首次提出建立节水型社会。2002 年的《中华人民共和国水法》明确规定:"国家厉行节约用水,大力推行节约用水措施,发展节水型工业、农业和服务业,建立节水型社会。"2005 年 3 月 12 日,胡锦涛总书记在中央人口资源环境工作座谈会上指出,要把建设节水型社会作为解决我国干旱缺水问题最根本的战略举措。十届人大四次会议通过的《国民经济和社会发展第十一个五年规划纲要》提出,要建设资源节约型和环境友好型社会。国务院及有关部委先后发布多项法规(政策),从不同侧面对我国节水型社会建设进行规定、规范、引导和指导。目前,建设节水型社会已成为我国各级政府明确的责任和目标,各级政府相继出台了各种地方法规、政策,加强节水型社会建设的实施。2007 年 2 月,国家发展和改革委员会、水利部、建设部发布了《节水型社会建设"十一五"规划》。这是我国第一个节水型社会建设规划,是"十一五"期间全面建设节水型社会的行动纲领。该规划的出台,标志着我国节水型社会建设工作在试点经验的基础上,开始在全社会全面推行;也标志着节水型社会建设工作实现了由水利行业推动到全社会建设的跨越。

目前我国节水型社会的研究和实践取得了丰硕的成果,但总体上存在两方面的不足:一是对节水型社会的社会形态研究不足;二是理论体系本身不够清晰、完备,需进一步探讨。

陕西省榆林市是我国第二批节水型社会建设试点地区之一。它是我国西北重镇,素有"塞外江南"、"塞上明珠"之称,物产丰厚,人杰地灵,且蕴藏大量矿产资源。近年,随着国家榆林能源化工基地的建设,榆林的经济社会发展正在实现跨越式发展。榆林地处我国西北地区,主要气候特征为干旱半干旱,主要地貌特征为风沙草滩和黄土沟壑丘陵。各方面统计数据显示,榆林市的水资源情况不容乐观。榆林市属资源性重度缺水、用水中高度紧张,水资源不能满足建设适合人类生存和发展的良好生态环境用水要求。随着人口的增多和水资源开发利用程度的增大,这种状况会继续发展下去,经济社会发展必须考虑水资源的承载能力。水资源已成为榆林市经济社会发展的制约性因素。节水型社会建设既是榆林市面临的水资源情势的要求,也是榆林市经济社会发展的要求。

本书将在剖析节水型社会的内涵和综合特征的基础上,较系统地搭建节水型社会的架构,勾勒节水型社会架构理论体系,并以榆林为主要目标区域进行实证研究,通过解构(分解、分析、预测)和结构(经济结构调整、水资源战略配置、制度设计、工程布置、组织节水方案、行业节水、实施计划),展示节水型社会及其架构设计和建设的基本方法与步骤。同时对宁夏回族自治区、内蒙古鄂尔多斯市、广东深圳市、黄河水利委员会节水型社会建设中实践的部分侧面进行考察和总结。本书旨在通过对节水型社会架构的研究,丰富节水型社会的理论体系,为节水型社会提供科学建议。实证研究区域(陕西省榆林市)见图1-1。

1.2　国内外研究进展

1.2.1　节水型社会含义和框架模式

李佩成先生1982年给出了节水型社会的早期定义。他认为,"所谓节水型社会,就是社会成员改变了不珍惜水的传统观念,改变了浪费水的传统方式,改变了污染水的不良习惯,深刻认识到水的重要性和珍

图 1-1 陕西省榆林市示意图

贵性,认识到水资源并非无限,认识到水的获取需要花费大量的劳动、资金、能源和物质投入;并在工程技术上改变目前落后的供水、排水技术设施,使其成为可以循环用水、节约用水、分类用水的节水系统;在经济上实行有采有补、严格有序的管理措施,将节水意识和节水道德传教于后代,成为每个社会成员的自觉行为,从而把现在的水资源消费浪费型社会改造成为节水型社会"(李佩成,1982)。

农业是我国的用水大户,农业节水一直是社会关注的焦点和热点。刘昌明院士在提出降水、地表水、地下水、土壤水、植被水"五水转化"的理论基础上,建立了节水农业的界面调控理论体系(刘昌明,1989;刘昌明等,1999),并进一步论述了区分绿水和蓝水的重要性,探讨了绿水与节水农业的关系(刘昌明等,2006)。这些思想奠定了从水循环角度解释节水型社会内涵的基础。

"节水型社会就是人们在生活和生产过程中,在水资源开发利用的各个环节,贯穿对水资源的节约和保护意识,以完备的管理体制、运行机制和法律体系为保障,在政府、用水单位和公众的共同参与下,通过法律、行政、经济、技术和工程等措施,结合社会经济结构的调整,实现全社会用水在生产和消费上的高效与合理,保持区域经济社会的可持续发展"(王浩等,2002)。

"节水型社会是水资源集约高效利用、经济社会快速发展、人与自然和谐相处的社会。节水型社会包含三重相互联系的特征:效率、效益和可持续性。效率的含义是降低单位实物产出的水资源消耗量,效益是提高单位水资源消耗的价值量,可持续性是水资源的利用不以牺牲生态环境为代价"(王亚华,2003)。

"在水资源相对短缺的前提下,在技术、经济可能的条件下,人们的意识及行为高度自觉,在工业用水、农业用水、生活用水、水力和地热发电及其他用水方面均能高效并节约用水的一种社会形态,被称为节水型社会"(郑炳章等,2003)。

刘丹等(2004)认为节水型社会在内涵上应包括相互联系的四个方面:①在水资源的开发利用方式上,把水资源的粗放式开发利用转变为集约型、效益型开发利用,是一种资源消耗低、利用效率高的社会运行状态;②在管理体制和运行机制上,涵盖明晰水权、统一管理,建立政府宏观调控、流域民主协商、准市场运作和用水户参与管理的运行模式;③从社会产业结构转型上看,节水型社会又涉及节水型农业、节水型工业、节水城市、节水型服务业等具体内容,是由一系列相关产业组成的社会产业体系;④从社会组织单位上看,节水型社会又涵盖节水型家庭、节水型社区、节水型企业、节水型灌区、节水型城市等组织单位,是由社会基本单位组成的社会网络体系。

崔金星(2004)认为,节水型社会具有以下内涵:①节水型社会是一种哲学理念;②节水型社会是一个理论体系;③节水型社会是一个社会综合调控、管理制度体系;④节水型社会是一个系统工程。

张爱胜等(2005)认为,节水型社会概念的基本内涵包括以下几个方面:①节水型社会是一种全新的社会形态,建立节水型社会不同于以往政府主导的节水活动,而是以制度建设为切入点,通过水资源管理体制的改革和生产结构的调整,最大限度地提高水的利用效率,并逐渐使全社会成员形成自觉的节水意识和节水行动;②合理、有效的制度结构是节水型社会的基础,建立与经济社会可持续发展相适应的水资源管理体制,是建设节水型社会的核心内容;③科学的用水指标体系的建立是建设节水型社会的保障;④全社会成员自觉的节水行动是节水型社会的根本保证。

许新宜(2005)认为,与水利工程建设相比,节水型社会建设具有主要靠社会的分散式投入、主要依靠社会公众的积极参与、效果需要一个较长的过程才能逐渐显现出来等特点,并提出国家必须长期运用正确的政策导向,调动一切可以调动的力量,引导社会公众积极参与,才能够建设好节水型社会。

节水型社会的概念从节约用水而来。但二者又有差别。无论是传统的节水,还是节水型社会建设,都是为了提高水资源的利用效率和效益,这是它们的共同点。但传统的节水主要是指工程、措施、器具和技术,偏重于发展节水生产力,主要通过行政手段来推动。而节水型社会的节水,主要通过制度建设,注重对生产关系的变革,形成以经济为手段的节水机制。通过生产关系的变革进一步推动经济增长方式的转变,推动整个社会走上资源节约和环境友好的道路。节水型社会的制度建设要解决的是全社会的节水动力和节水机制(汪恕诚,2006)。

无论是水资源短缺地区还是水资源丰富地区,都需要建设节水型社会,解决资源性缺水和水质性缺水,提高水资源的利用效率和效益(汪恕诚,2005)。

刘丹等(2004)根据我国各个地区和流域的水资源特点及开发利用程度将全国分为华北、西北、东北和南方等几个节水型社会建设区域,给出了每个区域的建设模式和战略措施。

汪恕诚(2006)把这样一种模式称为 C(China)模式:节水型社会是人们在经济发展过程中形成的一种自律意识和自律行为,通过自律,自己约束自己,达到可持续发展的目的。

褚俊英等(2006)在社会调研的基础上,依据节水型社会建设的内容、范围与层次,提出节水型社会建设的"国家—区域—基层(CRL)"模式的基本框架,并对国家模式、区域模式和基层模式的主要特征进行了细致深入的分析,指出 C 模式是节水型社会建设基本理念的具体体现,R 模式和 L 模式是 C 模式在我国当前以及未来一个时期节水型社会建设实践的重点。

2001 年 3 月,水利部确定甘肃省张掖市为全国首个节水型社会建设试点,目前已确立国家和省级节水型社会建设试点 100 多个。有 22 个省(市、区)发布了用水定额,依法推行用水总量控制和定额管理制度,严格执行取水许可制度。许多缺水城市对超计划用水实行累进加价收费,以经济手段促进节水取得了突破性进展。作为最早的节水型社会建设试点的张掖市(贾永勤等,2006)建设节水型社会的模式概括起来主要有以下几个方面:①全面开展管理体制改革,构筑以水权为中心的水资源管理体系;②调整经济结构,建立与水资源承载力相适应的经济结构体系;③强化基础设施建设,构筑与水资源优化配置相适应的水利工程体系;④加强水源地生态保护和建设;⑤大力推广各项节水技术,积极引进抗旱新技术、新品种。

包头节水型社会建设模式(魏永安等,2006)包括:①改革水资源管理体制与机制;②推进产业结构和经济结构的调整;③建立节水技术和节水工程保障体系;④以循环经济理念推动节水型社会建设。

天津市提出包括如下 10 大组成部分的节水型社会构建模式(董国凤等,2006),即:①建立水权制度体系;②建立水资源管理体系;③建立节水型产业体系;④建立经济调控体系;⑤建立公众参与体系;⑥建立多水源调配与利用体系;⑦建立各业微观节水体系;⑧建立水生态环境保护体系;⑨建立节水法律法规体系;⑩建立科技体系与节水产业。

1.2.2　节水型社会技术分析体系

许新宜(2005)指出,节水型社会建设的主要目标是建立:①与水资源承载能力相和谐的经济结构和产业布局;②与水资源合理配置相匹配的水工程体系;③与水资源稀缺性相适应的水价形成机制;④与消费方式相协调的用水方式。通过节水型社会建设,全国2030年前后每年总用水量将控制在8 000亿 m³ 以内,约占全国水资源总量的28%,接近国际社会公认的安全阈值。

陈莹、刘昌明等(2005)构建了"节水型社会— 社会经济—生态"三维指标体系,旨为能够全方位地反映建设节水型社会的整体效果和节水措施落实效果。他们提出了节水评价、生态建设和经济发展3类指标。该套指标体系,为推进其量化理论的研究和具体实施奠定了基础,有利于简要全面地概括区域水资源与社会经济协调发展的状况、特点、优势、协调程度和不足,有利于解决水资源在开发利用管理上存在的问题。

胡四一(2007)指出,节水型社会建设主要落实三个体系的建设,即开展用水制度改革,建立与用水权指标控制相适应的水资源管理体系;通过调整经济结构和产业结构,建立与区域水资源承载能力相适应的经济结构体系;建设水资源配置和节水工程,建立与水资源优化配置相适应的水利工程体系。"十一五"期间节水型社会建设的目标是:到2010年,节水型社会建设要迈出实质性的步伐、取得明显成效,水资源利用效率和效益显著提高,单位GDP用水量比2005年降低20%以上。

王浩等(2004)通过对水资源定义及其内涵——水资源的有效性、可控性和可再生性的剖析,提出了水资源的评价准则及计算口径,建立了广义水资源、狭义水资源、生态耗用水量和国民经济可利用量计算方法,进行了西北内陆干旱区各项水资源评价量的计算,给出了各项评价量之间的转换关系。

刘昌明(1989)根据海河平原水源不足的问题,采用系统分析的方法,探讨了农业供水的对策,提出的决策分析模型适用于不同大小的区域,通过实际资料的分析得出实行节流、管理与开源的具体方案及其经济效益,是我国较早的水资源和水环境承载能力分析范例。

施雅风(1992)提出了水资源承载能力分析方法。水资源承载能力被定义为某一地区的水资源,在一定社会历史和科学技术发展阶段,在不破坏社会和生态系统时,最大可承载(容纳)农业、工业、城市规模和人口的能力,是一个随着社会、经济、科学技术发展而变化的综合目标。

王忠静等(1998)认为,由于水资源的特性,水资源承载能力不只是资源承载能力的一个具体限制方面,它还是环境承载能力的一个主要影响因素,具有资源承载能力和环境承载能力的双重特性,因此水资源承载能力应具有如下内涵:①水资源承载能力中,主体是水资源,客体是范围较广的社会、经济、城市及人口,或更准确地说,是某一具体状态下可养活的人口及其生活质量。因此,主体隐含着与其他资源包括物质资源和人文资源的配合协调。②水资源承载能力具有时间和空间属性,是以具体地理位置的资源条件和具体时间断面的生产力水平作为分析背景的。③分析水资源承载能力所依据的原则是可持续发展原则,任何基于对资源过度使用和对环境破坏所取得的瞬间承载量的提高,都将被认为是不可接受的承载能力。④计算水资源承载能力的方法是,在保证良好生态环境水资源需求的基础上,通过对水资源的合理配置和经济结构的优化调整,确定对人口的支撑规模和生活水平。

许新宜(2002)认为,承载能力是力学中的重要概念,表示一个承载体在不遭受破坏的前提下可以承受的最大外力或荷载。水资源承载能力也应当符合上述概念。水资源承载能力可以定义为:在水资源可持续利用的前提下,某个国家或区域的水资源可以持续支撑的人口总量(生物总量)和(或)经济总量。水资源承载能力是水资源可利用量与人均年综合用水量的比值。要分析计算水资源承载能力,需要先确定水资源可利用量和人均年综合用水量。

左其亭等(2004)探讨了水资源承载能力的概念、内涵、计算模型及相关的关键问题,提出了区域水资源承载能力计算方法,包括水资源承载程度指标计算和水资源承载能力计算,建立了水资源承载能力判别模型并提出计算水资源承载能力的几个关键问题。

汪恕诚(2006)指出,水资源承载能力指的是在一定流域或区域内,其自身的水资源能够持续支撑经济社会发展规模,并维系良好的生态系统的能力。水环境承载能力指的是在一定的水域,其水体能够被继续使用并仍保持良好生态系统时,所能够容纳污水及污染物的最大能力。在研究水资源承载能力的同时必须研究分析水环境承载能力。

许新宜(2002)认为水资源合理配置是以经济或生物总量为出发点,探求其与水资源之间的关系。在分析水资源合理配置时,需要特别注意以下几点:正确处理生活用水、生产用水和生态用水的关系,地表水与地下水的关系,工程措施与非工程措施的关系。

目前关于节水文化的研究尚不够系统。刘建林等以"论节水型社会建设中的文化传承"为题,探讨了节水理念与中国传统文化的理论契合,提出节水型社会应有的和谐意识和忧患意识,探讨了节水理念与传统文化的现实冲突,指出"人类中心主义"思想和消极滞后消费观念的影响,提出了"节水型社会的文化传承体系的科学构建"思路:①从"文化功能"的角度在全社会营造节约水资源的良好氛围,包括深化节水理念为一种全民意识、发挥社会传媒的主导作用、重塑与强化传统的节俭消费观;②从"文化结构"的角度建立全民节水的宣传架构,包括观念、制度、物质文化、社会生活层面等。其最后指出节水型社会建设的关键就是要树立节水型的文化理念,相对于其他各种机制,文化才是一种真正长效的机制。

1.2.3 榆林节水型社会构建相关研究进展

由于特殊的自然地理环境和社会经济发展情况,榆林市迫切需要构建节水型社会,以在有限的水资源条件下,维持经济社会发展。

张明(1998)详细分析了榆林土地利用和土地覆被变化。莫兴国等(2004)利用无定河流域的水文气象、土地利用、土壤质地、数字高程和遥感信息,建立基于土壤—植被—大气传输机理的分布式生态水文模型,模拟流域水量平衡的时空分布。研究结果表明,该流域植被的生长并不完全受控于降水总量。降水量和实际蒸散发量呈现显著的空间分异性,表现出由东南向西北递减的梯度差异。王玲等(2006)针对黄河流域典型支流无定河自20世纪70年代以后,入黄水量不断减少,尤其1990年以来入黄水量平均只有9.104亿 m^3,较1956~1969年时段减少了6.282亿 m^3(合59%)的显著事实,从降水量变化、人类活动如国民经济用水和水土流失治理等方面分析了无定河入黄水量不断减少的原因,在此基础上论述了黄河典型支流水循环研究的问题与重要性。夏军等(2007)选择榆林市的黄河岔巴沟流域,采用野外人工控制条件下的降雨试验,针对不同下垫面类型、不同下垫面覆盖度以及不同的处理方式等情况进行了水文过程的试验研究,并对不同植被覆盖度、不同耕作措施、降雨径流系数随时间的变化规律、不同下垫面对径流系数的影响等方面进行了分析与初步研究。结果表明,土地利用类型的变化对黄土沟壑地区的降雨径流关系有很大影响,其中耕作措施的变化对降雨径流关系的影响远大于地表覆盖率变化所产生的影响。当采用地表覆盖率进行单因素分析时,稳定产流的产流量变化不超过10%,而当采用耕作措施进行单因素分析时,稳定产流的产流量变化大于20%。在相同雨强下,草地与裸地的出流量有非常明显的差异,草地的出流量约为裸地出流量的50%。草地与裸地对降雨径流关系的影响差异较大,在小雨强的时候,草地对降雨有较强的滞留作用,随雨强的增加,这种功能明显减小,而裸地没有明显的差异。

关于陕西省的水资源问题和陕西省节水型社会建设,也积累了大量资料和相关研究成果。如焦彩霞等(2002)在研究陕西省水资源概况的基础上,分析了该省水资源利用现状及存在的问题,提出了建设节水型社会、水价市场化、防治水污染及污水资源化、建立山区水利枢纽工程、跨流域调水、区域水资源统一管理等相应的措施,以促进社会经济可持续发展,为西部开发提供科学依据。丁东华和鱼晓利(2006)分析了陕西省的情势,呼吁建设节水型社会,突破水资源瓶颈制约。彭谦等基于陕西省节水现状提出了存在的问题及对策,建设节水型社会促进经济社会可持续发展。

1.2.4　目前研究中存在的主要问题

我国有关节水型社会建设方面,总体上实践超前于理论。自节水型社会概念提出以来,近年来理论和实践均发展较快,但还有许多方面有待进一步总结研究、完善和提高,主要包括:

(1)节水型社会是一个涉及政治、经济、法律、文化、组织、科技以及社会规范等诸多方面的系统工程,需要考虑的因素很多。无论是理论上还是实践上都需要长期不懈的探索,寻求最佳模式。

（2）目前已构建一些节水型社会模式,需要进行总结和完善,并在更大范围探索,推陈出新。

（3）节水型社会的理论框架目前尚不完备,特别是缺乏既考虑科学、管理,又考虑人文、社会和经济的模式。

1.3 研究框架

1.3.1 研究目标

运用水循环和与水相关的生态—社会—经济—文化要素的关系,建立节水型社会架构。

通过对榆林水循环和与水相关的生态—社会—经济—文化要素的特征、相关关系及趋势分析,研究遇到的具体问题,给出节水型社会架构的范例或解构、结构过程。

在综合研究的基础上,对有关问题进行学理（学术）思考、辨析和批判,对节水型社会及其建设提供部分建议和参考。

1.3.2 研究思路

本书将围绕自然—资源—水—人—社会—经济—制度—文化的线索和自然水—社会水—自然水的循环线索,全面探讨节水型社会的架构及其理论和实现,着力于引起对节水型社会复合特征的更高关注,使节水型社会及其建设和谐地融入到社会主义和谐社会建设的进程中。

1.3.3 研究内容

本书着重从四个方面进行研究:①节水型社会的综合特征;②节水型社会的架构及其实现;③支撑节水型社会建设的技术实证分析;④节水型社会架构的理论体系。具体内容包括以下几方面。

1.3.3.1 综合特征

考察、概括、提炼节水型社会的综合特征,包括:

（1）节水型社会的内涵、本质特征等,包括节水型社会的社会、政治、经济、文化特征等。考察节水型社会的社会形态及其在涉水事务方面的表征,与治水新思路、和谐社会建设的关系等,展现全方位建设节水型社会的理念。

（2）对水（水资源）的基本特征进行概括,引出节水型社会建设的基本要求,主要涉及政策和策略层面。

（3）探讨节水型社会中个体的行为、心理特征。

1.3.3.2　目标体系

研究目标的分层、分类。概括提炼目标体系。梳理各类目标的用途,分析概括各类目标的内容和构成。给出重要的目标和指标。强调区域目标设计的重点。辨析部分常用指标。

1.3.3.3　架构体系

以系统分析手段为主,提出节水型社会的架构体系。架构体系分析的内容包括主体、客体、环境、自然水的社会过程和环节、节水的实质、架构的各组成部分、核心架构及其作用、各部分耦合等。对核心架构分别进行研究和阐述。

1.3.3.4　技术分析与实证研究

以榆林为对象,进行自然背景分析、经济社会背景分析、水资源与水环境承载能力分析、需水预测与供需矛盾分析、节水型社会构建潜力分析、战略布局、法规制度建设、节水型组织建设、节水文化、保障体系等。

第 2 章　节水型社会架构的理论基础

2.1　社会学基础

节水型社会是一种社会形态。因此,以社会学的概念、视角、研究方法,探讨节水型社会的内涵、特征、实现途径、需注意的问题等也是节水型社会建设的重要侧面或内容。

2.1.1　社会及社会学

社会在本质上是社会关系的总和,即处于特定区域和时期、享有共同文化并以物质生产活动为基础、相互作用的人类生活共同体。

社会的主要特征包括:①社会以人群为主体;②是有文化、有组织的系统;③以人的物质生产活动为主体;④具体社会有明确的区域界限;⑤社会以人与人的交往为纽带;⑥时间上和空间上有连续性和非连续性;⑦社会系统是一个具有主动性、创造性和改造能力的活的机体。

"社会学"一词为法国实证主义哲学家、社会学家孔德(Auguste Comte,1798 ~ 1857)首创。"社会学"的法语为 sociologie,前半部分 socio 来自拉丁语 societas,意为社会,后半部分 logie 来自拉丁语 logos,意为概念、学说、学问,两部分合在一起,词源学上的意义是关于社会的学说。

社会学是对社会整体进行研究的科学,它通过研究社会整体及要素的相互关系、运动过程,认识其构成及变化、发展规律。

根据美国社会学家英克尔斯的概括,社会学的研究领域或主要内容包括以下方面。

(1)社会生活的基本单位:社会行为和社会关系;个人的人格;人群(包括民族和结构);社区、社团和组织;人口、社会。

（2）社会的基本制度：家庭和亲属；经济制度；政治和法律制度；宗教制度；教育和科技制度；娱乐和福利；艺术。

（3）基本的社会过程：分化和分层；合作、调解；社会冲突；联络；社会化和教育；社会评价；社会控制；社会过失；社会整合；社会变迁。

我国社会学界按照社会学研究的理论层次，将社会学的研究领域划分为理论社会学与应用社会学两部分。理论社会学部分包括社会结构（个人、家庭、群体、组织、阶层、社区、民族、制度）和社会过程（社会互动、社会变迁、社会流动、社会问题、社会控制）。应用社会学又称分支社会学，即运用理论社会学的理论和方法对具体社会现象和社会问题做专门的社会学研究，如环境社会学、政治社会学、组织社会学等。

孙本文教授则根据其"社会学是研究社会行为的科学"的定义，把社会学研究范围分为 5 个方面：①社会行为发生的要素问题；②社会行为的过程问题；③社会行为的组织问题；④社会行为的控制问题；⑤社会行为的变迁问题。

社会学研究的基本视角包括结构—过程视角、整体—个体视角、宏观—微观视角和均衡—冲突视角。社会学研究的特点有 4 个：整体性、综合性、以社会关系和社会行为为基本研究单位、实证性。

社会学研究的两种基本方法论是实证主义方法论和非实证主义方法论（人文主义方法论）。实证主义方法论的基本观点可概括为：

（1）社会学的研究对象和自然科学的研究对象一样，都是纯客观的，社会现象背后存在着必然的因果规律。虽然各个社会的类型和性质不同，但相同的原因必然产生相同的结果，这是必然的、无差别的。

（2）既然社会现象是有规律的，因而是可以被感知、被概括的。经验是科学知识的唯一来源，只有被经验证实了的知识才是科学，否则就是乌托邦或形而上学。

（3）作为一门科学的社会学，它的任务在于说明社会现象是什么，而不应该或必须是什么。社会学应该对关于价值的问题保持沉默，它只回答真与假，不能回答善与恶、美与丑、好与坏，或任何其他关于人类价值的问题。因此，事实和价值的区分是社会实证主义必须遵循的一个基本原则。

(4) 自然科学的方法适合于研究社会。

(5) 实证主义方法论与美国的实用主义相结合,成为一套完整的可操作的方法,即研究理论的模式化(一种研究必须包括两个或两个以上可以被人们的经验证明的变项,并说明它们之间的关系,以此来建立明确的理论假设)、研究过程的程序化(把研究过程变成可操作的固定程序,研究者像从事自然科学试验那样按照规定的程序操作,别人也可以按照同样的程序再现这个过程,以检验研究结论)和测量工具的精确化。

实证主义方法论肯定社会现象的客观性,重视经验在认识中的作用,并致力于搜集资料和分析资料的科学性研究,是积极合理的。它对社会行动理论、结构功能主义理论、冲突理论、交换理论和社会结构理论等产生了重要的影响。但是,它把社会现象等同于自然现象,忽视了社会主体人及其在社会活动中的主观意识和价值取向的作用,同时,它过分强调经验的作用,忽视理论研究,因而就难以正确地、全面地了解社会和认识社会。实证主义方法论的这些不足,受到了非实证主义方法论的批评。

非实证主义方法论是一种人文主义方法论思想,它是在与实证主义方法论的挑战、争论中形成的。非实证主义方法论的特征可以概括为三点:第一,强调在自然现象和社会现象之间做出区分,突出社会现象的特殊性、不可重复性,要求社会学使用与自己研究对象的特点相适应的方法,反对把自然科学方法绝对化;第二,突出社会行动者的主体性、意识性和创造性,反对把人当做非人格的物化现象;第三,主张借助"价值关联",理解人的主观意识在社会认识上的重要作用,在社会认识上要求对社会事实的价值判断、理论和实践三者做出分别处理。

社会学研究的方法可概括为社会调查方法、社会实验方法、社会统计方法、文献方法、观察方法。

2.1.2　社会结构及社会运行

社会结构是社会整体及其各组成部分或诸要素之间比较持久的、稳定的组成方式和相互关系的总和。社会结构主要包括经济结构、上层建筑结构、文化结构、阶级结构、宗教结构、人口结构、民族结构、家庭结构、组织结构。

在社会的整体结构中,基本要素包括自然环境、人口因素、经济因素、政治因素及思想文化因素。其中自然环境、人口因素和思想文化因素是一切社会中所共有的最基本要素。

社会结构从静态角度考察社会,而社会运行从动态角度考察社会。社会运行包括纵向运行和横向运行。纵向运行,即社会的变迁与发展。

社会体系在其前后的纵向运行中表现的基本关系有:

(1)继承的关系。即后来的社会接受了过去社会留下来的遗产。

(2)变异的关系。即社会虽然继承了过去的东西,但不是一成不变地照搬,而是随时修改、变化。社会变异的形式有多种,包括微小的变化和根本的变革与创新。

(3)中断的关系。即在社会的纵向运行中,一些因素被历史所遗弃,如旧的制度、观念等;一些因素因条件的变化已无存在的必要;一些因素虽有价值,但因故被阻断,如古籍的失传等。

横向运行指社会发展到某一阶段,社会各要素、各子系统的交互影响与功能的发挥。横向运行表现出来的关系有:

(1)交叉和渗透的关系。社会是一个整体,各要素各系统相互交织、相互包容。

(2)制约的关系。社会某些要素、子系统的功能的发挥会限制和约束另一些要素和子系统的发展。

(3)促进的关系。一个系统功能的发挥对另一个系统起着促进的作用。

(4)转化的关系。一种要素转化为另一种要素,一个系统的问题转化为另一个系统的问题。

社会运行一般变现为三种基本状态,即良性运行、中性运行和恶性运行。

良性运行指特定社会的经济、政治、社会生活、思想文化之间,社会各系统之间以及系统的不同部分、不同层次之间的相互协调与相互促进,社会障碍、社会失调等因素被控制在最小的限度和最小的范围。

中性运行的社会指社会运行有障碍,发展不甚平衡,有许多明显不协调的因素,但这些因素还未危害、破坏社会的常态运行,也可以称为有障碍的常态运行。中性运行的社会是一种不稳定状态的社会,有可能向前进化为良性运行,也可能向后退化为恶性运行。

恶性运行指社会出现严重障碍,这种障碍破坏了社会的常态运行,甚至出现严重的离规、失控现象。

社会运行是一种客观状态,对社会运行状况进行评价,是认识社会和改造社会的前提。

2.1.3　社会化

人类通过学习来获得能力、获得人格,并使自己成为社会中的正常一员,这就是社会化。

人的社会化过程实质上是人与各种社会环境之间的一种相互作用,在相互作用中,人逐步学会各种知识技能和规范以及人类社会的文化成果。而社会也实现了对个人的教化、引导和控制,实现人类历史的文化代代相传。

社会化具有社会强制性、个人能动性、终身持续性等特点。社会化的内容包括掌握生活和劳动技能、传递社会文化、学习社会规范、确定社会角色。

社会化的途径包括社会教化和个体内化两类。社会教化的执行者包括家庭、学校、同辈群体、大众传媒、社会组织、社会制度、社会文化。个体内化的主要方式包括观察学习、知识加工、角色扮演、主观认同、自我奖赏。认知加工是个体通过感知、记忆、想象、表象、思维等心理活动,把现实世界内部化的过程。角色是社会对个体的期望,包括个体对自己的期望。

社会化进程包括预期(基本)社会化、继续(发展)社会化、再社会化。未成年人所经历的对未来角色的非正式学习称为预期社会化,这是社会化中最基础、最一般的部分。此后为了适应社会文化和生活环境的不断发展变化,人需要继续社会化。社会化贯穿人的一生,各年龄阶段都有不同的特点。社会化分为五个阶段:儿童期、青少年期、成年早期、成年中期以及老年期。所谓再社会化,即采取强制手段,强迫社会化失败者改变以前的价值标准和行为方式,并向其灌输社会的规范和行为方式,确立新的生活目标。

2.1.4　社会群体与社会组织

社会群体,又称社会团体或社会集体。它是通过一定社会关系结合起来进行有目的活动的集体。如家庭、邻里、游戏团体、学校、工作单位、现代组织等。社会群体具有一些基本特征:分工和互赖、共同的归属感、特定目标和行为规范。

群体的结构是考察群体的重要侧面。群体结构包括群体规模、群体规范、群体凝聚力、群体中的人际关系、群体领导及群体决策。

社会群体的基本特征包括:①有稳定的社会关系;②有持续的相互交往;③有一致的活动目标;④有明显的共同活动;⑤有明确的行为规范;⑥有一致的群体意识;⑦有一致的行动能力。

社会群体可按群体的实际关系状态分为初级群体和次级群体。

初级群体(又称首属群体)是一类规模较小、有多重目的的群体,譬如家庭。初级群体的特征是小规模群体成员之间面对面的、融入了强烈情感的、多角色的、自由的互动和强烈的认同感。初级群体的基本条件是面对面的互动。只有面对面的互动才能形成其他群体所没有的特征。而面对面互动的条件则是小规模的。

次级群体是为达到特殊目标而特别设计的、成员之间有很少感情联系的群体。与初级群体的互动不同,次级群体成员之间面对面的情感性互动非常有限,彼此之间以群体中的角色关系为主。次级群体是社会的主要组织方式,除初级群体外的所有群体都是次级群体,如学校、公司、政府中的工作群体。在次级群体中,人们都是公事公办,以达到具体的实务目标为宗旨,而不是情感表达和情感支持,而且成员之间具有极大的替代性。

初级群体有血缘群体和地缘群体,次级群体主要是业缘群体。血缘群体,指因婚姻和血缘关系而结合的群体,是人类社会生活中最早产生的一种群体类型,主要包括家庭、氏族、亲属群体等,其中家庭是最基本的血缘群体。地缘群体,指由于长期居住在相近的区域里所结合成的群体,其基本形式是社区。业缘群体,指因某一职业或工作的联系而结成的群体,如工厂、机关、科研院所、车间,可概括为社会组织。

家庭是以婚姻关系、血缘关系或收养关系为基础的人类生活的基本群体。家庭基本上是一个全能的社会单元。家庭的功能包括生养、社会化、经济合作、对性的管理。

所谓社会组织,就是人们为了有效地达到特定目标而建立的一种共同活动群体。社会组织与外界环境有着清楚的界线,内部实行明确的分工并确立了旨在协调成员活动的正式关系结构,如企业、学校、医院、政党、政府部门等都是社会组织。

社会组织有如下特征:①特定的组织目标;②一定数量的固定成员;③制度化的结构;④普遍化的行为规范;⑤开放的系统;⑥一定的物质条件。

人们的集体力量能正式地组织起来,这是因为他们有某些共同利益。人们可以通过组织的力量来获得个人所不能获得的利益,这就是组织形成的原因,也就是组织的最基本功能。一个社会组织内聚力的大小,关键在于组织满足成员的这种需要的程度,满足得越多,内聚力就越大;反之越小。

社会组织成员之间存在着依附于职位的、先于交往的正式角色关系。社会组织成员之间个性差异较大,异质性强。社会组织成员在组织活动中感受到较强的约束和限制。就群体形态来说,社会组织具有不同于初级群体的下述特点:群体利益和目标上的差异、群体界限上的差异、群体内部活动的差异、群体内部结构的差异、群体规模的差异。

组织目标指的是组织争取达到的一种未来状态,它是开展各项组织活动的依据和动力。每一个社会组织,都有自己预期的目的或结果,它代表着一个组织的方向和未来。组织目标的产生受社会环境因素的影响和限制。组织目标与成员个人目标(个人利益)是否协调一致以及一致程度直接影响着组织目标能否实现以及实现目标的效率。每个组织目标的制定都要考虑个人目标的影响。组织目标有可能与个人目标不相一致,也就是社会利益与个人利益相冲突的情况。因此,组织制定目标的过程也就是协调社会、组织和个人三方利益的过程,以求得三方目标之间最大限度的一致性的过程。社会主义社会应该而且有可能最大限度地兼顾社会、组织与个人之间的利益。

社会组织结构就是组织内部构成部分或各个部分间所确立的关系的形式。具体而言,每个组织都有其内部的分工,因而每个组织成员在组织中都有一定的地位和职务,并被赋予相应的权力和责任。这些地位和职务间的相对稳定的关系的总和就是组织结构。组织结构关系表现为两个方面:一是纵向结构,即组织的层的关系,也就是由于权力分层而产生的领导与被领导的关系;二是横向结构,即由于职能分工而产生的分工协作关系。组织结构是一个权力地位体系,权力是由职务规定的,有职才有权。而职务是被组织编排成的一个等级序列,有高低不同,因此权力也有大小之分。地位是个人在职务序列中的位置,有了一定的职务,就有一定的地位。组织内部的职务、权力和地位是一致的,三者一致是组织正常工作的前提。

科层制也被称为行政组织体系、行政官僚组织,是德国社会学家马克斯·韦伯根据纯粹理想型观点提出的社会组织内部职位分层、权力分等、分科设层、各司其职的组织结构形式及管理方式。其主要特征是:①内部分工且每一成员的权力和责任都有明确规定;②职位分等,下级接受上级指挥;③组织成员都是具备各专业技术资格而被选中的;④管理人员是专职的公职人员,而不是该企业的所有者;⑤组织内部有严格的规定、纪律,并毫无例外地普遍适用;⑥组织内部排除私人感情,成员间的关系只是工作关系。

科层制作为一种组织和管理方式,最大优点在于其有效率,即能够更有效地实现组织目标。同时,科层制又具有保证组织高效率运转的条件。但科层制的某些特点实际束缚了组织成员积极性的发挥和组织效能的实现,因而具有反功能:

(1)科层制靠严格细密的规章制度及行为规则推动运行,使每一个成员都按照规定的规则行事。这会降低成员工作的主动性和积极性,降低他们对工作的满意程度,从而常常会有损实际工作。

(2)组织为每一组织成员都规定了指导其工作的规范,但这些规范往往只适用于已经考虑到的正常情况。当组织环境发生变化,从而要求组织及其成员的行为发生适应性变化时,由于既定规则已不适用,新规则不会马上建立,这会使那些受过专门训练的成员手足无措,从而影响组织效率,甚至会产生"训练出来的无能"的情况。

(3)组织中严格的分层及权力责任的明确划分使上下级之间的沟通变得既规范又烦琐,工作程序机械化、死板化,逐级请示报告制度也使由下而上的反馈复杂困难。这样,当基层成员遇到新情况时,由于他无权擅自决断而必须请示,所以会贻误时机,实际也就贻误了工作、降低了效率。同时,这也束缚了组织成员的创造精神。

(4)组织中实行的事本主义的活动规则一方面排除了人情关系对正常工作的干扰,另一方面也把组织成员之间的关系严格地限制在工作范围内,重事不重人。这样,他们在组织中所遇到的只是纯粹的正式的工作关系,个人情感等方面的需要得不到满足,久而久之,人际关系尤其是上下级关系较为紧张,也会影响他们的积极性和工作效率。

2.1.5 社区与城市化

2.1.5.1 社区

1)社区的定义

社区是指居住在一个地区里进行共同生活的社会群体。他们进行互相联系的经济和社会活动,形成一个共同的生活集体,具有一定程度上相同的价值观念、共同利益和相似的认同意识,并有相应的实体单位。社区至少应该包括这样几个内容:

(1)社区是一个特定地区内的人口集团。

(2)社区成员之间的联系纽带是共同语言、风俗和文化,由此产生共同的结合感和归属感。

(3)每一社区都有共同的活动场所和活动中心。

(4)每一社区都有自己的组织和制度。

(5)每一社区都有它特有的自然条件或生态环境。

2)社区的结构

社区的结构指社区组成要素相互之间形成的相对稳定的关系或构

成方式,可以反映社区组成要素的内在关系和相互作用,决定着社区的性质和发展。社区结构的主要因素有:

(1)社区的生态环境结构。人们往往根据生态环境结构的具体状况,逐步形成不同类型的社区,如林业社区、石油工业社区等。

(2)社区的人口结构。包括人口数量、性别结构、年龄结构、素质结构、职业结构和阶层结构等。

(3)社区的经济结构。包括产业结构、产品结构、技术结构、职业结构、所有制结构、交换结构、分配结构、消费结构、社区经济空间分布结构及社区资源结构。

(4)社区的区位结构。即社区所处的地理位置以及各部分在空间的分布。如城市社区中的工业区、金融商业区、政治和行政管理区、文教科技区、生活服务区等的划分和布局等。

3)社区类型的划分

社区类型的划分依据或标准较多。根据研究的需要,选取农村社区、集镇社区与城市社区的分类体系。

农村社区的群体主要包括家庭、邻里、宗族。农村社区即村落社区的主要特点是:①人口密度小,经济活动单一;②社会分工不发达,社会组织结构简单,人口同质性强;③人际关系以血缘纽带为中心,家庭职能众多,家族势力强大;④物质生活和精神生活相对贫乏,居民受教育程度低,思想上有保守性;⑤生活空间狭小,社会流动性差,生活节奏缓慢。

作为城市和农村的过渡单元,集镇社区最大的特点是同时兼有农村社区和城市社区的特征,具体表现为:①人口特征上,集镇社区的人口没有明确的数量规定,一般表现出较大的流动性;②经济特征上,集镇社区具有综合性和易变性特征;③组织特征上,主要以初级群体为主,家庭和邻里在社会生活中起着非常重要的作用;④文化特征上,集镇社区既受城市文化的影响,又与农村的乡土文化有着千丝万缕的连续,有交融混合的现象,表现出中介性和冲突性的特点。

城市社区与农村社区形成鲜明的对比。城市社区的主要特征是:①城市居民以工商服务业为主,职业众多,组织结构复杂;②科层组织繁多;③生活方式多样化,节奏快;④家庭规模小,职能少;⑤强调角色交往而忽视个性交往。

2.1.5.2　城市化

城市化有两层意思,其一是指社会的人口向城市不断集中的过程;其二是指城市生活方式逐步成为社会主流生活方式的过程。

城市化的实质就是一个社会中越来越多的人口从农业生产中解脱出来,而从事手工业、商业和服务业。城市化的发展使城市逐渐取代农村而成为人类居住和活动的主要场所,它是人类社会生产和生活领域发生的一场极其重要的革命性变革。

逆城市化是人口从市中心向郊区不断分散的过程,其实质是城市人口的郊区化(suburbanization)。其产生原因一方面是城市中心区拥挤的交通、恶化的治安和严重污染的空气;另一方面,高度发达的交通,尤其是私人汽车的普及,为城市人口的郊区化创造条件。这种逆城市化在美国、加拿大、澳大利亚等地广人稀的发达国家最为明显,在英国、法国、意大利和德国也同样存在。然而,在人口密度特别高的发达国家和地区(如新加坡和香港)却不太明显。

造成城市化趋势的直接原因是人口的流动,也就是农村社区的人口流向城市社区,以及农村社区人口高度结集而形成新的城市社区。工业化是最基本原因。农业现代化极大提高了农业劳动生产率,从而带来大批过剩的农村劳动力。这些劳动力或涌向城市,寻找新职业,或在农村兴办的企业中就业,推动农村的工业化。此外,政治管理体系的完善、文化教育事业的兴办、社会服务事业的发展,都会带来城市人口的增加。

欧美发达国家的城市化过程中,一直是市场机制和市场竞争"唱主角"。第二次世界大战后,美国城市发展出现一些变化。主要是大规模的郊区化,在 20 世纪 50 和 60 年代达到顶峰。最先是中上等阶级迁入郊区,到后来一部分蓝领工人也搬入郊区。这样,造成美国大城市中心区的衰败以及城市财政的入不敷出,一大批城市走了破产的边缘。

欠发达资本主义国家中,城市新移民一般或是因为失去了农村的生存机会而被驱赶到城市,或是因为城市存在着一些更诱人的挣钱机会而被吸引到城市。这些新移民在聚居地点上与发达国家的新移民不同。在欧美发达国家里,城市新移民往往集中在市中心区域。而在欠发达资本主义国家里城市新移民通常聚居在城市边缘地带(即城乡结合处),于是几乎所有这些国家的大中城市都被连成一片的棚户区所环绕。此外,这些国家的城市一般存在严重的环境污染问题,而且由于它们的农村人口和城市人口同时增长,城市化速度非常缓慢。

农村城市化的道路是发展小城镇。

区域城市化是指在一定区域范围内,根据经济、社会、环境协调发展的要求,将大、中、小城市和城镇联成一体,实现区域范围内的整体发展。这就要求打破原有的行政区划,按照区域经济发展的特点进行重新分布。区域城市化是城乡一体化的基础和前提条件。区域城市化是以大都市为中心,建立"城市区域经济联合体"。具体来说,就是从充分发挥大城市在本地区的中心作用,利用城市现有的交通网络和基础设施,通过生产要素的自由流动和重新配置,为中小城市和城乡的协调发展提供有利条件。失业人口将在更大范围内经过竞争和选择重新找到新的就业岗位,而农村剩余劳动力将因城乡的开放而向永久性的居住地区转移。

新城市建设分四个阶段:交通干线和生活设施建设阶段—工业项目投产阶段—企业工程竣工阶段—城市形成阶段。一般新城市的建设周期为 15～20 年。发达国家在新城市的建设中都取得了长足的经验。

前面几种城市化道路:农村城市化、区域城市化和建新城市都是初始城市化阶段,而现有的城市则列入再次城市化阶段。城市现代化的基本内容是:从满足人的物质和精神需要出发,增加和完善各种文化设施和基础设施,提高市民的整体文化素质,形成良好的市风和市民形象,实现全体市民由传统人向现代人的根本转变。因而,它首先要考虑到人这一重要因素;其次要考虑环境;最后要考虑人与环境之间的关系等重要问题。

2.1.6　社会互动

社会互动就是人与人、个人与群体、团体与团体之间为了满足某种需要而进行的交互作用和相互影响的活动。社会互动的要素有主体、目的、结果、环境等。

社会互动的前提条件是相互认知，即双方主体必须通过直接的与间接的方式了解对方的地位、权力、角色、利益，或者性质、规模、结构、功能、变化等。同时社会互动必须在一定情景中进行，包括一定的制度、文化、空间、情绪等。

通常把社会互动划分为以下几种类型：

（1）直接交往，就是运用人类自身特有的方式（如言语与手势、身态、表情）而进行的面对面的交往。

（2）间接交往，就是借助媒介技术手段而进行的交往，如书信、电话等个人媒介，以及电视、广播、报刊等大众媒介。

（3）角色交往，是指受到一定社会行为模式与规范约束，代表特定社会群体或社会组织的人之间的交往。这种交往因交往者所处的地位、其必须扮演的角色而受到严格的规范结束，不能随心所欲、自行其是。

（4）非角色交往，是指个人间的交往，它不受特定环境与社会组织规范的限制。这类交往如朋友之间、亲戚之间的交往。

（5）横向交往，是指同一层次、同一等级的人或集团之间的交往。

（6）纵向交往，指不同层次、不同等级的人或集团之间的交往。

横向交往与纵向交往构成了社会的网络结构，是一个社会系统运行和发展的前提和基础。

马克思互动理论揭示了社会互动的物质条件。在私有制社会中，交往要在一定的历史条件和现实条件的基础上才能进行。人的需要是产生社会互动的根本原因。经济互动是其他一切互动的基础。在物质交往之外，人们还有更多的交往活动，比如思想、观念、意识，即人的精神交往，其是人们物质交往的直接产物。

社会关系是人们在社会互动中形成的、较为普遍的联系或行为模式。从产生的角度来看，社会关系是某种个人关系或人际关系固定化之后形成的。按照人类社会活动的领域来划分，可将社会关系分为经济关系、政治关系和一般社会关系。经济关系是人们在经济活动中建立的关系。政治关系是人们从事政治活动而建立起来的关系。一般社会关系则是人们在日常生活中建立起来的关系。

社会角色是指与人们的特定社会地位相一致，与社会对这个地位的期待相符合的一套行为模式。根据角色反映的内容与表现的形式，可将角色分为期望角色、领悟角色与实践角色。期望角色指社会对特定地位的人规定的一套权利义务和行为规范。领悟角色主要产生于人们文化的差异，每个人对自己充当的角色的理解是不同的。实践角色指个人在实际行为中表现出来的角色。

社会互动分为合作性的社会互动与对立性的社会互动两大类。合作性的社会互动的主要形式是合作、适应、模仿、同化、暗示；对立性的社会互动的主要形式是竞争、冲突、统治、服从等。

社会学的集体行为（又称集群行为、集合行为），是指自发产生的人们行为方式表现在行动上的一致。帕克认为集体行为是一种在集体冲动影响下的共同的个人行为，冲动是社会相互交往的结果。集体行为的形式很多，包括时尚、情绪感染、骚动、集会暴动、谣传等，各种形式的特点并不一样，但它们都有这样一些共同的特征：自发性、狂热性、匿名性、暂时性、无规范性。

集体行为产生的原因主要有社会弊端、政策不明确、价值观念冲突、相对剥夺感、权力斗争和意外事件。

2.1.7　社会分层与社会流动

社会分层是以一定的标准区分出来的社会集团及其成员在社会体系中的地位层次结构、社会等级秩序现象。

社会分层实质上反映的是社会不平等，缘于社会分化。社会分化有两个层面：一是原来承担多种功能的单位变为承担单个功能的多个单位，即所谓的水平分化；二是原来社会地位相同或相近的单位变得越来越不同，即所谓的垂直分化。在垂直分化过程中，由于社会成员的机会、能力等方面存在差异，一些成员得以更多地享有社会资源，占据更为优越的社会地位，从而使所有社会成员彼此之间出现高低有序的不同等级和不同层次。分层的本质是机会、利益或资源占有的差异。

分层内容具体包括阶级、阶层、层界。阶级是一个包括经济、政治、思想在内的广泛的社会范畴,划分阶级的依据是经济因素,是人们在一定的生产关系中所处的地位,包括生产资料的占有关系、在社会劳动组织中的作用、领取财富的方式和数量。阶层是社会中处于某种特殊地位的社会集团。它是在一定的生产关系之外,处于相同地位的人们组成的社会集团。阶级划分的依据是经济因素,阶层划分的依据不完全是经济因素,职业、权力、受教育程度、社会声望等因素,都可以成为阶层划分的标准。层界指阶层、阶级之外的社会集团。层是社会按垂直方向分化出来的一些较小的社会集团,大多存在于阶层内部,有些也存在于阶层或阶级之间。界是社会按水平方向分化出来的一些较小的社会集团。层界和阶级、阶层的区别在于它划分的标准既不是生产资料的占有关系的同一性,也不是社会经济地位与作用等方面的同一性,而是收入与收入源泉、劳动分工、受教育程度、宗教、信仰等某一方面的同一性。层界划分的意义,在于承认客观存在的最大量也是最一般的社会差别。

社会地位是指人们在社会关系空间上所处的相对位置,围绕这一位置,人们规定了一套权利和义务。通俗地说,社会地位就是社会关系网的各个纽结。

社会地位和社会角色是一个问题的两个方面。社会地位是指个人在社会关系中所处的位置,社会角色是指个体在这个位置上的行为模式。社会地位是社会角色的基础,社会角色是社会地位的动态表现。

社会分层的测量指标包括:

(1)不平等指数,指用最高收入者和最低收入者的比例之和表示社会不平等程度。即将最高收入者占总人口的比例与最低收入者占总人口的比例相加,代表不平等程度。

在实际调查中,若难以确定最高收入者和最低收入者的界限,则一般把贫困线以下的社会成员视为最低收入者,把收入超过平均水平 2 倍的社会成员视为最高收入者。

不平等指数反映社会贫富两极人口的分布状况。如果指数高,意味着贫富分化程度高;反之,则表明社会中间阶层占大多数,社会分化程度低。

（2）五等分法，指把总人口分为五等份，考察每一部分在社会总收入中所占比例。这种方法最早由 F. W. 佩什提出，他以人均收入的高低为标准将人口分为五等份，然后测量每等份人口占总收入的比例。

（3）基尼系数，由意大利经济学家 C. 基尼提出。他根据洛伦茨曲线设置测量分配不平等程度的指标。其公式为：$G = A/(A + B)$。其中，G 为基尼系数；A 为实际收入分配线与绝对平均线之间的面积；B 为实际收入分配线与绝对不平均线之间的面积。

基尼系数较准确地反映了财产、收入等分配不平等的程度，被广泛应用于社会分层的研究中。

（4）恩格尔系数，指食物支出额与全部生活消费支出额的比率。它最早由德国统计学家恩格尔提出。其目的是测量社会成员的总体生活水平状况。

一般把恩格尔系数在58%以上视为赤贫；51% ~ 58%的视为温饱水平；41% ~ 50%的视为小康水平；31% ~ 40%的视为富裕；30%以下的视为极富裕。

（5）社会经济地位量表，用来测量社会地位的综合状况。它以经济收入地位、社会教育地位和职业地位的综合值为指标，反映社会成员社会地位的高低。每个地位分五个等级，把各个地位的所得值加起来，总分即为指标值。这样，可根据社会成员的总分值划分不同的社会地位等级。

1999 年初，中国社会科学院社会学研究所成立了"当代中国社会结构变迁研究"课题组，以职业分类为基础，以组织资源、经济资源和文化资源的占有状况为标准划分出中国十大社会阶层：国家与社会管理者阶层，经理人员阶层，私营企业主阶层，专业技术人员阶层，办事人员阶层，个体工商户阶层，商业服务业员工阶层，产业工人阶层，农业劳动者阶层，城乡无业、失业、半失业者阶层。

社会流动指构成社会结构的动态过程。广义的社会流动，是指任何个人和群体的社会变动。如居住地的迁移、家庭的重组。狭义的社会流动，是指个人或群体从一个社会地位移向另一个社会地位的现象。

这是社会学主要研究的对象。

社会流动是不同社会地位之间的变动。社会流动是指个人或群体的社会地位的变化。社会流动是争取社会资源再分配的方式。社会流动是否合理应当从质和量两方面考察。从质的角度来说,合理的社会流动就是要坚持机会均等的原则,即所有的符合条件的人具有相等的机会,而且这些条件应该可以通过社会成员自身努力获得;从量的角度来说,应该根据社会的需要和承受力为社会流动创造机会,努力增加社会流动量,加快社会流动的速度。

根据产生的原因及影响划分,社会流动分为结构性流动和非结构性流动。结构性流动是指在某些社会结构层面上发生的社会流动。其规模宏大、流动速度快、变动急剧,结果往往导致社会结构或人口地区分布上的重大变化。非结构性流动是指由于个人原因造成的社会流动。其通常不会导致社会基本结构的变化,因而被称为自由流动。与结构性流动不同,非结构性流动主要是通过个人努力实现的,因此相对来说,社会流动数量较小,变化较慢,影响的社会范围也较小。

根据流动方向划分,社会流动分为垂直流动和水平流动。垂直流动,又称上下流动,指人们社会地位的升降变化。它既可以是朝向更高的社会地位等级流动,称为向上流动,也可以是朝向较低的社会地位等级流动,称为向下流动。

水平流动指人们处于同一等级社会地位间的流动。它与垂直流动不同,不涉及社会地位的分层结构,通常表现为地区与地区、单位与单位之间的社会流动。对个人的社会地位影响很小,而对社会结构的变化影响较大。影响水平流动的最重要的社会因素是生产力发展所导致的职业结构的变化。

从社会角度来看,社会流动的社会功能主要包括以下两个方面:调整各社会阶层之间的关系,加强社会整合;促进社会分层体系的量变,形成合理的社会结构。从社会成员和社会群体的角度看,社会流动改变社会成员的社会地位,激发社会成员社会活动的积极性;形成开放的社会结构,建立社会成员之间的平等关系。社会流动更重要的意义在于它能促使社会成员建立平等的关系。这里所说的平等并非指所有的社会成员具有相同的社会地位,而是指机会的平等。也就是说所有具备一定条件和能力的社会成员具有相同的改变自己社会地位的机会。社会流动能够打破阶层之间的隔阂,削弱社会成员与社会地位之间的固有的关系。社会流动率越高,流动幅度越大,社会结构就越开放,不同社会地位的社会成员的机会越趋于平等。

　　社会流动受社会和个人诸多因素的制约。从社会宏观角度讲,包括经济结构、社会结构和其他因素。在经济结构中,产业结构和职业结构是比较重要的因素。产业结构指社会各产业的结构和联系方式,它由生产力的发展水平决定。产业结构规定了各产业的劳动力数量和流动的方向,它的变化可以为社会成员提供大量的新职业、新职位以及增加各产业的劳动力容量等。社会职业结构也是影响社会流动的主要因素,它包括就业制度、就业政策、劳动用工制度、招工制度等。产业结构在宏观上影响社会成员社会流动的方向和数量,而职业结构具体确定社会成员流动的途径和方式。

　　影响社会流动的社会结构方面的因素很多,其中包括社会分层体系、社会继替规则、社区分化和组织分化等。

　　中国城乡之间的结构性社会流动是改革开放的必然结果。中国当前的城乡社会流动仍然受到许多因素的制约,使得这构性流动形成相对封闭的系统并带有盲目的特征。

2.1.8　社会制度

2.1.8.1　社会制度的含义

　　社会制度是在一定条件下形成的人类社会关系和社会行为的相对稳定的规范体系。社会制度的定义蕴涵着三层含义:

　　(1)社会制度是为了满足人类的社会需要而产生的,是由社会关系所决定的。

　　(2)社会制度是一定历史条件下的产物。不同的社会产生不同的社会制度,社会制度随着一定的条件变化。

　　(3)社会制度是由规范、规则等构成的体系,具有相对稳定性。

　　人类社会较为普遍的基本社会制度包括家庭制度、经济制度、政治制度、文化制度、社会保障制度等。

社会制度一般由概念系统、规则系统、组织系统和设备系统构成。

2.1.8.2 社会制度功能失调

社会制度有正功能和负功能。正功能包括行为导向、社会整合、社会化、社会控制、满足生活需要、文化传承等。负功能表现为社会制度紊乱、不起作用甚至起反作用，即所谓的社会制度功能失调，成为生活和生产的障碍。可能使社会制度功能失调的原因包括：

（1）制度惰性。社会制度属于上层建筑，一旦形成，不易改变，具有相对稳定性。当制度跟不上社会发展的要求时，就会起阻碍作用，产生负功能。

（2）社会关系失调。社会制度本质上是社会关系的固定化。当社会关系恶化，社会矛盾加剧时，社会制度就会失去作用。

（3）失去存在的价值。社会制度内部某些环节因素和变化着的社会关系脱节，原有的功能不能发挥或起反作用。

（4）社会制度内部出现矛盾和混乱。

2.1.8.3 社会制度的改革

社会制度本身具有产生、发展、完善、消亡的生命周期，可概括为四个阶段：形成阶段、成熟阶段、形式化阶段和消亡阶段。

因此，社会制度也存在着改革和创新问题。制度改革的类型和方式包括：

（1）渐进式与突进式。渐进式表现为持续的量和质的积累，突进式表现为急速的、飞跃式的变化过程。

（2）强制式和诱导式。强制式指政府根据需要利用国家政权的力量强行推进的制度改革。诱导式指在政府的默许或精心安排下，用获利的机会诱导人们自发地改革旧制度和建立新制度。

（3）立法先导式与试验先导式。立法先导式指先立法、再依法改制的制度改革方式。试验先导式指先试验，成功后再全面推行的方式。

（4）整体改革式和局部改革式。整体改革式指彻底抛弃旧的制度，建立与旧制度有本质区别的新制度。局部改革式指对制度的要素或结构进行部分调整和改造，使其摈除弊端，功能更新。

2.1.9　越轨行为和社会控制

社会控制是指社会组织体系通过社会规范以及与之相应的方法和手段,对社会成员或群体行为进行指导和约束,从而协调社会关系的各个部分,维持社会秩序,推动社会发展的过程。社会规范是习俗、道德、宗教、法律、行政等规范的总和。

从内容上讲,社会控制可以分为两个方面,一方面是规定、引导、促进、鼓励人们按照既存的社会规范从事社会活动;另一方面是防范、阻止、惩处一切有害社会稳定和社会发展的行为。对社会控制的狭义理解是指对越轨行为进行限制的过程。

从社会学角度看,社会控制分为三个方面:①对社会行为的控制;②对社会关系的控制;③对社会价值的控制。

社会控制的手段主要有:①政权;②法律;③纪律;④道德;⑤风俗;⑥宗教;⑦社会舆论。

一般把与社会规范相违背的行为称为越轨行为。社会学中的越轨行为指那些违背了群体或社会的重要规范,被多数人否定的任何思想或行为。

越轨行为可以分为反抗行为和反常行为。反抗行为指为表示不满,希望能改变不合理的社会行为规范的越轨行为。反常行为指为获取私利或逃避惩罚的越轨行为。根据行为背离的对象和背离的程度划分为偏差行为、违规行为、未警行为、犯罪行为。

偏差行为:指偏离社会习俗的行为。

违规行为:指违背社会道德规范以及社会组织中各种规章制度的行为。

未警行为:指违反社会治安和公共秩序的行为。

犯罪行为:指具有社会危害、触犯法律、必须承担法律责任的行为。

越轨行为对社会的负功能包括:

(1)扰乱社会秩序。普遍的越轨行为破坏人们对社会秩序的信心,使得守法者与越轨者均无所适从,甚至会导致社会解组。

(2)浪费社会资源。首先,越轨行为使得社会把本来可用于其他方面的资源用于社会控制;其次,越轨行为造成越轨者与受害者之间的紧张冲突,造成了社会资源的浪费。

(3)破坏社会成员间的信任联系和正常联系。越轨行为把不信任和对立情绪带入日常生活,使社会成员间无法正常沟通和交流,同时给整个团体或社会的运行机制造成困难甚至危害。

(4)具有扩散作用。越轨行为如果得不到惩罚,将破坏其他人遵纪守法的愿望并去效法越轨者或越轨行为,控制不当,越轨行为会迅速蔓延。

但对社会管理而言,越轨行为也有其积极意义。一是有助于认清和界定社会规范。二是唤醒和增强人们的团结意识。三是缓解不满情绪,防止不满积累而造成的总爆发。四是对社会制度或社会组织的缺陷有预警作用。五是引发必要的社会改革。一个社会如果没有任何越轨现象,也就不会有发展和进步。社会的发展离不开越轨行为的推动。

2.1.10 社会问题

社会问题是影响社会成员健康生活,妨碍社会协调发展,引起社会大众普遍关注的一种社会失调现象,在欧美国家也用社会病态、社会解组、社会反常或社会失调这些名词来指称。社会问题一般在社会转型期表现较为突出。

一般而言,人们往往是从三个方向去界定社会问题的:①是否符合社会运行、发展的规律;②是否影响社会成员的利益或生活;③是否符合社会的主导价值标准和规范标准。社会问题的产生与人的道德抉择有关。社会问题具有可改变性。

从社会病理学的观点来看,所谓社会问题就是违背了道德期望。造成社会问题的最大原因即是社会化过程的失败。社会解组论认为社会解组就是失去规则。解组的三种形式是:无规范、文化冲突、崩溃,即价值体系和规范体系完全混乱。美国社会学家奥格本认为,社会问题起源于文化的变迁和失调。他认为文化的各个部分是相互依赖的,当各个部分以不同的速度改变时,其中的一部分可能脱离整体而造成混乱。他观察到人们通常比较容易接受新的工具而不是新的思想观念,因此,物质文化的变化也就比非物质文化的变化来得快。从另一方面讲,风俗习惯和规则的变化比较容易落在科技的后面,这就是"文化脱节"(cultural lag),当这种文化脱节影响到大多数人时,就成了社会问题。社会问题源于社会解组,而社会之所以解组是因为规范的欠缺和不一致,最主要的又是源于社会的快速变迁。因此对社会问题最有效的解决办法就是尽快重建社会规范和秩序。价值冲突论认为,造成社会问题的根本原因是价值或兴趣上的冲突。

社会冲突论指出群体之间的矛盾和冲突不仅仅在价值观方面,即人们对同一社会现象的不同看法或社会思想准则混乱,群体间的冲突主要是利益矛盾和冲突,社会问题是由于各种社会群体之间的利益相异而发生矛盾、冲突引起的。

任何社会都有问题,不同社会会有相同的问题。社会问题有其文化差异性、时代性和群体差异性。

2.1.11　社会变迁与社会现代化

社会变迁是指社会结构与功能的演变而引发的一切社会现象的变化,其中社会结构的变迁是核心和实质。

社会变迁是一个中性概念。即社会变迁,既可以指社会的进步和发展,也可以指社会的停滞或倒退。具体而言,社会变迁可以分为如下类型:

(1)整体社会变迁和局部社会变迁。整体社会变迁,指整个社会结构体系的变化,局部变迁指各个构成要素自身以及它们之间部分关系的变化。需要指出的是,在社会变迁中,上层建筑部分的变迁往往是滞后的。

(2)进步的社会变迁和倒退的社会变迁。进步的社会变迁指促进社会良性运行和协调发展的变迁,能够带来社会物质财富的增长和社会各方面包括精神生活的提高,使每一个社会成员追求自由、平等、民主的生活。倒退的社会变迁表现为社会发展停滞不前,不利于社会无知财富与精神财富的增长,破坏社会机体的良性运行和协调发展,造成社会发展进程的中断,同时也给社会成员自身的发展带来障碍,抑制甚至扼杀其创造激情和才能。

(3)渐进的社会变迁和突发的社会变迁。

(4)无计划的社会变迁和有计划的社会变迁。

社会变迁的方向评价,即社会进步、停滞、倒退的判断,可以从四个侧面来考察:

(1)开放性,即社会吸收其他社会的技术、观念和组织策略的程度。

(2)合理性,即个人用尽可能低的代价获取尽可能大的收益,社会用尽可能少的资源获取尽可能大的利润,充分的技术创新和社会改革的动力和激励。

(3)自由度,人类自由程度的不断增加。

(4)平等度,即个人发展机会的平等和社会过度分化的遏制。

一个良性运行的社会,或者一个想要取得进步,避免停滞与倒退的社会,必须具有下述条件:

(1)稳定机制,即社会在保障系统内部的活力和创造力的前提下,不断地进行自身调节,使自身处于一种相对有序的状态,既能避免各种破坏因素的影响,又能提高对外部环境和各种条件的适应能力,在稳定中求发展。

(2)协调机制,即对社会发展的目标、结构、速度、力量、手段、途径等进行调整和控制,以保障社会健康而协调发展,获得进步。

(3)一定的均衡机制,即处理发展过程中滞后方面与整体进程的相随关系,使之不至于成为发展的阻碍。

(4)更新机制,即保障社会结构优化、科学技术变革、体制改革和观念更新的机制。这是社会进步的核心。

考察社会变迁,最基本的侧面是:

(1)社会关系的基本制度,即社会行为的基本规范体系,主要指国体、政体、所有制等规范。

(2)社会关系的基本结构,即组织结构、阶级结构、职业结构等。

(3)社会关系的基本面貌,即人们的生活方式与行为方式。

影响社会变迁的主要因素包括自然环境、人口经济、科学技术、政治制度和社会价值观念。引起社会变迁的基本前提是社会需要的增长,而以发明、发现、革新、创造等形式表现出来的新思想、新技术、新活动等新要素的产生和导入是社会变迁的中心环节。新要素产生或导入后,必须经过传播、扩散的过程才能形成社会变迁,而社会结构的分化和整合最终实现社会变迁。从周期上看,社会变迁要经过适应、分化、冲突、整合四个阶段。

现代化指人类利用近现代技术,全面改造自己的生存条件和精神条件的过程,是一个包括政治、经济、社会和文化等诸方面的整体性社会变迁的过程。

从社会变迁的方向看,现代化是正向的即前进的社会变迁。现代化改变人们的世界观、价值观和生活态度,改变社会组织和社会制度,改变社会的生产技术和劳动方式。最值得一提的是,现代化是变化异常迅速的社会变迁。

现代化的基本内容包括工业化、民主化、城市化、专门化、世俗化、理性化。进而言之,现代化是经济工业化、政治民主化、信仰科学化和农村城市化的进程。其中经济工业化是指现代工业生产方式和工业化生产方式的普遍扩散的过程。以工业化为核心的现代经济发展,其实质是科学技术的发展。

社会的现代化衡量指标体系大致有三个方面:经济发展、社会进步、人口素质和生活水平。具体指标包括人均国民生产总值(GNP)、第一产业产值占国民生产总值的比重、第三产业占国民生产总值的比重、非农劳动力占总劳动力比重、城市人口占总人口比重、人均收入、基尼系数、平均预期寿命、人口自然增长率、识字人口比重、适龄人口中大学生比重、恩格尔系数、环境质量综合指数等。

2.1.12　节水型社会研究的社会学的层面问题

节水型社会研究的社会学层面问题主要包括下述内容:

(1)社会生活基本单位的节水行为和节水措施,包括个人和各种群体,如家庭、社区、社团和组织等。

(2)社会制度和社会秩序,主要是涉水制度,包括行政管理制度、公约规约及相应的经济制度、法律制度、教育制度等。

（3）基本的社会过程、社会关系、社会控制和社会变迁，即通过节水型社会建设带来的或节水型社会建设过程中产生的各种变动，如社会交往、社会舆论、社会评价、社会控制、社会冲突、社会整合、社会变迁等。

2.2　政治经济学原理

2.2.1　经济基础和上层建筑

经济基础和上层建筑从社会结构、社会关系层面规定了节水型社会的基本结构和走向。

经济基础是由社会一定发展阶段的生产力所决定的生产关系的总和，是构成社会的基础。上层建筑是建立在经济基础之上的意识形态以及与其相适应的制度、组织和设施。特定的经济基础与上层建筑统一构成特定的社会形态。

社会的基础是社会的经济关系体系，即生产关系的总和，主要包括生产资料所有制、生产过程中人与人之间的关系和分配关系，其中生产资料所有制是决定的部分。

社会的上层建筑由该社会的观念上层建筑和政治上层建筑两个部分组成。观念上层建筑包括政治法律思想、道德、宗教、文学艺术、哲学等意识形态。政治上层建筑在阶级社会指政治法律制度和设施。

经济基础对上层建筑的决定作用表现在：①经济基础决定上层建筑的产生；②经济基础决定上层建筑的性质；③经济基础决定上层建筑的变革。

上层建筑对经济基础的反作用主要表现在积极地为自己的经济基础服务。政治上层建筑运用强制手段，把人们的行为控制在一定秩序的范围内。观念上层建筑则利用舆论工具，论证自己经济、政治制度的合理性，规范和控制人们的思想与行动。

在社会主义社会中，经济基础和上层建筑的矛盾一般表现为人民内部的非对抗性矛盾，可以通过社会主义制度自身的力量进行调整和克服。

2.2.2　社会经济关系和组织经济关系

生产关系是在物质资料生产过程中发生或体现的人与人之间的关系。生产关系是生产的社会形式,可分为社会经济关系和组织经济关系两个层次。

社会经济关系,是反映社会经济制度本质的人与人之间的经济关系,其实质和基础是所有制关系。经济关系决定了生产的目的。每一种社会制度都有它固有的与其他社会制度相区别的社会经济关系,这种经济关系构成了该社会经济制度的质的规定性。

组织经济关系,就是在具体组织生产、分配、交换、消费过程中发生的人与人之间的经济关系。这类经济关系反映在经济运行、资源配置的过程中,它说明的是各种生产要素相结合的具体形式和特点,如劳动的分工、专业化和协作,调节经济运行的计划手段和市场手段等。这类经济关系,一方面是适应生产一般的需要,显示出超越社会经济关系的某种共性;另一方面,它又不能不受到社会经济关系的制约,因而必然要反映和体现社会经济关系的特点和要求,成为社会经济关系的具体实现形式。

社会主义社会的社会经济关系构成了对节水型社会架构的基本规定,组织经济关系则是节水型社会架构要着重体现的部分。

2.3　社会主义市场经济理论

节水型社会的核心是建立以水权管理为核心的制度体系和机制,培育水权交易市场,一定程度上以市场方式配置稀缺性水资源,提高水资源的利用效率和效益,因此社会主义市场经济理论也构成节水型社会的基本规定或约束。

2.3.1　资源配置方式和市场经济

资源配置是在一定的范围内,社会对其所拥有的各种资源在其不同用途之间的分配。资源稀缺性决定了资源配置的重要性。市场经济是在现代化大生产条件下,以市场配置方式作为资源配置的一种经济运行方式。

市场经济的一般规定性主要表现在:

(1)一切经济活动都被直接或间接按地纳入市场关系之中。

(2)企业是自主经营、自负盈亏、自我发展和自我约束的市场主体。

(3)政府不直接干预企业的生产经营活动,而主要是通过经济政策来调节经济运行。

(4)所有经济活动都是在一整套法律法规体系的约束下进行的。

市场经济的基本构成要素包括:①规范的市场主体;②完善的市场体系;③规范的市场运行规则;④有效的宏观调控体系。

社会主义市场经济的制度基础是社会主义初级阶段的基本经济制度,即以公有制为主体、多种所有制经济共同发展的经济制度。市场经济与社会主义基本经济制度的结合,是社会主义市场经济体制产生和存在的基础。

我国经济体制改革的目标是建立社会主义市场经济体制。构造社会主义市场经济体制的主要环节(方面)包括:①建立产权清晰、权责明确、政企分开、管理科学的现代企业制度;②建立全国统一开放的市场体系;③建立以间接手段为主的、完善的宏观调控体系;④建立以按劳分配为主体、多种分配方式并存的收入分配制度,按劳分配与按生产要素分配相结合(坚持效率优先、兼顾公平的原则);⑤建立多层次的社会保障体系。

社会主义市场经济体制的目标是按照统筹城乡发展、统筹区域发展、统筹经济社会发展、统筹人与自然的和谐发展、统筹国内发展和对外开放的要求,更大程度地发挥市场在资源配置中的基础性作用,增强企业活力和竞争力,健全国家宏观调控,完善政府社会管理的公共服务的职能,为全面建设小康社会提供强有力的体制保障。

社会主义市场经济体制的任务是完善公有制为主体、多种所有制经济共同发展的基本经济制度;建立有利于逐步改变城乡二元经济结构的体制;形成促进区域经济协调发展的机制;建设统一、开放、竞争、有序的现代化市场体系;完善宏观调控体系、行政管理体制和经济法律制度;健全就业、收入分配和社会保障制度;建立促进经济社会可持续发展的机制。

水资源的配置及其使用也在社会主义市场机制的大框架约束下。

2.3.2　所有制关系和产权制度

社会主义市场经济中的所有制关系和产权制度是建立以水权管理为核心的水资源管理体制的基本规定。

生产资料所有制关系实质上是经济利益关系,归属关系或所有关系是最基本的关系。生产资料所有制是社会经济制度的基础,规定着社会经济制度的性质。财产所有权是生产资料所有权这种经济关系在法律上的基本表现。财产所有权也是一个关系体系,指财产所有人在法律规定的范围内对自己的财产享有占有、使用、收益和处分的权利。

生产资料所有制或财产所有权的三种基本形式:私有制、公有制和混合所有制。私有制包括劳动者个体所有制和私人资本主义所有制。公有制的基本形式包括全民所有制和集体所有制。公有制可以而且应该采取多种实现形式,股份制成为公有制的主要实现形式。全民所有制采取国家所有制的实现形式。集体所有制的特征为:①财产所有权包含的占有、使用、收益和处分四项权利基本上都集中在集体单位内部。②集体经济单位实行自主经营、自负盈亏,劳动者收入的多少完全取决于本单位的生产经营状况。③集体经济单位的领导人由本单位的劳动者经过民主选举产生。

混合所有制的性质和特征包括:①混合所有制的性质一般是由混合所有制经济中占优势并控制企业的出资者的所有制性质决定的。②股份制是混合所有制的重要形式。③混合所有制打破了单一所有制的封闭性,使不同所有制形式在微观经济主体中互相融合、互相渗透,构成了一种新的经济主体。

产权主要是指财产权或财产权利,是以财产所有权为主体的一系列财产权利的总和,包括所有权及其衍生的占有权、使用权、经营权、收益权、处置权和让渡权等权利,包括物权、债权、股权和知识产权及其他无形财产权。产权的基本特征包括独立性、排他性、流动性和可分性。

产权制度是关于产权界定、运营、保护等的一系列体制安排和法律规定的总称，或是由一定的产权关系和产权规则相结合而形成的，并且能够对产权关系实行有效保护、调节和组合的制度安排。

现代产权制度是与社会化大生产和现代市场经济相适应的产权制度，具有归属清晰、权责明确、保护严格、流转顺畅等特征。

有效的产权制度应至少包括以下三方面内容：排他性的产权关系和明确的产权规则、清晰的企业产权结构、有效的产权保护制度。

产权制度的功能主要表现在：确立排他性产权关系，界定交易界区；确定产权主体的行为边界，规范交易行为；界定财产最终归属，保护产权主体不受侵害；激励和约束产权主体，促进资源合理流动。

产权制度的作用是维护市场秩序，保障市场经济的正常运行，降低交易费用和提高资源配置效率。

2.3.3　公平和效率原理

公平和效率原理是在经济学社会分配制度和个人收入调节的语境下提出的。本文着重强调从经济社会发展或和谐社会构建的更为宏观的角度进行论述，并将在后面的章节里引申到水资源的分配、配置中。

效率关系国家经济增长，公平关系社会稳定，是社会发展追求的两大目标。

效率的经济学含义是对资源利用的有效性。宏观层次上指资源配置的效率，即经济资源在全社会范围内的合理分配、社会生产符合时常需求的一种状态。微观层次上指经济活动的效率，包括劳动生产率和各种生产要素的使用效率，可以用投入生产的劳动或生产要素与取得经济成果的价值比率来衡量，即效益。

公平包括机会公平、规则公平、结果公平。机会公平和规则公平是结果公平的基础。

坚持效率优先，兼顾公平，有利于优化资源配置，促进经济增长和保持社会稳定。

经济效率与社会公平之间存在着替代的选择。在微观领域应更强调效率,在宏观领域应更多地注重公平。在市场机制起作用的地方应强调效率,而在政府分配机制方面,则应更关注公平。

2.3.4　经济增长与经济波动

在短期内,一个国家或地区的经济增长主要取决于总需求的变化。在资源没有被充分利用之前,即存在闲置资源的情况下,总需求的增加会拉动经济增长;相反,总需求的减少则会使经济增长的速度放缓,严重时甚至会导致经济出现负增长。总需求包括:消费需求、投资需求、政府支出或政府需求、净出口需求。

长期经济增长受总供给方面的多种因素影响。主要取决于生产要素的投入数量和生产要素效率的提高。影响长期经济增长的两个基本的生产要素是劳动和资本。影响生产要素效率高低的因素包括:①技术进步;②制度创新;③管理效率的提高;④人力资本的增进、知识的积累和教育的发展。

在以手工劳动为基础的传统农业社会中,劳动是促进经济增长的最重要的因素。人口的增长和劳动效率的提高,是经济增长最基本、最重要的源泉。工业化进程的初期,资本积累成为制约经济增长的关键因素。现代社会,科学技术成为第一生产力。

经济增长方式可分为粗放型经济增长方式和集约型经济增长方式。粗放型增长指在生产要素效率不变的情况下,主要依靠增加要素投入数量而实现的经济增长。集约型增长指在要素投入数量不变的情况下,主要依靠提高生产要素效率而实现的经济增长。

经济增长方式的选择是与经济发展的一定阶段相联系的。经济发展初期,尤其是在工业化进程的初期,经济增长一般以粗放型增长方式为主。当工业化进程进入中期并具备较完整的工业体系后,经济增长方式实现转换,从粗放型增长为主逐步转向集约型增长为主。

实现经济增长方式转换的核心是通过技术进步、制度创新和改善管理来提高生产要素的效率。具体方法为:①调整投资方向,大力支持高技术产业的发展,加快实现高技术产业化,实现产业结构的优化和产业升级。②增加教育的投入,为增加知识积累和人力资本积累、实现技术创新和提高管理水平奠定坚实的基础。③继续推进和深化经济体制的改革,为经济增长方式的转换和经济的可持续增长创造必要的制度条件。

2.3.5　市场机制的有效性与市场失灵

2.3.5.1　市场机制的有效性与资源的最优配置

市场机制就是指市场竞争、市场供求和市场价格之间相互影响、相互决定的机制包括价格机制、供求机制、竞争机制,其中价格机制是核心。市场机制的功能包括形成价格的功能、优化资源配置的功能、平衡供求关系的功能、激励市场竞争主体的功能。

市场机制的特征包括:

(1)市场机制的运行来自市场主体对自身经济利益的追求。

(2)微观经济主体的经济活动决策是由各个市场主体自主、分散地作出的。

(3)市场机制对经济活动的调节或资源的配置是自发地和自动地进行的。

(4)市场机制通过价格信号向微观经济主体传递信息,而微观经济主体则主要通过价格信号调节自己的活动。

在市场机制作用下,如果个人和法人作为市场主体分别实现了效用最大化和利润最大化,并且在此基础上,产品市场和生产要素既不存在过剩,也不存在短缺,即整个经济体系恰好使所有的商品供求都相等时,经济就处于一般均衡状态。当经济处于一般均衡状态时,资源便实现了最优配置,即一种资源的任何重新分配,已经不可能使任何一个人的处境变好,也不使一个人的处境变坏。

资源最优配置的标准或资源最优配置的状态被称为帕累托标准或帕累托最优状态。

2.3.5.2　市场失灵与微观经济政策

完全依靠市场机制的自发作用都不可能实现一般均衡和帕累托最优状态。这种情况的存在被称为市场失灵。其原因包括以下几个方面。

1) 外部性或外部影响的存在

在市场经济中,当经济主体的一项经济活动给其他社会成员带来好的或坏的影响,而又不能使市场主体得到相应的补偿或给予其他社会成员赔偿的时候,就会产生"外部性"或"正外部性",其他市场主体受益,自己却不能得到补偿,即"外部经济"。外部经济会使市场主体活动水平低于社会所需最优水平。其他市场主体受损,却又不为此作出赔偿,为负外部性,即"外部不经济"。外部不经济会使市场主体活动水平高于社会所需水平,并给其他社会主体乃至社会带来巨大损失。这表明资源未实现最优配置,帕累托标准未实现。外部性的存在,与产权不明晰有关。

2) 公共物品的生产

如果某种物品不具有消费的竞争性,也就是任何人增加对这些产品的消费都不会减少其他人所可能得到的消费水平,即为公共物品。如果某种产品既不具有竞争性,又不具有排他性,则可称之为纯公共物品。

市场机制是一种利益调节机制,因此只有在具有竞争性和排他性的私人物品方面能够起完全的调节作用。

3) 垄断的存在

垄断是指一个或少数厂商对某种产品的生产或销售实行完全的或某种程度的控制。其原因包括:①厂商实现了对某种产品生产所需的关键资源供给的控制,从而使其他厂商无法进入该领域。②拥有了生产某种产品的专利权。③自然垄断。某些行业的技术条件决定了只有在产量很高或生产规模巨大的条件下,才能取得生产的规模效益。④政府对某些行业实行准入制度。⑤市场竞争本身的发展会导致生产集中,而生产集中发展到一定程度,也会形成垄断。

垄断形成使市场竞争性减弱,使市场机制配置资源的有效性受到限制。表现为:①垄断厂商可以在一定程度上控制产量和价格,使市场机制作用的发挥受到限制;②垄断厂商为获得最大利润,其产品的价格会高于竞争条件下的价格,产量会低于竞争条件下的产量,意味着生产不足和资源配置的低效率;③由于垄断利润的存在,是以消费者收益的相对减少为代价的,导致分配不公;④垄断条件下,垄断厂商缺乏竞争的外部压力,其经济效益低于竞争条件下的经济效率。

4)信息的不对性和不完全性

在现实生活中,供求双方的信息通常具有不对称性和不完全性。不对称的信息导致在市场上劣质产品驱逐优质产品,使资源不能有效利用。信息的不完全性会使生产者无法选择最优的资源并根据消费者偏好选择最优的市场,从而实现利润最大化。

市场功能缺陷存在缺陷,主要表现为:①在资源采取市场培植方式的情况下,分配差距扩大是难免的;②市场机制调节具有自发性和滞后性,导致经济运行中的波动;③企业经济行为短期化。

对于市场失灵,需要政府制定微观经济政策加以克服。对于市场功能缺陷,需要政府对经济运行进行宏观调节加以解决。

克服市场失灵的微观经济政策包括:

(1)在消除外部性方面,使用税收和补贴手段、明晰产权等。

(2)在公共物品供给方面,由政府生产公共物品,数量采用非市场化的决策方式。

(3)对垄断进行管制,控制市场结构,管制垄断企业的产品价格和数量,制定反垄断法和反托拉斯法等。

(4)加强信息服务,提高资源的配置效率。

2.3.6 政府对宏观经济运行的调节与控制

2.3.6.1 政府的经济职能和宏观经济调控的作用

政府的经济职能包括:

(1)经济调节。利用经济手段和法律手段,对社会总需求和总供给进行总量控制,对收入分配和经济结构调节,对进出口贸易、国际收支等国际经济关系的调整和控制等。

(2)市场监管。依法对市场主体及其行为进行监督和管理,维护公平竞争的市场秩序。

(3)社会管理。通过制定社会政策和法规,依法管理和规范社会组织、社会事务,化解社会矛盾,维护社会公正、社会秩序和社会稳定。

(4)公共服务。提供公共产品和服务。作为国有资产代表,行使国有资产管理职能。

政府实行宏观调控的根本目的在于:①保证市场机制能够正常运转,发挥其对资源配置的基础性作用;②消除市场失灵和市场功能缺陷所产生的消极后果,保证社会主义市场经济健康发展。

政府实行宏观调控的原则是,在市场机制能够充分发挥作用的地方,让市场机制发挥调节经济运行的作用;在市场机制不能发挥作用或不能充分发挥作用的地方,发挥政府的经济作用。

2.3.6.2　宏观调控的方式和手段

宏观调控的方式分直接调控和间接调控两种。直接调控是对经济运行进行非参数数量调节,是一种限制微观主体的自主性和市场机制自发性的调控方式,具有强制性特点。间接调控是政府运用经济手段,通过价格、税率、利率、汇率、工资率等市场参数来影响经济运行。以承认微观经济主体经营和市场机制的作用为前提,以存在完善的市场体系为条件。在社会主义市场经济条件下,宏观调控应采取直接调控与间接调控相结合,以间接调控为主的方式。

政府对经济运行的调控手段包括国家计划、经济手段、法律手段和行政手段。国家计划具有宏观性、战略性、政策性。经济手段主要为利益诱导,对象是市场体系或总体市场,特点是弹性调节而非刚性调节,不具有强制性。法律手段包括经济立法和经济司法,实行对微观主体直接调节,为机制运行提供法律保障,保证其他调控手段发挥作用。法律手段具有普遍的约束性、严格的强制性和相对稳定性。行政手段的特点是直接性、强制性和速效性。

2.4　可持续发展战略和构建社会主义和谐社会的目标

《中共中央关于构建社会主义和谐社会若干重大问题的决定》指出,到2020年,构建社会主义和谐社会的目标和主要任务是:社会主义民主法制更加完善,依法治国基本方略得到全面落实,人民的权益得到切实尊重和保障;城乡、区域发展差距扩大的趋势逐步扭转,合理有序的收入分配格局基本形成,家庭财产普遍增加,人民过上更加富足的生活;社会就业比较充分,覆盖城乡居民的社会保障体系基本建立;基本公共服务体系更加完备,政府管理和服务水平有较大提高;全民族的思想道德素质、科学文化素质和健康素质明显提高,良好道德风尚、和谐人际关系进一步形成;全社会创造活力显著增强,创新型国家基本建成;社会管理体系更加完善,社会秩序良好;资源利用效率显著提高,生态环境明显好转;实现全面建设惠及十几亿人口的更高水平的小康社会的目标,努力形成全体人民各尽其能、各得其所而又和谐相处的局面。

构建社会主义和谐社会,要遵循以下原则:

(1)必须坚持以人为本。始终把最广大人民的根本利益作为党和国家一切工作的出发点和落脚点,实现好、维护好、发展好最广大人民的根本利益,不断满足人民日益增长的物质文化需要,做到发展为了人民、发展依靠人民、发展成果由人民共享,促进人的全面发展。

(2)必须坚持科学发展。切实抓好发展这个党执政兴国的第一要务,统筹城乡发展,统筹区域发展,统筹经济社会发展,统筹人与自然和谐发展,统筹国内发展和对外开放,转变增长方式,提高发展质量,推进节约发展、清洁发展、安全发展,实现经济社会全面协调可持续发展。

(3)必须坚持改革开放。坚持社会主义市场经济的改革方向,适应社会发展要求,推进经济体制、政治体制、文化体制、社会体制改革和创新,进一步扩大对外开放,提高改革决策的科学性、改革措施的协调性,建立健全充满活力、富有效率、更加开放的体制机制。

(4)必须坚持民主法治。加强社会主义民主政治建设,发展社会主义民主,实施依法治国基本方略,建设社会主义法治国家,树立社会主义法治理念,增强全社会法律意识,推进国家经济、政治、文化、社会生活法制化、规范化,逐步形成社会公平保障体系,促进社会公平正义。

(5)必须坚持正确处理改革发展稳定的关系。把改革的力度、发展的速度和社会可承受的程度统一起来,维护社会安定团结,以改革促进和谐、以发展巩固和谐、以稳定保障和谐,确保人民安居乐业、社会安定有序、国家长治久安。

（6）必须坚持在党的领导下全社会共同建设。坚持科学执政、民主执政、依法执政，发挥党的领导核心作用，维护人民群众的主体地位，团结一切可以团结的力量，调动一切积极因素，形成促进和谐人人有责、和谐社会人人共享的生动局面。

可持续发展战略就是"既满足当代人的需要，又不对后代人满足其需要的能力构成危害的发展"。以控制人口、节约资源、保护环境为重要条件，其目的是使经济发展同人口增长、资源利用和环境保护相适应，实现资源、环境的承载能力与经济、社会发展相协调，从人口、资源、环境、经济、社会相互协调中推动经济发展，并在经济发展的进程中解决人口、资源和环境所面临的问题。

全面建设小康社会的目标：在经济方面，要在优化结构和提高效益的基础上，国内生产总值到 2020 年力争比 2000 年翻两番，综合国力和国家竞争力明显增强。基本实现工业化，建成完善的社会主义市场经济体制和更具活力、更加开放的经济体系。城镇人口的比重较大幅度提高，工农差别、城乡差别和地区差别扩大的趋势逐步扭转。社会保障体系比较健全，社会就业比较充分，家庭财产普遍增加，人民过上更加富足的生活。

节水型社会建设的宗旨、目标、任务要符合构建社会主义和谐社会的目标和主要任务及全面建设小康社会的目标，实现节水型社会建设"以水资源的可持续利用支持经济社会可持续发展"的总体目标。

2.5　节水型社会理论

我国节水型社会的理论和实践活动已有了一定的成果和基础，并已成为水利工作的核心之一，也得到各级政府和社会各界的重视。本书第一章对此已有所论述。我国节水型社会建设的理论框架以水利部高层领导的表述为集中体现。该框架无疑集成了许多学者的研究成果和思想，体现了水利部的治水新思路。

节水型社会理论总结了我国节水型社会理论研究成果和实践经验，对我国节水型社会及其建设进行了科学的规定和界定，既是节水型社会理论的集中阐述,又是节水型社会建设的行动纲领,对我国节水型社会建设具有长久的指导作用。该理论的框架如下。

2.5.1 建设节水型社会是解决我国水资源短缺问题的根本出路

树立和落实科学发展观、构建社会主义和谐社会,必须处理好人与自然的关系,坚持人与自然和谐相处。衡量人与自然和谐有两个重要指标,即两个承载能力:一是资源承载能力;二是环境承载能力。资源承载能力主要包括水资源、土地资源、能源资源,环境承载能力主要包括水环境、大气环境和生态环境。适应和提高资源承载力,要靠建设资源节约型社会。适应和提高环境承载力,要靠建设环境友好型社会。在这两个承载能力中,水资源都是重要因素。

建设节水型社会是解决我国水资源短缺问题的根本出路。水是人类生存的生命线,是经济发展和社会进步的生命线,是实现可持续发展的重要物质基础。水资源的可持续利用,是经济社会可持续发展极为重要的保证。我国的水资源短缺的特点、水资源开发利用状况、经济社会发展和环境的需要,决定了我国必须走节水型社会之路。

2.5.1.1 我国水资源的主要特点

我国是一个水资源短缺的国家。我国水资源人均占有量很低,且降水年内年际变化大。我国水资源空间分布不均,与土地、矿产资源分布以及生产力布局不相匹配。受全球性气候变化等影响,近年来我国部分地区降水发生变化,北方地区水资源明显减少。

我国的水资源特点,反映出我国总体上是一个干旱缺水的国家。同时,我国来水的时空分布不均给水资源开发利用带来很大困难,必须修建相应的蓄水、调水等水利工程实现来水和需水的匹配。

2.5.1.2 我国缺水问题突出

我国缺水问题突出,按目前的正常需要和不超采地下水,正常年份全国缺水量将近400亿 m^3。全国农村有3.2亿人饮水不安全。全国有400余座城市供水不足,比较严重缺水的有110座。我国北方一些地区大量挤占生态和环境用水,实际上是靠牺牲生态和环境用水来维持着经济社会发展的用水需求。全国以城市和农村井灌区为中心形成的地下水超采区数量已从 20 世纪 80 年代初的 56 个发展到目前的 164 个,超采区面积从 8.7 万 km² 扩展到 18 万 km²,引起地面下沉、水质变硬、海水倒灌等严重生态问题。一些生态严重恶化的地区,河流断流、湖泊干涸、湿地萎缩、绿洲消失。

水资源开发利用的难度越来越大。北方大多数河流水资源开发利用超出水资源承载能力。我国淮河、西北部分内陆河、辽河和黄河流域水资源开发利用率均超过或接近 60%,海河流域已经超过 100%,远远超过流域允许的水资源开发利用极限。

未来我国需水量,尤其是工业和生活用水量,将随着人口的增长、经济的发展而进一步增加。我国水资源供需矛盾将更加突出。

2.5.1.3　我国用水浪费严重

农业用水方面,我国平均单方灌溉水粮食产量约为 1 kg,世界先进水平的国家(如以色列)达 2.5~3.0 kg;节水灌溉面积占有效灌溉面积的比例为 35%,先进国家一般为 80% 以上;灌溉水有效利用系数为 0.4~0.5,以色列为 0.7~0.8。

我国工业水重复利用程度较低。2004 年,万元 GDP 用水量 399 m³,约为世界平均水平的 4 倍;万元工业增加值用水量 196 m³,发达国家一般在 50 m³ 以下;工业用水重复利用率为 60%~65%,发达国家一般在 80%~85%。

生活用水方面,公众节水意识有待提高,节水器具使用率普遍偏低。此外,我国海水利用和再生水利用水平较低。

我国一方面严重缺水,另一方面水资源利用方式粗放,用水效率不高,浪费严重。要从根本上解决这些问题,必须大力提倡节约用水,不断提高水资源利用效率和效益,建设节水型社会,这是保障我国经济社会可持续发展的必然选择,其意义绝不亚于三峡工程、南水北调工程。

2.5.2　节水型社会本质特征和实现途径

2.5.2.1　节水型社会建设的核心是制度建设

节水型社会建设是一场深刻的社会变革,需要进行体制改革和机制创新,进行制度建设。节水型社会建设的核心是制度建设,形成节水机制。节水型社会的本质特征是建立以水权、水市场理论为基础的水资源管理体制,形成以经济手段为主的节水机制,建立起自律式发展的节水模式,不断提高水资源的利用效率和效益,促进经济、资源、环境协调发展。建设节水型社会是对生产关系的变革,是制度建设,是一场革命。

节水型社会和通常讲的节水,既互相联系又有很大区别。无论是传统的节水,还是节水型社会建设,都是为了提高水资源的利用效率和效益,这是它们的共同点。但要看到,传统的节水,更偏重于节水的工程、设施、器具和技术等措施,偏重于发展节水生产力,主要通过行政手段来推动。而节水型社会的节水,主要通过制度建设,注重对生产关系的变革,形成以经济手段为主的节水机制。通过生产关系的变革进一步推动经济增长方式的转变,推动整个社会走上资源节约和环境友好的道路。

节水型社会的制度建设要解决的是全社会的节水动力和节水机制问题。动力来自两个方面,一个是靠社会成员内心的自觉,靠道德和良知的引导;一个是靠外界的约束和激励,靠压力和推力,并把这种约束、压力和推力转化为自觉的行为。搞节水型社会建设,根本的是要建立一整套制度,建立一种体制、机制,使得各行各业、社会成员受到普遍的约束,需要去节水;通过制度创新,使得全社会能够获得制度的收益,愿意去节水,使节水成为用水户自觉、自发的长效行为,而不是仅靠行政推动的权宜之计。

2.5.2.2 节水型社会实现途径

(1)明晰初始水权。初始水权是国家根据法定程序,通过水权初始化而明晰的水资源使用权。通常,水权有广义和狭义之分,广义的水权包括水的所有权、使用权、经营权、转让权等。在我国,水的所有权属于国家,国家通过某种方式赋予水的使用权给各个地区、各个部门、各个单位。因此,我们所讲的水权是狭义的水权,也就是水的使用权。由于水资源是以流域为单元,因此首先要以流域为单元,通过流域的水资源规划,进行初始水权的分配,再确定各区域的用水权指标。在各流域或区域分配初始水权时,要根据水资源承载力,保证生态用水和环境用水需求,协调好上下游、左右岸,特别是行政区划之间的关系,协调好发达地区和相对落后地区、城市和农村、工业和农业之间的关系,注意保留一部分用水权指标,作为经济社会发展的水资源储备。

(2)确定水资源宏观总量与微观定额两套指标体系。水资源的宏观总量指标体系用来明确各地区、各行业乃至各单位、各企业、各灌区的水资源使用权指标,实现宏观上区域发展与水资源承载能力相适应。水资源的微观定额指标,用来规定单位产品或服务的用水量指标。通过控制用水定额的方式,来提高水的利用效率,达到节水目标。

(3)综合采用法律措施、工程措施、经济措施、行政措施、科技措施,保证用水控制指标的实现。建设节水型社会,要调整经济和产业结构,建立与区域水资源承载能力相适应的经济结构体系;要建设水资源配置和节水工程,建立与水资源优化配置相适应的水利工程体系;要开展用水制度改革,建立与用水权指标控制相适应的水资源管理体系。要特别注重经济手段的运用,最重要的是制定科学合理的水价政策,"超用加价,节约有奖,转让有偿",充分发挥价格对促进节水的杠杆作用。

(4)用水户参与管理。建设节水型社会要鼓励社会公众以各种方式广泛参与,使得相关利益者能够充分参与政策的制定和实施过程。如成立用水户协会,参与水权、水量的分配、管理、监督和水价的制定。用水户协会要实行民主选举、民主决策、民主管理、民主监督,充分调动广大用水户参与水资源管理的积极性。

(5)制定用水权交易市场规则,建立用水权交易市场,实行用水权有偿转让,实现水资源的高效配置。初始水权分配后,对新增用水需求,主要通过水权交易市场,进行用水权的有偿转让来解决。这样,买卖双方都会考虑节水,社会节水的积极性被调动,水资源的使用就会流向高效率、高效益的领域。

2.5.2.3 节水型社会建设中应注意的问题

(1)要发挥政府的主导作用。主要有:建设节水型社会的政策支持和资金支持;根据水资源承载能力,调整经济结构和产业结构,分配初始用水权;制定科学的水价形成机制和公平的水市场交易规则,监督水权交易;保障公民,特别是弱势群体基本生活用水的权利和用水安全;保障生态用水和环境用水等。

(2)无论是缺水地区,还是丰水地区,都要建设节水型社会。这是因为:第一,粗放的用水方式是粗放的经济增长方式的表现,节水型社会建设是为了降低发展成本。第二,节水就是减污,如果不搞节水,就会产生大量污染。节水是为了减少污水处理成本。丰水地区和缺水地区建设节水型社会,目的都是为了提高水资源的利用效率和效益,都是为了促进科学发展。所不同的是:缺水地区的水权分配受控于"宏观控制指标";可以充分利用水权交易市场,实现水资源的优化配置。丰水地区的水权分配取决于"微观定额指标";注重发挥水价的调节作用,实现水资源的高效利用。

(3)要把节水与治污结合起来。节水与防污是紧密结合在一起的。节水需要分析水资源承载力,防污则需要分析水环境承载力。水环境承载力指的是在一定的水域,其水体能够被继续使用并仍保持良好生态系统时,所能够容纳污水及污染物的最大能力。水资源承载力体现在水的使用权上,水环境承载力体现在排污权上,在发放取水许可证的同时,必须研究和认定排水的许可。要建立宏观控制、定额指标两套指标,前者是根据水功能区划,确定水域的纳污能力,确定某一区域工业、农业、生活污染控制总量,后者是衡量每个排污单元的排污标准。水权可以交易,排污权也可以交易,从而形成企业保护水环境的激励和约束机制。

2.5.3 节水型社会建设需要全社会的共同努力

2.5.3.1 党中央、国务院高度重视节水型社会建设,作出了一系列重大部署

2000年,《中共中央关于制定国民经济和社会发展第十个五年计划的建议》首次提出建立节水型社会。2002年的《中华人民共和国水法》明确规定:"国家厉行节约用水,大力推行节约用水措施,发展节水型工业、农业和服务业,建立节水型社会。"2005年3月12日,胡锦涛总书记在中央人口资源环境工作座谈会上指出,要把建设节水型社会作为解决我国干旱缺水问题最根本的战略举措。十届人大四次会议通过的《国民经济和社会发展第十一个五年规划纲要》提出,要建设资源

节约型和环境友好型社会。

2.5.3.2 各地进行了一系列实践探索,节水型社会制度正在建设

2001 年 3 月,水利部确定甘肃省张掖市为全国首个节水型社会建设试点,目前已确立国家和省级节水型社会建设试点 100 多个。张掖市已经初步形成了"总量控制、定额管理、以水定地(产)、配水到户、公众参与、水量交易、水票流转、城乡一体"的节水型社会建设运行机制和体制,试点取得明显成效,积累了宝贵经验。各地开展了水资源综合规划,为全国范围内初始水权的分配奠定了基础。全国有 22 个省(市、区)发布了用水定额,依法推行用水总量控制和定额管理制度,严格执行取水许可制度。许多缺水城市对超计划用水实行累进加价收费,以经济手段促进节水取得了突破性进展。

2.5.3.3 节水型社会建设的目标和主要任务

未来 15 年将是我国节水型社会建设的关键时期,主要目标是:到 2010 年,水资源利用效率和效益明显提高,万元 GDP 用水量年均降低 6% 以上;全国农业灌溉水有效利用系数从 0.45 提高到 0.5,全国农业灌溉用水基本实现零增长;工业万元增加值用水量从 173 m^3 降到 115 m^3 以下;服务业用水效率接近同期国际先进水平。到 2020 年,初步建成与小康社会相适应的节水型社会,力争实现经济社会发展用水零增长,在维系良好生态系统的基础上实现水资源的供需平衡。

节水型社会建设的主要任务是建立三大体系:一是建立与用水权管理为核心的水资源管理制度体系。建立政府调控、市场引导、公众参与的节水型社会管理体制。建立和完善包括用水总量控制和定额管理、水权分配和转让、水价等在内的一系列用水管理制度。二是建立与区域水资源承载能力相协调的经济结构体系。实现从"以需水能力定供水能力"到"以供水能力定经济结构"的转变。三是建立与水资源优化配置相适应的节水工程和技术体系。

2.5.3.4 共同努力建设节水型社会

政府要发挥主导作用。要把建设节水型社会作为各级政府的任期目标,建立健全水资源节约责任制,做到层层有责任,逐级抓落实。要编制好节水型社会建设规划,抓好试点,到 2010 年,初步建成一批国家

级节水型社会试点和示范区。要加大政策支持力度,健全法规体系,制定完善严格的产业准入标准和节水标准;实行阶梯制水价制度和超计划、超定额用水收费制度,推进农业用水价格改革;积极推行有利于水资源节约和保护的财税政策。要拓宽投融资渠道,加大投入力度。

社会公众要发挥主力军作用。节水型社会建设与我们每个人都息息相关,需要社会公众的广泛参与。要进一步提高公众对我国水情的认识,增强节水意识。要积极参与节水型社会建设的规划、政策制定,主动配合实施。要倡导文明的生产和消费方式,形成良好的用水习惯,建设与节水型社会相符合的节水文化。

以上是根据水利部前部长汪恕诚的一次报告整理的,其他相关或类似表述还很多,但均为脱出该框架。该框架基本上可以分为背景、节水型社会本质特征、实现途径、目标和任务、要求、保障措施等部分。

第 3 章　节水型社会架构

3.1　概念体系

3.1.1　节水型社会第一次描述

节水型社会(WSS,Water Saving Society)是一种社会形态,表征为在全社会建立起以水权管理为核心的水(资源)制度,在生活和生产过程中普遍具有水患意识和节水观念,通过水资源优化配置、节约和保护,提高水的利用效率,实现节水生产和清洁生产,促进经济结构、社会发展和生活方式各个层面的变革,创造优良的水生态和水环境。

上述描述可以理解为 WSS 的综合描述或功能性特征,目的是给出节水型社会的架构面貌。图 3-1 给出了节水型社会的基本架构。

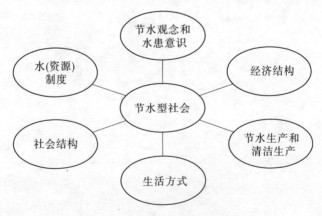

图 3-1　节水型社会的基本架构

3.1.2　节水型社会主体

节水型社会的行为和意识主体是自然人和由自然人组成的各种组织。根据行为性质和特征及其在节水型社会的地位和作用,节水型社会主体分为组织和个人。

组织指节水型社会的各种组织形式,如企业、灌区、社区等,包括区域(区域、城镇、乡村、社区)、单位(企业、机关等各种法人和团体)和家庭。政府和政府部门是特殊的组织,政府指代表国家行使各种行政权力的各级政府,政府部门指政府的某个办事部分或部门、单位。

本书强调组织概念。组织是人生产、服务(二者统称为生产)、生活的基本场所,也是社会活动的基本场所。节水型组织是节水型社会的核心。

组织可分为 4 类:

(1)城镇、乡村、家庭等生产、生活空间。

(2)各类生产单位,包括工矿企业、灌区、农业生产(加工)单位等。

(3)洗涤、洗浴等以用水为主的服务单位等。

(4)自身生产、管理等活动基本不耗水的机关、学校、医院、银行、交通运输等生产、服务单位和部门。

我国整个国民经济部门分为 20 个门类、95 个大类、396 个中类、913 个小类,本书界定的组织更广泛。由于组织的涉水程度不同,用水方式千差万别。

个人指自然人。节水型社会所有组织最终都是由个人组成的,个人不同紧密程度地归属于某个或数个组织,组织和个人共同构成社会。

3.1.3　节水型社会客体

节水型社会的客体可理解为水资源,即由自然水变为社会水再变为自然水的水资源。自然界的水在大气水、地表水、植被水、地下水、土壤水这五种水贮存状态之间循环,形成界面水分运行和转化过程(刘昌明,1993)。人类活动的加入,丰富了水的循环形式。王浩等(2006)指出,现代环境下水循环呈现出明显的天然—人工二元特性,大规模的人工取水形成了与天然"坡面—河道"主循环相耦合的"取水—供水—用水—耗水—排水"的人工侧支循环,我国北方的许多流域侧支循环的循环通量甚至超出了主循环的实测通量。

节水型社会的客体即是王浩等论述的水循环的人工侧支循环,即以资源形式出现的社会水。刘昌明先生指出在社会水的循环中还应加上"蓄",即水在人工侧支循环中保持在渠道、土壤中的本底或状态水分。本书对"社会水"的循环做进一步的分析。

在学理层面,蓄水可以理解为包括大气水、地表水、地下水、土壤水和植被水等各种贮存形式的蓄水。供水包括以水库、雨水利用、渠道等形式截留的供给人类生产生活所需的水分,广义的供水还包括供给生态系统正常生长所需的水。用水是指生产(工业、农业、服务等)、生活和生态三方面用水。广义的排水是经过工农业生产、生活和生态使用后又排回自然界的水,回归水、污水都属于这类水。狭义的排水仅指工农业生产、生活排水。"耗"是水没有完全按照人的意愿循环的部分。"耗"的一部分进入产品,一部分下渗并滞留在土壤中,另一部分则通过蒸散发进入大气。"节水"的潜力即在于减少进入"产品"、土壤和大气的"耗"的部分。

无论何种形式的用水,都可能改变水的物理化学性质或使其携带更多的成分,因此经过"用"后,对水还有"污"的作用,水质将发生变化。污水不处理或处理不到位,"排"出的水将不能循环使用,并可能连带其他水体不能发挥社会功能和自然功能,将成为"害"。"污"、"害"分开的目的是区分"排"前的"处理"和"排"后的"治理",即分离水资源保护语境中的减排和治污措施。节水的同时要减少污染物排放,并对可能的污染进行治理。

因此,节水型社会的客体是"社会水",即经过人"拦蓄—提取—输配(三者可合称为供给)—使用—消耗—污染—处理—排泄—治理"逐环节作用和影响的水。

3.1.4 节水型社会的第二次描述

本书对节水型社会描述的角度是社会主体对客体的作用及作用手

段(社会水循环及其必要条件),意图是寻求实现节水型社会架构的手段和途径。

节水型社会从社会水循环的角度可以理解为:人类社会按照自己的意愿改变水的自然循环过程,而对其进行"蓄"、"供"、"用"、"排"和减少其"耗"和"污"、治理其"害"的过程和相应的各种制度、手段、文化的综合。

节水型社会的社会水循环描述可用图3-2表示。

图3-2 节水型社会的社会水循环描述

3.2 WSS基本特征分析

3.2.1 生产关系和生产力特征分析

节水型社会是我国社会主义社会的一个侧面,是社会生产力和生产关系、经济基础和上层建筑的涉水表现,是以水特别是节水为核心的社会生产力和社会关系及相应的上层建筑。经济基础和上层建筑从社会结构、社会关系层面规定了节水型社会的基本结构和走向。社会主义社会的社会经济关系构成了对节水型社会架构的基本规定,组织经济关系则是节水型社会架构要着重体现的部分。

节水型社会的核心政治经济学理念是"水资源是具有劳动附加值的商品"。由此可以延伸的是水资源具有作为资源的一般特征,有物权、所有权、使用权、收益权、处分权、让渡权等。我国目前的法律框架规定了水资源的所有权归国家和集体,但使用权为全社会。

除了所有制外,我国社会围绕水结成了多种关系,许多社会关系也都体现了水的联系、纽带作用,"用水户协会"、"水利委员会"等是典型代表。这里不进行详细论述。

节水型社会的典型生产力特征或生产方式特征是节水生产和清洁生产。节水生产以节约水资源,清洁生产以保护水资源。生产力的布局尽可能与水资源空间分布特征相适应是节水型社会的另一典型特征。第三个特征是生产力结构及规模与水资源和水环境承载能力相适应。

水资源的使用要遵守一定的程序,缴纳资源使用费,负责对产生的污染进行处理治理或承担相应费用。节水型社会的核心是建立以水权管理为核心的制度体系和机制,培育水权交易市场,一定程度上以市场方式配置稀缺性水资源,提高水资源的利用效率和效益。因此,社会主义市场经济理论也构成节水型社会的基本规定或约束。

水资源的稀缺性及其对经济社会发展的制约是建设节水型社会的根本原因。水资源的可重复利用性使人和自然可多次对其利用。水资源利用的外部性的存在,即多用水使其他用水户受到损失而不为此赔偿的负外部性和少用水使其他用水户受益而自身得不到补偿的正外部性,是明晰水的使用权并进行转换、交易的根本原因。水的使用权的转换或交易是提高水的利用效率和效益的有效途径。在社会主义市场经济的大框架下,水资源的配置、交易要符合市场经济的总体约束,即发育完备的节水型社会应体现如下特征:

(1)清晰的水权归属。

(2)规范的水市场主体。

(3)完善的水市场体系。

(4)规范的水市场运行规则。

(5)有效的宏观调控体系。

(6)涉水活动均被直接或间接按地纳入市场关系之中。

3.2.2　社会特征分析

作为社会类型或社会形态或社会范式的节水型社会,应是一种常态的社会类型,其基本社会特征表现为以下几个方面。

3.2.2.1　节水型社会是常态(稳态、和谐)型社会

作为社会类型的节水型社会,是一种常态的社会类型,表征为在涉水事务上规范有序、理性稳定,即在一切涉水事务上是和谐的,体现三

个方面:一是经济社会发展与水资源、水环境承载能力相和谐;二是涉水事务上人与人、人与社会相和谐,即涉水事务管理、处理的规范、有序、理性;三是人与自然相和谐。

经济社会发展与水资源、水环境承载能力相和谐,即经济发展规模、经济结构不能越过一定的底线,"以水定产"和"以供定需"是从宏观层面解决经济社会发展与水资源、水环境承载能力相和谐的基本策略。

涉水事务上政府与个体(团体)、个体(团体)与个体(团体)之间相和谐,即完善的法律、政策、制度和文化道德体系约束下涉水事务管理、处理的规范、有序、理性。在操作层面,明确水权、总量控制和定额管理、合理制定水价和计划用水、培育水权交易市场、取水(排污)许可、利益相关者参与决策管理以及信息的对称、透明等是节水型社会人与人、人与社会和谐的必要保证和基本特征。

水资源的过度开发利用和水污染的持续,已使我国许多地区自然环境受到严重破坏,危及人类自身的生存。我国荒漠化面积的四分之一是由于缺水或水资源过度开发利用引起的。从遏制破坏到修复再到良性维持,人与自然和谐还有相当长的路要走。宏观而言,强制留足生态环境用水、留足水循环所需的必要空间、维持河流、湖泊、湿地等健康生命是节水型社会在人与自然和谐方面的基本特征。微观而言,团体(个体)的生产、生活方式以及社会的文明形式要与自然环境相协调。

3.2.2.2 节水型社会具有高度的复合特征

无论是从概念上还是从社会形态上,节水型社会均具有高度的复合特征,表现为其广泛覆盖性、全面完备性和高度包容性。

由于水涉及全社会各层面、各行业、各部门及所有社会成员,节水型社会相应也具有广泛覆盖性。

节水型社会是全方位的,在生产力和生产关系、经济基础和上层建筑各方面均有相应的位置和归属。

节水型社会概念的内涵和外延既清晰明确又高度可扩充,"生态节水型社会"、"节水防污型社会"等均可纳入其体系内。

3.2.2.3　节水型社会是总体平等基础上的层阶型社会

总体平等是节水型社会的基础,在总体平等框架下的各种制度结构使节水型社会具有层阶型社会的特征,主要表现在话语权、决策权不同、水的使用权和涉水信息不对称等方面。

在我国公有制框架下和水资源所有权归国家和集体的法理基础上,政府是节水型社会的最强势者,位于最高层。政府具有最强的话语权、决策权和全面的涉水信息,即政府具有涉水事务的最终决策权。

政府之下是代表政府(或受政府委托)行使有关权利和职能的社会团体,属于准管理层或中介、经营层,是所有者和使用者之间的桥梁。在话语权、决策权方面弱于政府,但在涉水信息方面,除涉及国家秘密的部分外,可能要强于政府。

中介层之下是依经济实力强弱而决定位置的用水户。用水户之间的区别在于使用权的不同。理论上大家是平等的,但水的资源性特征和节水型社会在本质上要求充分发挥水资源的效率和效益,特别是效益等,必然使用水户间依经济实力产生层阶。市场经济的基本规律决定了经济实力强的往往能更多地占有资源,水资源也不例外,形成事实上的涉水强势群体和弱势群体。

节水型社会的层阶结构见图3-3。

层阶	掌握信息	话语权
政府	全面的涉水信息	最强的话语权、决策权
代表政府行使职能的社会团体	除涉秘外,信息可能全于政府	较强的话语权、参谋权及部分决策
用户层1 用户层2 ⋮ 用户层n	信息较少,且随经济实力下降而减少	话语权较弱,且随经济实力的下降而减弱

图3-3　节水型社会的层阶结构

节水型社会的这种层阶特征并不构成对节水型社会常态性的根本威胁,而是节水型社会的必然特征和运行结果,其本身是准稳态的。但转型期,即节水型社会建设过程中,准稳态层阶的形成过程中极易产生社会矛盾乃至社会冲突。

政府一方面应高度重视转型期的不稳定因素,另一方面要充分重视对强势群体的抑制(如反垄断)和对弱势群体的扶持。

3.2.2.4 节水型社会具有典型的区域、时间不对称特征

水是人人都需要的,但水资源的贫富程度则决定了对节水型社会的需求和紧迫程度不一致。从社会心理学的角度看,人们往往只对跟自己有关的事情感兴趣,当水资源充沛时,社会、组织对节水就会失去兴趣。这是由水资源的几个基本特征决定的,即水资源的可再生性、水资源的时空不均匀性、水资源的周期性等,其中可再生性是本质。

因此,节水型社会具有典型的区域、时间不对称性特征。这种特征要求节水型社会建设的运行、管理要有针对性,要有弹性,要有预见性。

3.2.2.5 群体性特征

就节水型社会本质上需面对的缺水所产生的威胁性、危机性而言,涉及的往往是群体而不是个人,如"干旱一大片"、"污染一条线"。社会心理学认为,此时人们往往有从众的心理和行为,最极端的两个典型特征:一是无人过问,二是一哄而上。

对节水型社会的群体性特征,既要充分利用其有利的一面,又要避免其可能带来的不稳定因素,特别要避免恐慌情绪的蔓延。

3.2.2.6 节水型社会建设阶段是向常态型社会转型的过渡阶段

因为水资源短缺,所以才节水。因为水资源短缺已成为经济社会发展的制约因素,所以才有节水型社会建设。节水型社会是一种常态型社会,但节水型社会建设阶段则是向常态型社会转型的过渡阶段。当危机成为常态,即水资源紧缺成为不可改变的自然环境,并且危机应对措施成为社会基本生活、生产、文化方式时,过渡阶段基本结束。

节水型社会建设阶段具有危机应对型社会特征。危机应对的最显著特征是高度动用国家力量,广泛调动社会力量,更强调个人和社会各界的责任和义务,忽略或牺牲部分权利或部分社会群体的利益。当然,

这种忽略和牺牲事后要得到国家的补偿。

认识节水型社会建设阶段的危机应对特征,对政府制定有关政策和措施是有益的。

3.2.3　个人和组织的心理和行为特征

节水型社会个人和组织的心理、行为特征概括如下:

(1)个人是节水型社会的全面参与者。节水型社会建设的基本出发点和归宿是个人。个人也是节水型社会的最基本构成,同时也是节水型社会及其制度、文化、道德等的直接参与者和最终承载者。

(2)个人心理、行为受组织强烈约束。我国是高度组织化的社会,个人受组织的约束极大。特别是在涉水事务中,个人更是受组织的强烈约束。

单位(企业、机关、社团等组织)是个人的就业、服务场所,对个人的约束最为强烈。单位的制度、规范规程、奖惩机制、文化等使个人完全融入其中,个人自觉不自觉都在服从、执行单位的涉水策略。

城镇、乡村、社区是个人生活、工作、休闲的背景场所,各种制度、规矩、风俗等综合制约、规范家庭及个人的行为,涉水事务也不例外。

家庭是个人各种活动的大本营,家庭约束使家庭成员间涉水行为基本一致。

(3)以组织为单位的行为更为有效。任何一种社会活动和社会实践,都是以组织为单位组织的;否则将不成为社会活动,也很难取得成功。

(4)个人对组织的活动有重大影响。群体毕竟由个体组成,先进分子和落后分子对群体的活动均有重大影响,这是基本常识。抓先进以带动,抓落后以促进,也是组织社会活动的基本策略。

(5)涉水碰撞基本发生在组织之间。水所产生的威胁、危机涉及的往往是组织而不仅是某个人,因此涉水心理、行为碰撞基本发生在组织之间,个人碰撞行为较少。

(6)涉水碰撞基本发生在同类组织之间。不同类型组织间的涉水活动可以靠政策调节,其间的差异普遍被社会认可和接受,基本不构成碰撞。碰撞更多地发生在同类型组织间。

同行相争是产生同类型组织涉水碰撞的根本原因,而本质在于对水资源和市场的占有份额和生存竞争上。社区关注其他社区,企业关心其他企业、乡村对比其他乡村。同行相争的基本心理、行为特征是:他有我也要有,我没有他也不能有。公平、平等是同类型组织对涉水事务的最基本诉求。

(7)涉水事务上组织间个人高度混同是出现高度危机的征兆和表现。社会有序时原则上组织间的个人不会高度混同,高度混同表明高度涉水危机可能发生或已经发生,不及时引导会引发高度的社会无序。引导的重要策略之一就是使个人回归组织。

3.2.4　节水型社会的第三次描述

从节水型社会的形态特征或表现特征,即不同主体间、主体与客体间的关系特征,对节水型社会可做如下第三次描述:节水型社会是具有高度复合特征的常态型社会,在涉水事务上规范、有序、理性,社会与自然、人与社会、人与自然相和谐。

本书描述的目的在于构建节水型社会的观念上层建筑部分,以促进主体与主体、主体与客体和谐关系的形成并使其良性运动。

3.3　WSS 基本要求分析

水(水资源)的如下基本特征决定了节水型社会的基本要求(特征):

(1)水是维持各种生命的基本要素和生态环境的控制性要素,这一特征决定了节水型社会建设必须有各级政府强有力的干预和引导,以保证社会各群体和个体享用维持生命和维持较好生活方式所需的基本用水,保证维持生态环境不退化、维持河流、湖泊、湿地等健康所需的基本用水。

(2)水是可以用于生产并产生附加值的资源,水资源的利用和开发必须发挥市场作用,充分发挥水资源的边际价值。

（3）水是三次产业均需要的生产要素,各级政府必须协调好不同产业、不同地区(上下游、左右岸)的用水矛盾,在建设节约型社会和和谐社会的背景下,充分照顾相关地区、群体、个体的利益,即节水型社会建设不能完全依靠市场行为,政府的调控措施必须及时、到位。

（4）水在时间空间上具有不确定性,丰枯变化相间,地区差异较大,节水型社会建设必须要有充分的科学技术支撑,水情信息采集、预测预报、水资源调度配置、用水计量、管理能力建设等是科学管理水资源的基本前提。

（5）水是可再生资源,水的循环运动特征、水能的积蓄转化特征、水的相态变化特征、水的容纳吸附特征等使人类可以以不同的形式对其开发利用,同时也使水在其运动变化和被人类利用的各个环节产生损失浪费且极易遭到污染。相关的工程技术措施、节水产品开发利用、节水技术工艺推广、污水处理回用、新型水源开发等是节水型社会建设的根本支撑,离不开政府及社会各界的支持及相应的资金投入。

（6）水以流域为单位,地表水和地下水相互转化,不同开发利用行为间相互影响,水质与水量相互依存,在管理上应坚持流域水资源统一管理、城镇和乡村统一管理、地表水和地下水统一管理、水量和水质统一管理。

围绕上述总体要求,将节水型社会的基本要求展开如下。

3.3.1　经济发展方面

（1）经济增长由粗放型增长方式转变为集约型方式,这种转变有用水方式由粗放型向集约型转变的推动和促进贡献。

（2）产业结构合理,结构和规模与资源、环境相协调,特别是与水资源承载能力和水环境承载能力相协调,实现以水定产的宗旨。

（3）生产方式表现为节水生产和清洁生产,节水生产表现为本书概括的各项涉及生产的内容,清洁生产的定义是使用清洁的能源和原料、采用先进的工艺技术与设备、改善管理、综合利用等措施,从源头削减污染,减少或者避免生产、服务和产品使用过程中污染物的产生和排放的生产方式。

（4）以水资源的可持续利用支持经济社会可持续发展的目标得以实现,经济发展用水实现零增长和负正增长。

（5）科技贡献率不断提高。

3.3.2　用水安全方面

（1）洁净、卫生的饮用水得到保障。

（2）城乡生活用水水平和保障程度逐步提高,即与富足生活、安居乐业、自由发展相应的用水得到保障。

（3）国家粮食生产安全战略不因水资源短缺受到威胁。

（4）社会应对可能的水危机稳定、有序。

（5）地区间生活用水的差异减小。

（6）弱势群体的生活用水得到保障。

3.3.3　人与自然和谐方面

（1）生态和环境状况有较大改善,环境友好和山川秀美得以实现。

（2）河流、湖泊、湿地等健康生命得以维护,其自然功能如维持生态多样性等得以充分发挥。

（3）水利景观、休闲、旅游资源全面发展。

（4）水工程等与环境协调。

3.3.4　节约用水方面

（1）水患意识和节约用水意识普遍形成。

（2）全社会节约用水的机制得以形成,全社会、全方位节水。

（3）节水技术、工艺、器具等普遍采用。

（4）农业灌溉由传统的粗放灌溉转变为节水高效的现代灌溉。

（5）虚拟水出口(出境)减少,虚拟水进口(入境)增加。即减少消耗水量的产品出口,有意识增加耗水量大的产品进口。

3.3.5　水行政管理方面

节水型社会强调政府管理和服务的全面、高效。

(1)政府涉水服务体系完善,手续简明,手段高效,态度友好。

(2)涉水公共管理公平、公正、公开,维护社会秩序,保障社会稳定。

(3)政府职能、功能充分发挥,宏观调控、应对危机、水行政执法等角色不缺失。问责制充分实行。

(4)有关水事活动监测、评估、监督等方面管理、服务能力增强。

3.3.6　水资源管理方面

(1)形成以流域管理为主导、流域与区域相结合、统一与分级管理相结合、地表水和地下水统一、水量和水质统一的管理体系,形成"一龙管水、多龙治水"的模式。

(2)用水效率、效益普遍提高。水资源的供水、发电、灌溉、航运、旅游等综合功能充分发挥。

(3)水源工程,包括蓄(供、采)、提(扬)、输、配、排等科学、配套,形成水资源调度、调配工程网络。充分利用非常规水源如海水、中水、大气水等。

(4)水资源配置满足有效性、公平性和可持续性原则,政府的宏观调控作用充分发挥,民主协商得以保证。

(5)水价形成、水权转换、水资源补偿等机制健全、有效。初始水权分配公平、合理,各项用水定额(区域)统一、科学、合理。

(6)中央和地方(水)事权合理划分,水的公共产品性质合理确定。法律、经济、科技、行政手段综合运用。

3.3.7　节水文化建设方面

(1)法制、制度框架和节水文化、道德氛围共同约束下,节水成为自觉和无意识(潜意识)的行为,"节约水光荣,浪费水可耻"的道德风尚形成。

（2）围绕节水组织建设形成相应的组织节水文化。

（3）社会涉水事务处理、解决礼让、有序、规范。

（4）社会公众对节水型社会认同,掌握节水的基本知识和技能。在我国总体环境下,妇女、儿童问题不突出,但对偏远农村,要强调妇女、儿童的节水教育和培训。

（5）社会公众积极参与节水型社会建设。

（6）媒体公益宣传稳定,涉水作品、物质文化显著增加。

3.4 目标体系研究

3.4.1 目标体系构成

节水型社会的目标由三种(三层)体系构成和两种表述形式。

节水型社会目标体系可按表述形式分为定性(非量化)目标和定量(量化)目标。定性目标表现为描述性语言,概括节水型社会的典型特征和性质。定量目标表现为具体的数据指标,用赋以特定含义的概念和具体数据表示节水型社会的先进程度。

设计或考察、分析、探究节水型社会时,目标体系可按对象及目的划分为社会表征目标体系(简称社会目标,下同)、组织表征目标体系(简称组织目标,下同)和技术目标体系(简称技术指标,下同),分别与国家或区域、组织、具体侧面或环节相对应。不同对象侧重点不同。

社会目标综合反映社会整体状况,是国家或区域在经济社会进步和构建和谐社会方面的表现,是非量化指标和相关量化指标的综合。

组织目标表述城镇、乡村、社区、企业、单位、家庭等社会组成单元(即组织)等方面的用水状况,体现组织的同类先进性,由非量化指标和部分量化指标组成。

技术目标体现为具体的量化指标,表示具体的产品、服务、工艺、措施等方面的用水目标或指标。

节水型社会建设的本质特征和内涵决定了节水型社会建设目标体

系要围绕"经济社会发展进步、水资源管理、人与自然和谐、节水文化发展"几个方面设计,体现以水资源的可持续利用促进经济社会可持续发展,突出制度和体制建设对水资源利用效率和效益的提高,强调节水文化道德氛围的形成。

节水型社会的定性目标原则上脱不出本章有关节水型社会的内涵、要求等所描述或规定的内容。这里不再论述。下面着重探讨主要的定量指标体系。

3.4.1.1　社会目标的量化指标

1)人均水资源占有量

人均水资源占有量(包括用水量、耗水量等)是国家和区域水资源形势和节水型社会建设成果的直接表现。

2)单位国内生产总值用水量及其变化

单位国内生产总值用水量及其变化反映全社会综合用水、节水水平,也反映经济、社会的进步程度。理论上单位国内生产总值应以经济用水确定,但实际中有时难以剥离,或经济用水的比重相当大,所以通常用总用水确定。

3)产业结构及产业用水比例

产业结构变化是表示国家或区域技术进步、资源状况和经济及产业政策的成果,三次产业间用水比例也反映经济结构的合理性和进步性,同时还能反映节水型社会及其建设对经济结构调整的约束和促进作用。总的趋势应是第一产业用水下降,第二、三产业用水上升。其中第二、三产业用水比重的变化又体现了社会的主导经济成分变化及其用水先进性。目前及今后一个时期,我国大部分地区仍处于工业化时代甚至工业化初期,工业用水比例将大幅上升,第三产业用水逐步上升,第一产业用水逐步下降。

4)行业节水总量指标

该指标指一定时期内行业节水总量,如5年内工业节水量、5年内农业节水量等。该指标虽直观、明确,但应慎用。因为行业总用水量受水资源年景、技术进步、经济结构调整、发展阶段、市场、投资等影响较大,很难体现节水水平或单独剥离出"节水成就"。

5)行业重要定额及管理指标

该指标是最重要的技术支撑指标,在社会表征层面主要包括农田灌溉水利用系数、工业用水重复利用率、服务行业循环水使用率、万元增加值用水、城市管网漏损率、节水器具普及率、初始水权分配程度、水权转换比例、未经许可取水及排污比例等。

6)水资源开发利用程度及非常规水源开发利用程度

水资源开发利用率是重要的社会表征层指标,可间接反映水资源的稀缺程度和水资源的承载能力。

节水型社会强调非常规水源的开发利用,要根据情况有针对性地选其作为社会表征指标,其中再生水利用率为普适指标,特别是对缺水和水资源开发利用程度较高的区域。

7)高耗水落后工艺(设备、行业)技术改造、转产、关停比例

按照国家政策对高耗水落后工艺(设备、行业)进行技术改造、转产、关停,是节水型社会建设的重要层面和执法、管理力度的体现,也是节水的重要途径。

3.4.1.2　组织目标的量化指标

相对而言,组织目标的量化指标成分更多。我国目前正在开展节水型城市、节水型企业、节水型灌区等组织节水活动,并有较详尽的目标(指标)体系。组织节水是社会节水的基础,组织目标突出表征先进性水平,侧重以下几个方面:

(1)组织用水(节水,下同)水平在同类组织用水(节水)中的水平。

(2)组织用水与有关定额及国家要求的比照。

(3)组织用水的单位产品用水指标、单位产值或增加值用水指标等。

(4)生产重要环节用水指标和定额或水循环重要环节的损失指标。

(5)节水技术、节水器具、节水措施等采用、推广的比例。

(6)规章制度的建立健全。

具体目标应针对组织特点和具体情况制定。

3.4.1.3 技术指标体系

技术指标体系由各类定量(量化)指标构成,主要体现在统计指标及用水定额方面,是社会和组织目标的支撑。在节水型社会设计和考察、考核时,技术指标体系在支撑社会和组织两个表征层面目标时有所不同。

支撑社会目标时偏重于整体及大行业(产业)的涉水统计指标和部分重要定额,原则不涉及产品、行业、工艺、技术、具体措施等。如第一产业应在农业、林牧渔畜分类下提出灌溉定额、节水灌溉率、节水工程量及其效率、先进技术应用比例、渠系及田间节水措施和相应水利用率等。工业用水、第三产业及生活用水等也要用相应的指标描述,如工业用水增长率、弹性系数等。但当区域优势性产业(行业)较明显或部分行业浪费水资源比较突出时,应重点深入论述。节水型社会建设架构(框架,规划)中提到的有关工程、措施等也要求有相应的指标支撑。

支撑组织目标时涉及具体产品、工艺、措施目标,视组织性质、阶段或目的(如规划、设计、技术改造、测评、考核、核算、管理等)不同而不同,这里不作详尽论述。

相关的一个重要问题是确定水资源宏观总量与微观定额两套指标体系。水资源的宏观总量指标体系用来明确各地区、各行业乃至各单位、各企业、各灌区的水资源使用权指标,实现宏观上区域发展与水资源承载能力相适应。水资源的微观定额指标,用来规定单位产品或服务的用水量指标。通过控制用水定额的方式,来提高水的利用效率,达到节水目标。

技术指标方面最大的问题是我国行政管理政出多门,缺乏全国性、覆盖各主要行业、各大区的用水定额体系,现有定额散布各部委、地方政府的规范、规定及规范指导性文件,同一产品或工艺定额变幅大,造成的后果是组织一方面无所适从,另一方面又"择优采用",不同的审查、审批部门也采用不同的标准,对节水型社会建设十分不利。必须以节水型社会建设为统领,制定并定期或不定期修改适应全国或大区域、主要行业的定额体系。

3.4.2 目标确定

节水型社会建设应根据具体层次、区域、阶段等,实事求是地确定目标,特别是要针对面临的具体情况确定合适的指标。目标确定需考虑的问题包括:

(1)根据区域水资源情势、水资源开发利用程度、水资源开发利用水平和经济社会发展需求,抓住关键问题,协调开源与节流的关系,并提出有关目标和指标,应适度留有余地。

(2)根据区域水资源管理工作的基础,恰当提出制度、体制、能力建设目标。既要注意目标不能脱离实际,更要注意抓制度建设的引导、促进作用。

(3)工程、能力建设要分析可能的资金来源,以避免不切实际的纸上谈兵。

(4)注意社会承受能力和特殊的生活习惯和民族风俗,避免引发、激化社会矛盾。

(5)节水型社会建设目标层面较多,应分清主次,重要目标(指标)纳入考察、考核体系,其他目标应和相应的任务、措施结合在一起。

3.5 节水型社会架构分析

3.5.1 总体架构

本书"架构"一词有两方面语义:①指节水型社会的结构和组成;②指节水型社会的理论框架,指描述、分析、设计节水型社会的理论体系和框架。但该层语义本书不过分强调。

节水型社会的总体架构大致可分为8个层次。

(1)主体。节水型社会涉水主体是个人、组织。

(2)对象或客体。节水型社会对象或客体是在自然水和社会水之间转换的水。

（3）工程技术措施。工程技术措施（科学技术）是使自然水变为社会水的基本手段，各种水工程、环境工程和生态工程，也包括节水生产、清洁生产和生活节水、生态节水采用的科技手段。工程技术措施通过对水的拦—蓄—取—输—供—用—耗—污排—治，改变水的情态、相态、物理性质和化学性质，使其更符合人类的意愿和节水型社会的要求。

（4）目标要求。节水型社会的目标、要求，包括内涵、特征等，规定了节水型社会的基本走向，即人类对水进行改变的目的、方式和程度。

（5）管理模式。管理是维持常态社会良性运行的基本手段，即节水型社会建设的目标、要求等要通过对涉水行为的管理才能实现。节水型社会的管理模式包括水行政管理、水资源管理、水环境管理和水市场管理，管理的层次包括国家管理、流域管理和区域管理，管理的对象则是社会、组织、个人的涉水行为，管理的方式是统一和分级管理、民主协商、用水户参与。

（6）管理手段。节水型社会的基本管理手段是法规—制度—办法、规范—标准—导则、定额—水权—水价，管理的内容（内涵）大致以水资源总量和水环境容量—取水和排污许可—计划用水—用水审计为主线展开。

（7）经济社会文化背景。经济社会文化背景（情景）包括人口、经济规模和经济结构、城镇化进程、优势产业、特色产品等，即节水型社会所相应的经济、社会、文化状况、条件、远景等。

（8）资源环境生态背景。资源环境生态背景（情景）是节水型社会所处的自然条件和约束，其中水资源状况是基础和核心。

因此，节水型社会架构包括环境情景（主体、客体和环境的组合）、制度结构、科学技术、节水文化、目标要求等，也包括节水型社会分析设计的解构和结构技术，即节水型社会的全景体系或其相应的理论框架。

节水型社会架构可以形象地用三维复合图表示：x 轴代表社会水循环过程；y 轴代表时间，包括现状和未来；z 轴代表四个层面：环境情景、水资源制度、节水文化、科学技术（见图3-4）。

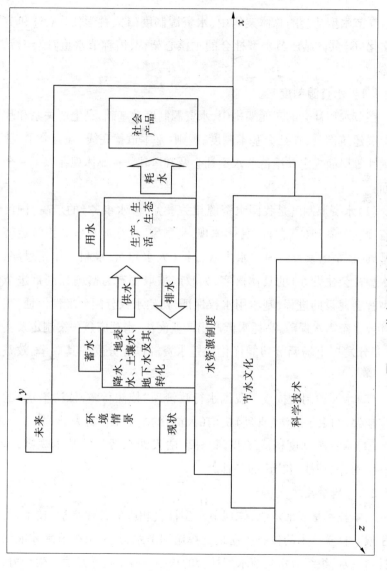

图 3-4 节水型社会架构示意图

3.5.2　三元核心架构

在节水型社会的总体架构中,水资源制度(I)、科学技术(S)和节水文化(C)共同结成节水型社会的主核心架构,简称节水型社会三元架构。

3.5.2.1　水资源制度

在节水型社会的三元架构中,水资源制度是基础,是生产关系和政治上层建筑部分,在社会基本制度、规则、基本道德底线、社会公平、社会理性等层面规定并维持节水型社会及其运转。主要体现在以下三个方面:

(1)水资源制度是我国水资源相关事务(涉水事务)的最高(国民主流、政府)意识(意志)的具体体现,是国家、社会涉水事务正常运转的基础,也是国家及政府治水大政方针(人水和谐、水利工作新思路、节水型社会建设等)的具体落实,如政府采取强有力措施强制推进节水型社会建设的进程,基本用水权保证,初始水权分配公平性保证,基本环境生态需水保障,高耗水低产出产业淘汰,水荒应急预案制定及实施,充分发挥市场调节功能优化配置水资源以充分发挥其效率、效益等。

(2)水资源制度构成了我国水行政管理"依法行政、依法治水"的基本框架,约束了执法(管理)机构(人员)的基本工作行为、职责。

(3)水资源制度构成了我国公民、法人涉水活动的基本规则,是"有礼、有序、理性、和谐"的基础。

3.5.2.2　科学技术

科学技术是表征术语,体现节水型社会相应的各种科学、技术、工程手段。科学技术的核心作用是支撑组织节水,只有组织节水才能保证社会节水,组织节水是节水型社会的核心。科学技术是第一生产力,节水型社会建设也不例外。节水型社会的科学技术体现在三个方面:

(1)自然水变为社会水离不开各种工程措施。

(2)企业、灌区、社区等节水离不开节水技术、工艺、器具等支撑。

(3)政府科学决策离不开监测、预测等,离不开科学试验和研究。

3.5.2.3 节水文化

节水文化,即以节水为核心的社会文化、道德氛围建设,体现节水型社会观念上层部分,是节水型社会的重要组成部分和必要保证,主要体现为:

(1)鉴于我国现状和传统观念的约束,经济手段可以促使"好的事物的形成发展",但不能从根本上解决"坏的事物的发生发展",对节水型社会建设而言,经济手段必要但不充分。

(2)从社会学的角度考察节水型社会建设,就必须强调全民参与和社会个体的认同,即必须培育节水文化,使全民具有水患意识、节水意识,使节水成为公民自觉或不自觉(潜意识)的行为。

(3)节水文化是社会主义文化建设和公民道德建设的重要组成部分和在涉水方面的具体体现,节水文化是节水型社会的文明背景和行为规范,节水价值观、主流意识形态、习俗习惯及生活方式、道德规范、物质文化等构成了节水文化的基本框架。

3.6 WSS 的解构与结构分析

WSS解构是指节水型社会的分析设计,通过具体的解构过程,弄清区域的自然、社会、经济背景及其基本走向,分析水资源、水环境状况,分析预测需水,分析现状供水能力。WSS结构即在解构的基础上,在一定的目标体系下,对节水型社会发展进行经济、社会战略布局,设计节水型社会的主要构成,搭建以水制度、科学技术和节水文化为核心的节水型社会构架,分析投资需求,提出实施计划。WSS解构和结构见图3-5。WSS解构分析见图3-6。

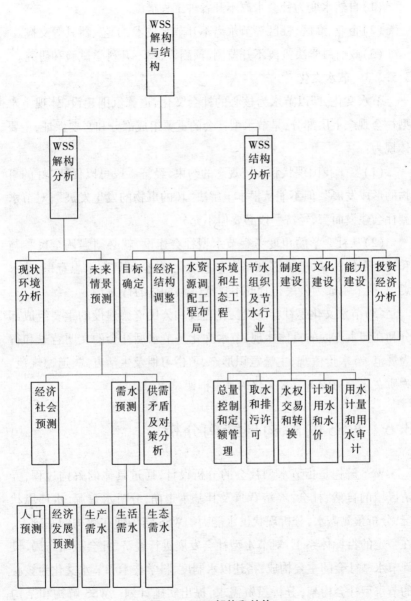

图 3-5 WSS 解构和结构

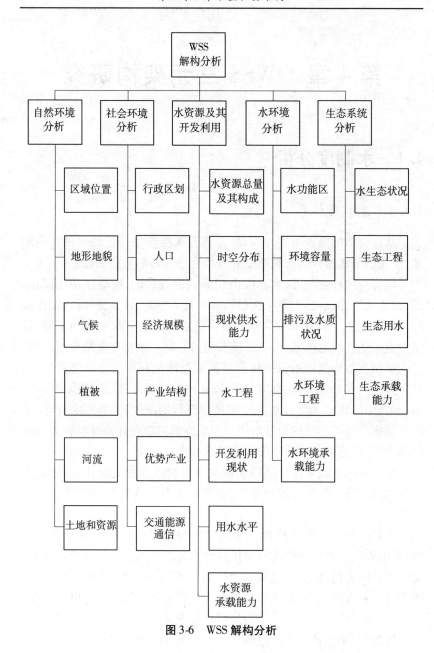

图 3-6　WSS 解构分析

第 4 章　WSS 三元架构研究

4.1　水制度分析

4.1.1　水制度体系

从社会学的角度考察,水制度是规范人类涉水行为的一种社会制度,是我国节水型社会顺利建立并维持良性运转的重要基础。

作为一项社会制度,水制度由相应的价值系统、规范体系、组织系统、设备系统构成,其主要功能包括涉水行为导向、社会整合调适、传播和创造水文化。本书将水制度中的价值系统归入节水文化的范畴,这里着重论述其规范体系、组织系统和设备系统。水制度框架见图 4-1。

水制度的规范体系包括社会层次规范体系和组织内部规范体系。社会层次的规范体系包括以法律、法规、办法、规范、标准、导则等形式出现的,由国家或地方政府强制或推荐实行的制度,主要由水资源、水环境和水市场等方面的制度组成。组织内部的规范体系是组织为约束内部生产、经营活动而建立的各项涉水制度。

水制度的组织系统指具体实施水制度的社会成员和社会组织,即水行政执法及水资源管理的主体,在我国为各级水行政主管部门及其工作人员。

水制度的设备系统指保证水制度有效发挥作用的物质手段和条件,本书界定为直接支持水行政执法和水资源管理的手段和设备,即通常所指的能力建设部分,包括监测计量、预测预报、信息系统、决策支持体系建设和人员培训、保障体系建设等。其他部分如水工程设施、生产技术、设备等则界定为三元架构的科学技术部分。

因此,节水型社会也可理解为完整的水制度维持下涉水事务的良

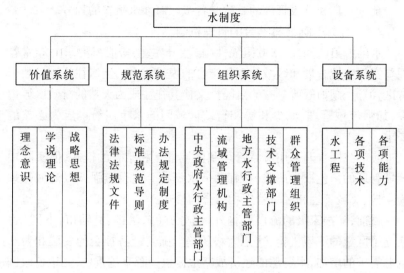

图4-1 水制度框架

性运转的社会。

4.1.2 水制度的组织系统分析

4.1.2.1 水行政(资源)管理主体

水行政(资源)管理的主体是各级水行政管理部门,这是我国法律所明确的。这些部门作为各级政府的办事机构,行使水行政管理权。当前,我国的水行政管理体制框架是国家水利部(国务院水行政主管部门)—流域机构(水利部派出机构,代表水利部行使流域管理权)—地方各级水利(水利水保、水务)部门(代表各级政府行使地方水行政管理职能)。

4.1.2.2 统一和分级相结合的管理体系

统一管理是基础,是国家法律法规、政策、大政方针贯彻执行和兴利减灾、水利造福人民等要求的集中体现,也是水行政管理对象及其特点的必然要求。

分级管理强调各级政府根据自身的职责和职能,对所辖范围内的涉水事务进行管理。

统一管理和分级管理的基础是各级政府涉水事权的划分。

4.1.2.3 流域和区域相结合的管理机制

水的汇集流动性、水的阻隔性(自然分界性)等必然要求对涉水管理要实行流域管理和区域管理相结合的模式。大的流域往往流经数个省区,河流、湖泊等所具有的阻隔性又使其往往成为天然的行政区域边界,加强流域管理、减少和协调行政区域间的水事纠纷也成为必然的要求。

当前我国普遍采用流域管理和区域管理相结合的模式,但实际中流域管理的角色缺失严重。因此,节水型社会建设应强调以流域管理为主导、流域管理和区域管理相结合的模式。

目前,除国家级的流域机构外,部分省(自治区、直辖市,下同)也成立了区域的流域机构,这是大势所趋。随着经济社会的发展和对水资源需求的增加,水资源的经济战略地位也会越来越重要,无论行政区域多大,均存在区域管理的无力现象及区域间协调事务繁重、困难重重等问题,对流域管理为主导的呼声和要求也会更高。

但我国目前的流域管理还存在许多问题。成立流域管理委员会的呼声日益高涨。节水型社会建设也要求进行管理体制、机制的改革。

4.1.2.4 涉水事务统一管理

现行的行政管理体制实际造成了"多头管水"的局面,对水行政管理十分不利。目前,无论是中央还是地方,均意识到该问题,正加大涉水事务统一管理的力度,如许多地方成立了统一管水的"水务局",局面正在向更好的方向发展。当然,进展也很不平衡,涉水事务统一管理工作应进一步加强。

4.1.2.5 涉水事务管理、技术支持、经营分离

目前,随着各项改革的进展,我国涉水事务政事、政企、事企分离已基本完成,实现了水行政管理部门、技术支持(咨询参谋监测监督等)事业部门和规划设计、施工等水务企业的分离。

4.1.2.6 用水户参与管理

以用水户或利益相关者参与水资源管理实践已在我国许多地方进行。

　　建设节水型社会要鼓励社会公众以各种方式广泛参与,使得相关利益者能够充分参与政策的制定和实施过程。如成立用水户协会,参与水权、水量的分配、管理、监督和水价的制定。用水户协会要实行民主选举、民主决策、民主管理、民主监督,充分调动广大用水户参与水资源管理的积极性。

　　作为政务公开的重要内容之一,要逐步实施重要涉水事项的听证会制度和合议制,做到涉水信息、法律法规、规划计划、规范规程、指标定额、规定办法、预报预警、公报公告及时发布,使节水型社会建设步入法制、规范的渠道。

　　近期建立或推广以流域、行业或行政区域为单位的用水户协会,作为社会公众参与节水型社会建设的重要桥梁、纽带和平台,逐步加强内部自主管理,内部调解水事纠纷,加强用水户之间的节水技术交流,共享有关信息,监督水行政主管部门的工作,为政府或水行政主管部门提供建议和意见。

　　远期尝试建立流域(河流)管理委员会,形成流域(河流)用水户或利益相关者在国家、地方、行业法律法规和社会公共利益约束下管理流域(河流)的模式,探索流域(河流)开发利用、供水、用水、排水、调解纠纷一体化的新模式。

4.1.3　水制度规范系统分析

　　水制度规范系统包括如下部分:法律、国务院条例、地方法规、政策性文件、各类管理办法、章程和各类技术规范、导则、规程等。

　　节水型社会规范系统涉及的范围如下:

　　(1)水资源配置和水量管控,包括总量控制、定额管理、取水许可、计划用水和用水审计。

　　(2)水权水市场,包括初始水权分配、水权交易、水权转换、水价、水费等。

　　(3)水资源质量管控,包括水功能区管理、排污总量控制、排污许可、排污监管、排污付费、排污许可权交易等。

　　节水型社会水制度规范系统建设应注意以下几个事项:

（1）当前我国处于社会转型期,国家级法律法规建设的任务十分繁重,为此,应重视以部、委联合文方式向全国下发有关政策和技术要求,以尽快建立起促进和规范节水型社会建设的法规制度框架。

（2）基于同样原因,要重视地方法规的建设工作,利用地方法规制定、发布程序相对简单、周期相对较短的优势,鼓励地方政府尽早出台本地区的法规或制度办法,促进地区节水型社会建设。

（3）法规制度建设要考虑继承性和一致性、协调性和配套性。部门与部门之间、地区与地区之间要相互借鉴参照,强调方向和精神的统一,鼓励针对实际情况采取特定措施。

4.1.4　水制度设备系统分析

水制度设备系统较为复杂。这里仅就涉及管理的部分进行粗略阐述。

4.1.4.1　规划体系

科学修编有关发展规划,包括经济社会发展规划、水资源开发利用规划、水资源保护规划、水权转换规划、流域区域节水规划等,制定落实上级有关规划的实施方案,形成以节水型社会建设为核心和平台的规划体系。

规划体系建设的核心是按照资源的地区分布特征确定区域的空间功能区划,对优化开发区域、重点开发区域、限制开发区域、禁止开发区域制定不同的发展目标,立足优势资源和优势产业,加速工业化、城镇化、农业现代化进程,推进传统产业升级改造,优化和调整三次产业结构和经济布局,实现在社会经济快速发展的同时节约水资源,提高水资源利用的效率和效益。

4.1.4.2　节水产品认证

根据国家有关规定,建立和规范节水产品的认证以及市场准入制度。对节水器具进行严格的认证和标识,同时进一步加强对节水器具的市场管理以及对生产节水器具企业的监督管理。对生产节水器具的企业实行严格的审查和认证,从源头防止不符合节水标准的节水器具进入市场。

4.1.4.3　监测计量

我国当前水量、水质监测的能力还较为薄弱,集中体现在缺乏系统的区域及区域内分界水文站和水质监测断面,需加强水量水质监测系统建设,建立地下水动态监测网。要大力加强水利信息化建设,以信息化促进水利现代化和水资源管理的现代化。充分利用计算机网络、信息化和数字化等技术手段,建立现代化的水资源实时监控系统、优化配置管理信息系统和决策系统,提高水资源开发利用水平,推广工业企业水平衡测试工作。

4.2　科学技术分析

科学技术是一个表征概念,包含了许多内容,其框架见图4-2。

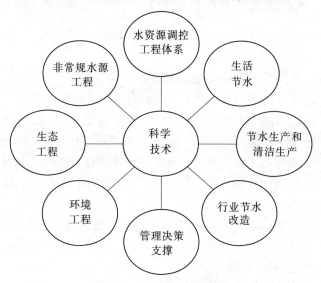

图4-2　科学技术内涵框图

4.2.1　社会水调控分析

节水型社会关注社会水,即人类有意识地调控、安排用于生产、生活和生态的水量。

无论是社会水还是人工侧支循环,都必须有相应的手段,否则自然水变不成社会水,人工侧支循环也无从谈起。

社会水的调控手段主要分为五类:

(1)拦蓄、提取、输配、排泄工程,可总体称为水工程。

(2)水土保持、坡面(土壤)储留、林草涵养、地下水回灌工程,可总体称为(水保)生态工程。

(3)污水汇集、处理、回用和污染治理工程,可称为水环境工程。

(4)大气水(人工增雨)、海水、微咸水利用等工程,可称为非常规水源工程。

(5)节水生产、清洁生产相应的措施和技术。

4.2.2　水资源有序调配工程分析

水资源调控工程,即水的拦蓄、提取、输配、排泄工程,可总体称为水工程。

4.2.2.1　水资源调控工程的基本功能

在水从自然水到社会水再到自然水的转化过程中,调控工程是必不可少的。调控工程包括河道水拦蓄工程、提水(扬水、抽水、分水、引水、取水)工程、输水工程、排水工程等。水资源调控工程的基本功能是:

(1)改变自然水循环的时间特征,使水按照人的意愿适时流动。

(2)改变水循环的流向,即改变水资源的空间特征,使其按人的意愿进行空间流动。

(3)改变水的运动形态,使其携带的能量按人的意愿进行转化。

(4)改变水所携带的物质成分(如泥沙),使其按人的意愿对自然环境(如河道等)进行改造。

(5)改变水的用途和使用方式。

(6)改变生态、环境特征,使其更符合人类的意愿。

水资源调控工程的具体功能很多,但总体上离不开上述时间、空间、能量、物质改变功能范围。

4.2.2.2　水资源调控工程存在的问题

需要指出的是,我国的水资源调控工程建设已取得了辉煌成就,调控水资源的能力也极大提高,但存在的问题相对也较多,主要表现为:

(1)我国水资源调控工程大多修建于 20 年前,老化失修、淤积塞堵等现象严重。

(2)工程配套程度明显不高,使水资源调控工程的效率不能充分发挥。

(3)限于工程修建时的经济技术条件,工程质量相对不高,工程本身浪费水严重。

(4)随着经济社会的快速发展,调控能力不足的问题正逐步暴露出来,各地兴修水利工程的呼声普遍较高。

4.2.2.3　水资源调控工程建设需注意的问题

节水型社会水资源调控工程建设需注意的问题是:

(1)逐步形成全国范围的水资源配置、调控网络,包括三个方面的体系,一是横向(东西向、纬向、大部分河流流动方向)的梯级调控体系,充分发挥水资源的可再生、可重复利用等性能,全面发挥水资源的效率和效益,如黄河干流水沙调控工程体系、黄河上游水电开发体系修建;二是纵向(南北向、径向)的骨干输配体系,解决我国北方地区水资源匮缺问题,如已经启动的南水北调东中线工程和正在进行可行性研究的南水北调西线工程等;三是注重水资源调控工程的配套性,强调工程网络整体效能的发挥。

(2)注重与水资源配置、调控网络相应的非工程措施、管理等建设,使工程体系充分发挥作用。

(3)强调节水优先的原则,即节水型社会建设的核心是提高水资源的利用效率和效益,强调各地先用好本地自产水(主水),再考虑水资源的跨流域、跨区域调配。

(4)水资源调控工程建设要高度重视可能产生的生态、环境问题,如河道拦蓄工程下游河道萎缩,调出区水量和水环境容量减小等可能产生的问题,受水区及输水管渠沿途水资源情势变化、水体物理化学性质变化、外来生物入侵等问题。

（5）水资源调控工程耗资巨大，一方面要总体规划、分步实施；另一方面要积极探索适合新形势的融资方式和渠道，充分调动社会各界的积极性。

4.2.3　生态和非常规水源工程分析

4.2.3.1　水土保持工程

水土保持工程目前是我国普遍开展的最重要的生态工程。水土保持工程的目的和作用有两个方面：一是减少水、土流失；二是改变生态和环境。水土保持工程的定性有三个侧重面：

（1）水土保持工程是水（利）工程的一部分。水土保持工程既是当地保水、保土工程，是水、土资源的高效利用的体现，也是其下游减淤、防洪工程体系的一部分。事实上，水土保持工程的提出和过去工作侧重也正是从下游减淤、防洪入手的，如黄河水土保持即是黄河下游安全措施的一部分，人们评价水土保持工程的作用和效益大都以"减少多少入黄泥沙"来衡量。水土保持工程的这种定性和定位非常正确和必要，但不全面。这种单纯性定位缺乏对工程所在地利益的考虑，也造成群众积极性不高、效果不理想的局面。

（2）水土保持工程是改变生态和环境状况的生态工程。过去人们考察、分析、研究该层面问题的角度更多是"水土保持的生态手段或生态措施"，较少与当地生态环境建设、水土资源高效利用挂钩，目前这种状况已初步得到改变。

（3）水土保持工程是生产性工程。目前，由于生态、环境问题的突出，更由于经济发展、社会进步和和谐社会建设的需要，水土保持工程建设已与当地人民群众的生活、生产活动密切联系在一起，减少水沙流失，保障下游安全，水土资源高效利用，改善环境，发展生产等已成为有机整体，人民群众的参与热情也空前高涨，成为建设和谐社会主义社会和社会主义新农村建设的亮点和突破口之一。

节水型社会应高度重视水土保持工作（工程体系建设与维护、管理等），特别是要综合考虑各种目标和要求，全面安排各项措施，加强减少水沙流失、保障下游安全、水土资源高效利用、改善环境、发展生产之间的联系,避免相互割裂,使有关工作更好、更快地发展。

水土保持工程的具体措施较多,如植树种草、封山育林育草、退耕还林还牧、改变耕作方式、引进培育改善适种作物、梯田化、淤地坝、鱼鳞坑等。目前国内外对一些具体的措施或内容争议不少,如梯田化对发展现代农业的影响、水土保持减少进入下游的径流、水资源的配置和分配基础制度(即水土保持或其他措施使过去进入河道的水储留在当地,河川径流减少,水资源地区间分配面临新的问题)等。本书不进行具体的分析论证,只强调下述观点:

第一,要尊重自然规律,充分发挥自然的作用和功效。许多研究表明(刘苏峡等,2007),只要不遭到人类过度破坏,靠雨养可以使生态较快恢复。

第二,实事求是,因地制宜。我国许多工程建设跟风现象严重,对当地的社会、经济、自然环境的制约因素考虑不足,造成许多浪费并带来许多问题。对水土保持而言,我国地域广阔,气候、土壤、地形地貌、河流、原生生物等各不相同,要强调因地制宜地发展。

第三,强调水土保持与环境资源问题解决和人民生产、生活联系在一起,充分发挥全社会积极性。

4.2.3.2　集雨工程

作为主要典型水源工程的集雨工程基于群众打水窖解决农村饮水问题的基础思路。受这种蓄水方式的启发,近几年来,特别是在节水灌溉理论、技术、设备广泛推广应用之后,集雨工程逐步成长起来,形成规模。

集雨工程的发展轮廓是,群众自发建设—对雨水集蓄利用相关技术的试验研究—集雨工程理论体系建立—较大范围的雨水集蓄利用技术试点示范—大规模集雨工程建设。目前,"人均一窖,人均半亩基本农田"、"一园一窖"已成为我国特别是西北及华北缺水地区农民群众的奋斗目标。

集雨工程重点布局在水资源极度缺乏和自然、社会、经济条件较差的地区,要以改善基本生产、生活条件为出发点,以解决温饱为前提,以农村经济社会发展为目的。结合农作物种植结构调整和水土保持及生态环境建设,生产上宜农则农、宜林则林、宜草则草,形式上充分利用当地地形,宜窖则窖、宜池则池、宜塘则塘、宜坝则坝。

4.2.3.3　地表、地下、土壤水库联用和洪水资源化

为最大限度地发挥蓄水载体功能,要注意地表、地下和土壤水库联用。要重视对病险水库的改造,防渗防漏,保护水源。"土壤水库"是地表水库、地下水库的纽带,是植被、森林、草原及地面植物赖以生存的根基。发挥"土壤水库"调控降雨径流、恢复保育生态、提供优质水源的功能,应是建设节水型社会的重要一环。对于地表径流缺乏、雨水资源缺乏地区,充分发挥地下水库功能,也是节水型社会建设的重要环节。由于地下水更新周期长,除合理利用地下水库,还要充分保护地下水库。

洪水资源化的根本工程技术途径是各种水库的综合运用。一方面充分利用防洪库容,不同阶段制定不同的汛限水位,利用防洪库容积蓄更多的水;另一方面,充分利用洪水进行地下水回灌,既减少洪灾损失,又充分利用水资源。目前我国汛期分前后期的技术在各大型水库已普遍采用,但利用洪水进行地下水回灌的科研成果和工程措施相对较少,应充分重视该项工作,使洪水资源化落到实处。

4.2.3.4　其他非常规水源工程

大气水(人工增雨)、中水、劣质水、海水、矿井水等非常规水源开发利用工程对缓解水资源紧张、减轻环境污染均有十分重要的作用。缺水严重的地区,新上建设项目要充分考虑非常规水源的利用。事实证明,非常规水源开发利用潜力极大。如我国青岛地区,利用海水作为循环水的成本比用淡水低。因此,沿海地区应将海水利用作为战略措施去抓。全国范围的中水利用也要由政府有计划、有步骤地强制推行。

4.2.4　节水生产和清洁生产分析

水的使用是社会水循环的核心,节水生产和清洁生产也是节水型社会节水意义的核心。组织节水生产和清洁生产的总体要求如下:

(1)产品、生产方式、工艺、设备等设计、实现要充分考虑节约和保护水资源,最大程度采用节水型技术。

（2）充分发挥科学技术的第一生产力作用,通过创新和改造,提高组织节水生产和清洁生产的水平,提高水的使用率及单方水产出数量和质量,实现达标排放,力争做到零排放。

（3）水源上尽量利用非常规水源,如雨水、中水、海水等。

（4）提高职工（从业人员）的各项素质,保证安全生产,阻绝重大水事故、污染事故发生。

当然,组织的节水生产和清洁生产要围绕组织的经济、社会、政治等目标进行,要考虑自身的承受能力,要长远规划、分步实施,逐步加大投入力度,加强相关工作。

节水型社会应强调各行业的节水生产和清洁生产,建立节水农业、节水工业、节水林业和节水畜牧业等,同时也要重视生活节水。

4.2.5　水环境工程分析

由于以环境、生态效益为主要目标,环境工程建设和运行、维护原则上是政府行为。水环境工程可从节水型社会的角度分为四类:

（1）雨水、生活污水、工业污水汇集、输移工程。

（2）水处理工程,包括使用前达标处理和使用后达标排放工程。

（3）城镇污水处理集中处理工程。

（4）水体污染治理工程。

目前,水环境工程的理论和技术相对较为成熟,存在问题是成本较高。随着环境、资源、生态问题的日渐突出,“清洁生产”、“污染者付费、治理”、“排污许可”、“达标排放”、“零排放”等要求已经成为基本社会制度内容,并由政府强制推行、实施,如建设项目环境影响评价、排污许可等。但同样由于水环境工程的成本问题,许多水环境制度的实施举步维艰。当然,各级政府的决心是解决水环境问题的关键。地方政府出于对经济发展负面影响的担心,对污染行为往往采取宽容、包容的态度。随着国家各项体制、制度改革的深入,如可持续发展战略实施、和谐社会主义社会建设、干部考核体系改革等,水环境和水生态问题已出现明显的良好态势,环境恶化的势头初步得到遏制,环境生态问题也得到社会各界的关注,社会总体共识已初步形成。

水环境工程建设需注意的问题有：

(1)科学规划,分步实施。协调好分散处理和集中处理、分级处理和分质供水、分类汇集和分类处理等关系。

(2)新建项目、城区、社区、园区、基地等要充分考虑水环境问题,建设配套水环境工程。做好设计科学、严格审批、按规验收、监督检查等工作。

(3)综合运用物理、化学、生物方法处理污水。

(4)加强非工程措施的配套建设和良性运行及维护。

(5)注意杜绝水环境工程事故发生。

(6)水环境工程建设、运行成本较高要充分考虑现代融资方式,特别是通过特许经营的方式使民间、国外资金积极注入,解决建设和运行资金不足问题。

4.2.6　科学研究

针对节水型社会建设的基本需求,深入开展相关科学研究。如流域水循环过程研究、区域水资源承载力与生态需水研究、地区水资源优化配置方案研究、用水需求管理的经济手段和技术政策研究、区域行业用水定额标准研究、节水型社会评价指标体系研究、水价研究、水权与水市场研究等。

4.3　节水文化

节水文化是与节水型社会相关联的规范准则,包括习俗、道德、法律等侧面,是对人们应如何思想、感觉和行动作出的解释和规范。本小节从八个方面论述节水文化,即定义、组分、功能、价值体系、主流意识、生活方式、道德规范以及节水文化的倡导和培育。

4.3.1　节水文化定义

文化一词的使用相当广泛,但定义却千差万别。文化与"场所"、"组织"、"行为"、"角色"、"器物"、"学科"等的结合更是产生了无数的

"分支文化"。由于准确阐述的困难,对文化的定义往往采用"内涵"、"特征"、"形成"、"组成"、"功能"等多角度综合描述的方法给出相应的架构。本书也基本采用这种方法进行研究。为研究方便,本文给出节水文化的广义定义如下:节水文化是人关于节水型社会的思想和行为成果的总和。

4.3.2　节水文化组分和节水型社会的第四次(文化)描述

"组分"一词源于生物、遗传、细胞等学科,其他学科引用的也较多。字面理解为两种语义,一是"组织成分",二是"分组成分",二者有一定的区别。总体而言,"组分"更强调"分组成分",但不脱离"组织成分"的框架,即"组织成分中的分组成分"。

从节水文化的前述定义,可以直接得出节水文化的两大组分(一级组分):节水文化的精神内涵和节水文化的外在表现,分别对应于节水文化定义中的思想成果和行为成果。

节水文化的精神内涵由节水型社会的上层建筑部分组成,可以分为观念上层建筑和政治上层建筑。观念上层建筑包括价值观、是非观(荣辱观)、各种理念等纯意识的成分,政治上层建筑表现为节水型社会的制度结构。

节水文化的外在表现更多地体现为节水物质文化或"产品"、"作品",体现生产力和生产成果部分。可以这样描述"文化"和"产品"之间的关系:生产是文化的物质实现过程,"产品"是文化的外在表现形式。产品的文化表现体现在产品的功能、形象、广告描述等。

但物质文化本身还包括生产的技术、工具、中间产品、副产品、物质形式的生产环境等,可总体称为生产工具,与生产关系中非劳动者的成分对应。

本书将文化组分重新整合为观念、制度、工具、产品,即观念文化、制度文化、工具文化和文化产品。对节水文化而言同样如此,即节水文化的二级组分为观念节水文化、制度节水文化(制度结构)、节水工具文化(节水工具)和节水文化产品。

对节水文化上述组分进行不同的组合,可得到不同角度的节水文化描述：

（1）观念节水文化构成了狭义的节水文化，即纯意识形态的节水文化。

（2）观念节水文化和制度节水文化构成节水文化的上层建筑组分。

（3）制度节水文化、节水工具文化和文化产品构成节水文化的广义外在表现，即广义物质节水文化。

（4）四种组分的综合构成广义的节水文化。

节水文化组分见图4-3。

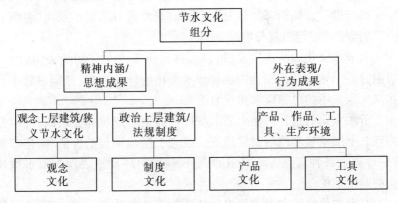

图4-3　节水文化组分

节水文化的这种组分分析对正确认识节水文化、把握节水文化的实质、培育节水文化及充分发挥节水文化的功能和作用有十分重要的意义，对节水型社会本身的意义也十分重大。节水文化的这种组分解构与结构（重构）实际上完成了节水型社会的第四次描述，即文化角度的节水型社会：节水型社会是节水观念、制度、工具、产品的综合。节水文化的构成见图4-4。

4.3.3　节水文化的功能描述

无论任何思想和行为，其功利性都是第一位的，即要有用，亦即从认识论、价值论和本体论各个角度讲，各种功利均是出发点。

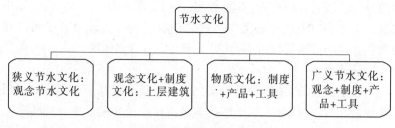

图4-4　节水文化的构成

4.3.3.1　文化的功能

文化的功能(作用)很多,主要体现在约束、传承、审美等三个方面。

1)约束维护功能

文化的约束维护功能或行为模式功能是最被强调的功能。特别在今天,随着现代管理理论和理念的广泛社会实践,几乎所有社会组织都在构建自己的组织文化,至少也在营造组织文化氛围。组织文化已渗透到组织管理、生产组织、产品设计、营销等各个环节。从社会角度来说,文化的约束功能也最为看重,无论国家层面的管理者,还是组织层面的管理者,第一位强调的都是约束功能。

约束功能主要包括导向凝聚、规范培育、教育预防、约束惩治、保障保护、激励、整合融合等功能,强调在文化的作用下,社会、组织和个人朝着管理者预设的、希望的方向运行、运动和发展。

我国古代的治国方略十分重视文化"教化"的约束维护功能。如《周易》有"观乎天文以观时变;观乎人文,以化成天下"的论述,可简单概括为"顺天应时化天下"。汉代刘向《说苑·指武》篇中说"凡武之兴,为不服也,文化不改,然后加诛",体现的是"对于叛逆,先教而化之,达不到效果就武力诛灭"。《论语·尧曰》提到"不教而杀谓之虐"等,这些都在强调文化(教化)的约束功能,即教化是第一位的。《荀子·富国》里有一段更为精彩的话:"故不教而诛,则刑繁而邪不胜;教而不诛,则奸民不惩;诛而不赏,则勤厉之民不劝;诛赏而不类,则下疑俗险而百姓不一。故先王明礼义以壹之,致忠信以爱之,尚贤使能以次之,爵服庆赏以申重之,时其事,轻其任,以调齐之,潢然兼覆之,养长之,如保赤子。若是,故奸邪不作,盗贼不起,而化善者劝勉矣。是何邪?则其道易,其塞固,其政令一,其防表明。故曰:上一则下一矣,上二则下二矣。辟之若中木枝叶必类本。此之谓也。"荀子这段话几乎可以作为现代管理的古典版教科书,其思想本文中有许多体现。

2)传承功能

文化是社会的"遗传密码",文化的传承是人的社会性形成和发展的基础,人的社会行为的本能性基本是由传承而来的。文化的传承功能主要是靠文化的符号和语言特征实现的,即记录功能、传播衍射功能、交流碰撞功能等。

3)审美功能

文化的审美功能强调文化的人格塑造、陶冶情操、审美娱乐、价值实现等功能,强调个人(也包括组织和社会)素质的提高和精神升华。

文化的上述功能分类其实是不严密的,三者相互联系或交叉,只是考察的角度不同。

4.3.3.2 节水文化的功能

节水文化的功能层面脱离不了文化整体功能的框架,为方便起见,这里不再分类,只从几个大方面进行综合。

1)精神动力

节水文化的功能层面要强调其动力、激励功能。通过节水文化建设,要使社会公众具有建设节水型社会的精神动力和热情,这种动力和热情要靠节水文化的约束维护、传承、审美等多个功能综合发挥才能实现。

2)行为规范

节水文化要形成社会个人和组织的行为规范,要有明确的制度保障和意识约束。

3)审美娱乐

节水型社会是和谐社会,是环境友好型社会,通过节水型社会或其文化建设,使社会或组织成员的素质提高、生活丰富、身心愉悦。

4.3.4　节水价值观念分析

价值观和价值体系是决定人们期望、态度和行为的心理基础。节水型社会涉及的水是关联人—社会—自然的纽带,强调三者之间的和谐,三者之间的和谐均离不开水。节水型社会涉水核心价值观包括以下几个方面。

价值观一:水是人类生存、繁衍、进化的基础。强调抛开社会性,作为生命体的人类对水的依赖性。

价值观二:水是维持各种生命的基本要素。强调不仅人类需要水,地球上所有的生命(生物)体均需要水。离开其他生命体,人类不可能单独存在。

价值观三:任何形式的人类文明的孕育、产生、发展等均离不开水。强调水的文明、文化功能。

价值观四:水可以使人体产生不适或病态甚至死亡。强调水对人体有副作用的一面。

价值观五:水可以使人产生精神上的愉悦或厌恶感。强调抛开文化层面的功能外,水更能直接影响人的情绪。

价值观六:健康的水体及与水相关联的生态和环境是人类生存并高质量生活的必要条件。强调人与自然环境的和谐能使自身得到更大的益处。

价值观七:水是可以用于生产并产生附加值的资源。该价值观强调三点:一是可以利用水使人类进步、发展;二是可以利用水增加财富;三是水是商品,即水资源需经过开发才能利用,需要资本、技术、劳动投入,有相应生产成本,同时有投入就要有回报,水有相应的价格。

价值观八:水是稀缺资源。该价值观强调三点:一是水资源短缺,不可能对全社会足量供应,即其使用有排他性;二是不同的用水会产生不同量的附加值;三是不同的社会经济模式对水的分配方式不同。

价值观九:水是极易受破坏的资源。该价值观强调两点:一是水极易被浪费,这是由水自身的循环规律决定的;二是水极易被污染,这是由水的物理、化学性质决定的。

价值观十:水可以对人类本身、人类创造的文明、物质财富产生巨大的破坏。该价值观强调水对人类社会的负面作用。

以上是围绕水对人类的作用(功能)而罗列的节水型社会的核心

涉水价值观。从这里可以派生出许多更为具体详尽的价值观。

4.3.5　节水型社会的主流意识分析

节水型社会的主流意识可以概要罗列为如下：

（1）我国是水资源紧缺的国家，要树立水患意识。

（2）节约水资源，保护水资源。

（3）节约水光荣，浪费水可耻。

（4）人与自然相和谐，人水和谐。

（5）以水资源的可持续利用支持经济社会的可持续发展，经济社会的发展与水资源承载力相协调；以水定产、以供定需。

（6）充分发挥水资源的效率和效益。

（7）建设节水型社会不是单纯地少用水、压缩用水甚至限制用水，而是要更科学合理地用水，用最少的水发挥最大的经济、社会和生态效益。

（8）社会各群体和个体均有享用维持生命和维持较好生活方式所需基本用水的权利。

（9）维护河流、湖泊、湿地健康生命，维护生物多样性。

（10）依法行政、依法治水，涉水事务管理、处理规范、有序、理性。

（11）保障国家粮食生产安全等。

上述口号式的观点其实就是节水型社会的主流（主导）意识（意识形态）或主流意志，也是节水型社会建设的指导思想、原则、目标、认识、措施等及社会公众对节水型社会建设的期许、希望、要求等。其共同特点是在节水型社会意识形态中占主导地位。

节水型社会也存在非主流意识，即与主流意识不同的意识，如对节水型社会各个方面的不同认识和意见、看法。无论其对与错，这些意识均尚未被大众或决策层所接受。

同样不失一般性，主流意识具有较大的变化性。随着形势或事态的变化或主要矛盾的变化，部分主流意识可能变成非主流意识，部分非主流意识也可能变成主流意识。

价值观、是非观、意识形态基本上是相通的，只是表述的角度不同而已。

4.3.6　节水型社会的习俗、习惯和生活方式分析

习惯基本上与个人行为相联系,习俗是大众普遍接受的习惯,生活方式对个人和社会大众均适用,这里对三者不做过多辨析和界定,将其视为同义语。其含义有区别时可从上下文看出。

虽然建设节水型社会不是单纯地少用水、压缩用水甚至限制用水,但不可避免地对用水必然有所限制,对生活方式也将产生影响。特别当水资源严重紧张时,影响程度更大。影响的方面几乎涉及衣、食、住、行的方方面面,如吃饭、饮水、洗浴、洗涤、出行、休闲等。

应采取积极、乐观的态度应对这种变化,逐步学会或适应在水少的环境下生活。习俗、习惯和生活方式均应有所改变。

政府应积极采取措施,正确引导生活方式的变化,避免因缺水导致的生活方式的急剧变化,更要避免引起社会恐慌。

4.3.7　节水型社会的道德规范分析

4.3.7.1　道德的概念

道德是与社会利益有关的习俗,道德与社会利益和基本价值体系有关。道德有三个特征:①道德是被肯定的、好的;②道德与社会利益和基本价值体系有关;③道德是习俗。

道德的分类很多,从社会关系的角度,或从文化层次角度探讨该问题,以公德和私德划分较为合适。而公德还可以再划分,以违反了该公德能否引起剧烈冲突为底线,划分为最低公德和一般公德。最低公德则进入法律体系,违背了必然要受到惩罚。

公德和私德的划分标准在于某种行为能否普遍化。不能普遍化的道德谓之私德,牺牲精神、绝对的利他精神等是可以赞扬但不能用做普遍标准来要求全社会去履行的,这是典型的私德,是人格道德的升华。公德是社会之所以成为社会的行为规范或标准,普通人都应该做到。公德的最基本层面即维持国家、社会、家庭正常运行的要求以法律形式出现,由国家维护,最基本特征是"违法必究"。

道德的划分与历史、地域有着较深的关系,随着时间的推移也在发生变化。道德的划分实质上是物质利益原则和教化要求之间的较量。两个典型的极端"道德过分升级"和"道德失范"是同样需要避免的。"道德失范"是物质利益原则占上风的时候,私欲战胜了公德,诚信的底线屡遭破坏,此时反映的是法律过于宽松,对触犯公德底线的处罚过轻或进入法律的公德过少。"道德过分升级"是另一个极端,即将部分一般公德纳入最低公德的法律范畴,或将部分私德升级为公德,公德和法律演变为宗法,束缚和禁锢人们的思想,压制人追求自由和幸福生活的天性。

上述论述的目的在于从本质上,至少从社会关系的角度理清法律、公德、私德的层次,在节水型社会建设中正确处理法律、制度、公德、私德等方面的关系,建立互为补充的机制、体制,强调节水型社会的道德规范以涉水公德为主。

4.3.7.2 我国公民道德的框架体系

节水型社会倡导的道德是我国公民道德框架体系下的一个特定部分。我国公民道德的框架体系如下:

(1)为人民服务,集体主义,爱祖国、爱人民、爱劳动、爱科学、爱社会主义;有利于国家统一、民族团结、经济发展、社会进步的社会基本价值体系。

(2)爱国守法、明礼诚信、团结友善、勤俭自强、敬业奉献的基本道德规范。

(3)文明礼貌、助人为乐、爱护公物、保护环境、遵纪守法的社会公德主要规范。

(4)爱岗敬业、诚实守信、办事公道、服务群众、奉献社会的职业道德主要规范。

(5)尊老爱幼、男女平等、夫妻和睦、勤俭持家、邻里团结的家庭美德。

4.3.7.3 节水型社会道德规范

节水型社会道德规范在我国公民道德的框架体系下更侧重如下的内容。

1)涉水社会公德规范

遵守水资源管理及节约用水相关的法律法规、制度规章、规范规程、乡规村约等。

提倡个人利益服从集体利益、局部利益服从整体利益、当前利益服从长远利益。

在涉水事务中文明礼貌,诚实守信,团结友善。

爱护、保护水利设施、公共水源地,不破坏水环境。

尊重他人、理解他人、关心他人,相互帮助,相互支援,不损害他人的利益。

2)涉水职业道德规范

涉水职业道德突出强调水资源管理人员、行政执法人员爱岗敬业、办事公道、服务群众、奉献社会。

3)涉水个人习惯

牢固树立“节约水光荣,浪费水可耻”的观念,改变不良的生活习惯,在生活的各个环节节约每一滴水,根据生活不同用途对水质的不同要求,循环使用水,充分发挥水的作用。积极使用节水器具。

4)企业人(法人)道德规范

企业人与自然人一样要遵守社会道德公约,在生产、服务、活动的各个环节厉行节约。

4.3.8　全民参与节水的文化机制分析

全民参与节水的文化机制可概括为政府法规制度框架下的规范机制、节水型组织的组织约束机制、有回报的民间资本参与机制、有民众参与的管理决策机制以及激励和抑制相结合的民众参与动力机制,见图4-5。

4.3.8.1　政府规范机制

节水型社会的各种法规、制度、机制、政策等实质上构成了广义的全民参与节水的政府规范机制。主要包括以下内容。

1)依法行政,保证涉水事务管理、处理的公平、公正、和谐

在全民参与节水的语境下,依法行政,涉水事务管理、处理公平、公正、和谐极为重要。依法、公平、公正、和谐产生的社会结果是规范、有

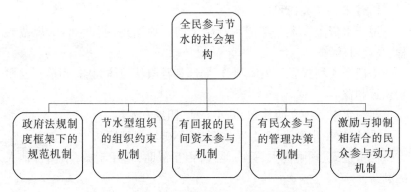

图 4-5　全民参与节水的文化机制

序、理性,这是全民参与节水的前提,即从人民的角度看政府和社会,是人民要求政府首先实现或保障的。公平、和谐的基础是民主、透明、协商。

2)激励与抑制机制要明确

从根本上讲,节水型社会建设要改变生产关系,改变人们的生活、生产方式,是一场革命。改变和革命均需要明确的激励和抑制机制,即政府鼓励什么,限制什么,反对什么,达到要求有什么激励,违反规定会受到什么惩罚等均要清晰明确,并及时兑现。

3)应对危机的机制要周全,处理问题要及时果断

节水型社会建设阶段的社会具有危机应对型社会特征,因此制度、机制要健全,方案要全面,措施要到位。

对违犯各种法规、规定的事件,特别是严重危害社会利益和侵害他人权益的涉水事件处理要及时、果断、到位。没有权威的规定、办法谈不上任何约束力。

4)保持政策稳定性和策略灵活性

节水型社会建设是一个循序渐进的过程。因此,保持政策的稳定性是巩固成果、稳步前进的前提。但在策略上要有灵活性,即针对出现的情况及时调整工作思路或工作重点,解决不同时期的突出和主要矛盾,积极推进节水型社会健康、快速向前发展。

5)成为公共利益、水体、生态、环境的代言人

政府要成为公共利益、水体、生态、环境的代言人,特别要采取强有力的措施保障水体的水质不被污染和不被破坏,并积极采取措施改善其状态。对各种破坏公共利益、污染破坏水体、生态、环境的行为要认真追究,充分表明政府的立场和态度。

6)公平和效益间要掌握平衡

不同阶段有不同的公平、效益优先策略。但无论哪个阶段,都要确保人民生活质量不降低,要保障国家粮食生产安全。

7)政府所有部门参与节水型社会建设

政府所有部门参与节水型社会建设是全民参与节水型社会建设的前提。单靠水利(水务)部门不可能建立起节水型社会。政府各部门之间分工合作是节水型社会建设的基础。

8)重视节水文化建设

广义的节水文化实际上涵盖了节水型社会建设的全部内容。狭义的节水文化应界定为与节水相关的生活习俗和语言符号系统。政府应把节水文化当作节水型社会的重要组成部分来建设,而不是仅仅作为辅助的工具。

9)涉水信息、重要事务的发布和公告

节水公益广告和重要涉水信息、事务的发布和备查是全民参与节水的必要条件。

4.3.8.2 组织节水核心机制

节水型社会建设应以节水型组织建设为核心,全民参与节水的基本切入点是节水组织建设。

根据组织的性质不同,节水建设涉及的领域也不同。节水型城镇、乡村涉及节水型社会的各个方面,节水型企业、灌区、行业涉及生产、工作层面,节水型机关涉及工作,节水型社区、家庭涉及生活。但无论哪种组织,都会对生产、生活方式产生直接或间接影响。

由于组织面对的社会层面较多,本书强调社会层面的节水文化,不强调组织的节水文化,但强调组织文化建设,强调组织文化中体现节水、减污、保护环境、人与自然和谐的思想和理念。

组织节水文化,或组织文化的节水层面(侧面),主要包括:

(1)地球主人意识和社会、环境责任意识。人类共同拥有同一个地球,是地球的主人,有责任保护地球,保护所处的环境,要从我做起,从点点滴滴做起。保护水资源、水环境是每个人、每个单位团体都应尽的责任和义务。

(2)组织精神中融进水的成分。水本身有很多"精神"和"性格"是值得人类学习的,如"上善若水,厚德载物"、"滴水穿石"、"坚定性和灵活性的奇妙组合"等,在文化和精神塑造中完全可以也十分必要融入水的成分。

(3)水的命脉特征。水已是各行各业的命脉。组织文化中突出强调水的命脉作用,树立水患意识,养成节水习惯,是组织文化节水层面最关键的部分。

以制度建设为核心只能是阶段性(如"十一五")策略,节水型社会建设及其全民参与的最根本核心是制度的执行和节水组织建设。忽略节水型社会建设的社会层面问题会阻碍民众参与节水。

4.3.8.3　有回报的民间资本参与建设与运营机制

以现代融资方式为典型的公益、基础项目融资是民间资本参与节水型社会建设并取得回报的重要举措,也是全民参与节水的重要途径。政府可借此筹措资金、减少投资、减少风险。政府通过委托建设—赎买、出租(转让)经营权、委托建设—经营—移交、合资、税收优惠及土地利用优惠等方式减少建设和管理投入、减少或转移部分风险或获取短缺的资金,民间资本可以借此获利。

节水型社会建设所需资金应坚持"谁受益、谁投资"、"谁污染、谁治理"和"谁投资、谁决策、谁受益、谁承担风险"的原则,明确划分投资者在水利工程建设中的权益和责任,同时坚持"城市反哺农村"的原则。

节水型社会建设融资体系的基本特征是多层次、多渠道、多元化和多形式。

多层次着重指来自各级政府的投资。中央和各级政府都应对节水型社会建设投入足量资金,解决节水型社会建设中各自关注的问题,投资方向是基础、公共、公益(或社会效益)项目、管理能力建设以及对半公益性项目的扶持和先进技术、节水器具推广等。

多渠道指除政府投资外应广泛接纳来自社会乃至国外的投资。

多元化指资金的性质,包括国库资金、国有投资(金融)公司、股份制公司、协会和社会闲散资金等。

多形式指融资和回报形式的多样化。投资都是讲求回报或投资效益的。由于节水型社会建设应由政府投资的部分资金需求量大,政府财力不足时,对具有经营性质的项目如污水处理厂、具有供水功能的水库等应采用当前较为流行的特许经营模式,广泛吸纳社会资金以及国外资金参与经营性基础设施的投资并使其获得回报。

融资及回报的形式包括:

(1)BOT(Build-Operate-Transfer,建设—经营—移交)模式及其变种 BOOT(Build-Own-Operate-Transfer,建设—拥有—经营—移交)、BOO(Build-Own-Operate,建设—拥有—经营)、BLT(Build-Lease-Transfer,建设—租赁—移交)、BT(Build-Transfer,建设—移交)模式等。其主要理念是由投资体投资建设并经营盈利,一定期限后移交给政府,政府节省建设资金。

(2)TOT(Transfer-Operation-Transfer,转让—经营—移交)模式。其基本理念是政府投资建设后转让给经营体,一定期限后交还政府,政府获得转让经营权的资金。

(3)PFI(Private-Finance-Initiative,私人主动融资建设并出售给政府)模式,包括独立运作型(基础设施项目开发,遵循"建设—经营—转让"三个过程,在遵循有关法律的基础上,PFI 公司独立经营、自行收费、自负盈亏,项目期满后转交政府)、建设转让型(基础设施项目建设完成以后,政府根据所提供服务的数量等情况,向 PFI 公司购买项目经营权,不遵循"建设—经营—转让"三个过程,但在一定期限内,PFI 公司负有对项目进行维修管理的责任)、综合运营型(对于特殊基础设施项目的开发,由政府进行部分投资,数量依项目性质和规模不同而不同,资金回收方式以及其他有关事项双方在合同中规定,也称为"官民协同项目")。

（4）PPP（Public-Private-Partnership，政府、营利性企业和非营利性企业基于某个基础设施项目而结成相互合作关系的形式）模式。通过这种合作形式，合作双方可以达到比预期单独形式更有利的结果。这种合作关系主要是通过一套协议和计划来进行的，合作双方共同承担投资风险、责任以及分享回报。政府不把项目的责任全部转移给私人企业。

节水型社会建设融资体系不是本书研究的重点，这里不展开论述，只着重展示民间资金进入基础建设的可能途径。

4.3.8.4　有民众参与的管理决策体制

民众以不同的形式参与涉水事务管理、决策，是全民参与节水的重要标志。

从政府方面讲，作为政务公开的重要内容之一，要逐步实施重要涉水事项的听证会制度和合议制，做到涉水信息、法律法规、规划计划、规范规程、指标定额、规定办法、预报预警、公报公告及时发布，使节水型社会建设步入法制、规范的渠道。

民众以流域、行业或行政区域为单位组织的用水户协会，是社会公众参与节水型社会建设的重要桥梁、纽带和平台，除内部管理、调解水事纠纷、加强节水技术交流、共享有关信息外，还应以不同身份（个人或代表）监督水行政主管部门的工作，为政府或水行政主管部门提供建议和意见，参与有关管理和决策。

4.3.8.5　激励和抑制相结合的民众节水动力机制

一项制度、一项活动要想获得好的效果，就必须要有相应的激励和抑制机制起到奖优罚劣的作用，从而使其能顺利继续下去。但由于水是涉及生活、生产各方面的基本要素，生命必须维持，经济社会必须发展，国家粮食生产安全必须保障，生态系统必须维持。这种多约束给有效的激励和抑制机制设计带来许多困难。这里仅提出一些粗浅的认识。

在全民参与节水的语境下，激励的重点应是：

（1）人民群众在生产、生活实践活动中在保证工作、生活质量前提下取得的节水成果，像设立"节油奖"那样设立"节水奖"等。

（2）鼓励并建立渠道使节余的用水指标能够交易或由有关部门有偿回收或有条件"存储"。

（3）人民群众在生产、生活实践活动中进行的节水技术革新、发明。

（4）对节水型社会建设、水资源开发利用等提出的对策和建言。

对浪费水的抑制集中在两个方面：一是在定额管理和计划用水的基础上实行超定额、超计划加价收费；二是依靠节水文化倡导的行为规范体系进行约束。

4.3.9　节水文化的培育和倡导建议

勤俭节约是中华民族的传统美德，我国素有节约粮食、节约水、节约各种财富、物质的生活习惯。但就节水文化的培育和倡导而言，尚需要在传统节约意识、生活习惯中注入新的时代精神，即围绕节水型社会建设把节水型社会建设的背景、目标、要求，节水型社会的本质、特征等在人民大众中广为宣传，并采取各种措施，形成与节水型社会相适应的思想和行为准则。

节水文化的培育和倡导应从以下几个方面着手：

（1）坚持依法行政、依法管理、依法建设节水型社会。

（2）与国家社会主义文化建设和公民道德建设一致。

（3）重在形成全民的"水患"意识。

（4）社会管理和文化培育相配合是行为规范形成的基本途径。

（5）节水文化的培育和引导离不开具体的实践活动。

（6）紧密结合节水组织建设。

（7）重视节水文化作品和物质文化建设。

第5章 榆林 WSS 背景分析

本章采用实证分析的方法,对陕西省榆林市 WSS 进行解构研究。环境分析的背景年为 2005 年,情景分析的水平年为 2010 年和 2020 年。

5.1 基础数据

环境情景分析采用的基础数据较多,分别介绍如下:

(1)水资源调查评价结果。水利部黄河水利委员会和地方均有相关的水资源评价成果,但数据不尽一致。鉴于二者相差不多,同时考虑整体资料的口径一致,采用地方的评价结果。天然径流系列采用 2003 年完成的《陕西省水资源开发利用规划》相应成果,水资源总量采用榆林市近年有关水利规划、报告采用的数据。

(2)用水资料。利用榆林市近年水资源公报(供用水年报)的数据。

(3)经济社会发展资料。采用网上公开的逐年榆林市国民经济与社会发展统计公报及陕西省、全国的相关数据。

(4)经济社会发展预测。基本采用各级政府发布的国民经济和社会发展第十一个五年规划的数据,部分指标采用趋势预测法等校核。

(5)自然、土地、资源等。采用各级政府及相关部门的正式报告、公报数据和官方网站发布的数据。

(6)水功能区划及水利工程设施。水功能区划采用水利部发布的成果。水利设施采用地方水利(水务)部门提供的统计成果。

5.2 自然背景分析

榆林市是我国西北重镇,地处陕西省北部、黄河中游黄土高原地区,东临黄河与山西隔河相望,北接内蒙古,西靠宁夏、甘肃,南接延安

市,地理坐标为北纬 36°50′~39°35′、东经 107°15′~111°14′,面积
43 578 km²。榆林市物产丰厚,人杰地灵,且蕴藏大量矿产资源,素有
"塞外江南"、"塞上明珠"之称。

5.2.1　地形地貌

榆林市地势西北高、东南低,海拔一般为 500~1 000 m,最高 1 907
m,最低 571 m。

榆林市自然地貌以长城为界可大体分为北部风沙草滩区和南部黄
土丘陵沟壑区。北部风沙草滩区包括府谷、神木、榆阳、横山、靖边、定
边六县(区)的部分地区和佳县的少部分地区,面积为 17 618 km²,多为
第四系松散的粉沙、亚黏土、沙质黄土,基岩仅在局部河谷地段出露,为
流动、固定、半固定的各种沙丘和沙滩地间以湖盆滩地。区内水系网络
稀少,地面起伏平缓,海拔 1 000~1 400 m,相对高差为 30~50 m,但湖
泊、海子广为分布。南部黄土丘陵沟壑区包括榆阳、靖边、横山、定边四
县(区)的南部,神木、府谷的东部,米脂、子洲、绥德、清涧、佳县、吴堡
六县的全部地区,面积 25 960 km²,多为黄土层覆盖,厚 50~100 m,基
岩为中生界沙页岩。区内梁峁起伏,沟壑发育,地形破碎,沟壑密度为
4~8 km/km²。梁峁顶部海拔为 1 000~1 400 m,相对切割深度为
100~200 m。

5.2.2　气候

榆林市地处内陆,属温带干旱、半干旱大陆性季风气候。冬长夏
短,春季干旱多风沙;夏季前期干旱,后期降水集中,且多为阵雨,常有
冰雹发生;秋季较湿润,降水较多,降温急骤;冬季干寒少雪,西北风盛
行。全市年平均气温 9 ℃左右,自南向北、自东向西逐渐降低。区内降
水量稀少,多年平均降水量为 405 mm,且空间、时间分布很不均匀,雨
季多集中在 7、8、9 三个月,占全年降水量的 60%~70%,且多为雷阵
雨或局部暴雨。降雨空间变化趋势为东南部较多,西北部偏少。风沙
区年降水量一般在 325~425 mm,丘陵区在 400~500 mm。

榆林市无霜期平均 134~169 d,年日照时数 2 593.5~2 914.2 h,
年辐射总量 128.8~144.3 kcal/cm²,是我国的辐射高值区。区域内蒸

发强烈,多年平均水面蒸发量 1 246 mm,陆面蒸发量 342.6 mm,干旱指数为 3.08。年平均风速为 2.0～3.2 m/s,北部风沙区大风往往形成沙暴。全市平均最大冻土深度 148 cm。

5.2.3　河流水系

榆林市河流包括黄河流域水系和内陆河系。黄河流域水系集水面积在 100 km² 以上的河流共有 109 条,主要有无定河、秃尾河、窟野河、佳芦河及皇甫川、清水川、石马川、孤山川"四河四川",由西北流向东南,在榆林地区境内汇入黄河,占全市总面积的 79.8%。清涧河、延河、洛河、泾河部分上游支流自境内流出,进入延安地区。内陆河系分布在神木、定边县北部的沙漠闭流区,主要有定边县的八里河和神木县以红碱淖海子为中心的蟒盖兔河、尔林兔河等,区内面积 4 647 km²,占全市总面积的 10.8%。北部风沙区还分布有大小不等的海子 200 多个,水面达 120 km²。其中,最大的红碱淖海子水面面积 54 km²,平均水深 7.6 m,最大水深 14.0 m。

5.2.4　植被

榆林市地处温带欧亚草原带,随着气候干燥度由东南向西北逐渐增加,植被也发生相应的变化,从森林草原地带逐渐向干草原地带、荒漠草原地带过渡。大致在长城沿线以南为森林草原地带,长城沿线以北为干草原地带、荒漠草原地带,沙生植物发育,水平地带性明显。

5.2.5　水土流失

榆林市为水土流失严重地区,水土流失面积 36 900 km²,占总面积的 84.7%,多年平均侵蚀模数 12 200 t/km²,局部地区高达 44 800 t/km²,年输沙量 2.9 亿 t。长期的风蚀沙化、水土流失给当地带来了十分严重的危害,包括冲毁土地、割裂地形、风沙侵袭、土地沙化,生态失调、旱情发展,破坏设施、淤积水库等。

5.2.6　自然灾害

榆林市自然灾害主要有旱灾、风灾、暴雨、霜冻和冰雹。榆林素有

"十年九旱"之称。榆林风灾明显,每年 2~5 月中旬常有沙尘天气,风
速可达 35 m/s,春季连续刮风日数可达 5.4~20.1 d,大风年可达 49 d,
严重时有沙尘暴出现。局部涝灾多出现在 7、8、9 三个月,年发生 3.1~
3.8 次,偶尔出现连雨天气。初霜在 9 月下旬至 10 月上旬。多年平均
冰雹 1.6 次。

5.2.7 土地及矿产资源

榆林市土地面积为 43 578 km^2(折合 6 536.7 万亩),耕地总资源
1 517.49 万亩(1 亩 = 1/15 hm^2),常用耕地 750 万亩,其中水地 111.33
万亩,坝地 37.17 万亩,梯田 262.28 万亩,"三田"合计 410.78 万亩,农
业人口平均耕地 2.56 亩。

榆林市蕴藏着丰富的矿产资源,现已探明 8 大类、48 种,20 多种已
探明储量,尤其以煤炭、石油、天然气、岩盐最为著名。矿产资源主要分
布于榆林市北部榆阳和神木、府谷、横山、靖边、定边六县(区),地处毛
乌素沙漠南缘与陕北黄土高原丘陵沟壑区接壤地带。其中煤炭资源最
为丰富,预测储量 8 600 亿 t,探明储量 1 660 亿 t。神府煤田号称世界
八大煤田之一,煤质优良,属特低灰、特低硫、特低磷、中高发热量的长
焰优质动力煤、环保煤和化工用煤。区内天然气预测储量 8 万亿 m^3,
探明储量 7 500 亿 m^3,是目前我国已探明的陆上最大的整装气田。石
油预测储量 5 亿 t,探明储量 1.9 亿 t,是陕甘宁油气田的重要组成部
分。岩盐预测储量 6 万亿 t,探明储量 51 亿 t;湖盐预测储量 6 000 万
t,探明储量 3 292 万 t。这四大资源富集于一地,组合配置条件好,具有
大规模综合开发的潜力,是建设能源重化工基地的理想之地。

5.3 社会经济文化背景分析

5.3.1 人口和城镇化进程

榆林市下辖榆阳、神木、府谷、横山、靖边、定边、绥德、米脂、佳县、
吴堡、清涧、子洲,共 12 个县(区)、222 个乡(镇)、5 628 个村。2005 年

底,全市共有人口 351.63 万人,其中农村人口 292.72 万人,占总人口的 83%。人口自然增长率为 4.87‰,出生率为 9.41‰。

"十五"期间,榆林市城镇化的年均发展速度约为 1.7%,城镇化水平由"九五"末的 20% 上升到 2005 年的 28.5%。

5.3.2　国内生产总值和三次产业结构

根据《榆林市 2005 年国民经济与社会发展统计公报》和统计部门的统计,2005 年榆林市国内生产总值为 342.83 亿元,比上年增长 18.1%,增长速度连续四年位居陕西省第一。其中第一产业增加值 27.69 亿元,增长 3.1%;第二产业增加值 200.56 亿元(工业 185.47 亿元,建筑业 15.09 亿元),增长 24.1%;第三产业增加值 114.58 亿元,增长 10.6%。三次产业增加值占生产总值的比例为 8:59:33。"十五"期间榆林市国内生产总值年均增长 15.1%,比"九五"期间提高了 5.4 个百分点。综合实力由陕西省排名第七位提升到第五位,人均 GDP 达到 9 750 元,从全省平均水平的 52% 提高到 98.7%(2005 年陕西省人均 GDP 为 9 878 元),是全国平均水平(13 944 元)的 70%,见表 5-1。

2005 年榆林市粮食总产量 106.23 万 t,薯类总产量 31.03 万 t,油料总产量 4.34 万 t,蔬菜总产量 33.51 万 t,水果总产量 14.41 万 t。经过多年发展,榆林市农业基础地位进一步增强,"草、羊、枣、薯"四大主导产业不断发展壮大,"东枣、西薯、北种、南豆"的特色产业格局初步形成。2005 年榆林市全年农作物播种面积 891.43 万亩,其中粮食作物播种面积 707.04 万亩,占 79.3%,以玉米、土豆、大豆、绿豆、糜谷、荞麦等秋杂粮为主;经济作物 108.76 万亩,占 12.2%,以油料、蔬菜、西瓜、甜瓜为主;其他作物 75.63 万亩,占 8.5%,以青饲料为主。全市果树面积 205.82 万亩,以苹果、红枣、杏为主。全市造林面积 3.04 万 hm^2,退耕还林面积 1.3 万 hm^2,封山育林面积 1.58 万 hm^2,林木覆盖率由"九五"末的 20% 提高到 25%。全市人工种草保存面积 673 万亩。畜禽存栏总量 1 031.04 万头(只)。渔业总产值 0.42 亿元,水产品产量 0.57 万 t。

2005 年榆林市全部工业总产值为 397.04 亿元。其中规模以上工业总产值 360.57 亿元,比上年增长 25.9%。在规模以上工业总产值中,国有企业总产值 240.6 亿元,集体企业总产值 18.87 亿元。按轻重工业划分,在规模以上工业总产值中轻工业总产值 3.21 亿元,重工业总产值 357.36 亿元。自 1998 年榆林市被正式确定为国家级能源化工基地后,经过多年努力,已形成了规模生产能力,煤炭、电力、油气、化工四大支柱产业增加值占全市工业增加值的 85% 以上,能源化工产业已成为全市经济总量和财政收入的主要支撑力量。2005 年,榆林市年产原煤 6 560.3 万 t、原盐 26.25 万 t、原油 476.4 万 t(原油加工 79.52 万 t)、天然气 60.5 亿 m³、液化石油气 8.46 万 t,发电 68.45 亿 kWh(其中火电 67.94 亿 kWh)。其他规模以上产品包括汽油、柴油、精甲醇、焦炭、电石、平板玻璃、氮肥、水泥、铁合金等。

表 5-1　榆林市 2005 年经济社会指标

县(区)	人口(万人)			国内生产总值(亿元)			
	城镇	农村	合计	第一产业	第二产业	第三产业	合计
榆阳	15.15	29.15	44.30	4.75	21.49	25.98	52.22
神木	10.08	28.14	38.22	3.59	44.33	41.59	89.51
府谷	4.16	18.50	22.66	0.97	11.28	10.24	22.49
横山	3.16	30.60	33.76	3.41	9.29	3.28	15.98
靖边	3.93	25.23	29.16	3.42	88.99	8.25	100.66
定边	4.11	27.99	32.10	3.71	21.16	5.98	30.85
绥德	5.40	31.25	36.65	1.69	0.74	5.85	8.28
米脂	3.33	20.32	23.65	1.02	1.04	3.93	5.99
佳县	2.62	24.50	27.12	1.68	0.26	2.40	4.34
吴堡	1.47	7.06	8.53	0.35	0.38	1.81	2.54
清涧	2.55	19.85	22.40	1.49	0.99	2.30	4.78
子洲	2.95	30.13	33.08	1.61	0.61	2.97	5.19
总计	58.91	292.72	351.63	27.69	200.56	114.58	342.83

注:城镇人口按 2000 年全国人口普查采用的统计口径;国内生产总值按当年价格计。

2005 年榆林市建筑业生产竣工产值为 16.25 亿元。

2005 年榆林市交通运输和邮电通信业共完成增加值 27.53 亿元，旅游收入为 6.18 亿元。

5.3.3　基础设施和地方财政

截至 2005 年，榆林市交通、水利、通信、电力等基础设施"瓶颈"制约得到极大缓解，"两横两纵"公路主骨架和十条公路次骨架及"两横一纵"铁路网初步形成；建成了瑶镇、李家梁水库等一批骨干水源工程；电信、广电网等网络覆盖全市；一大批电源工程建成投运，城乡电网改造取得突破性进展。

2005 年榆林市财政收入达到 67 亿元。城镇居民可支配收入由 2000 年的 3 505 元增加到 6 100 元，年均增长 519 元；农民人均纯收入由 2000 年的 1 062 元增加到 1 803 元，年均增长 148 元。社会消费品零售总额达到 71.6 亿元，年均增长 28%。

2005 年，榆林市 80% 的国有企业完成了改制，民营企业发展壮大，非公有制经济比重由 35% 提高到 42%。鲁能、兖矿、正大、中铝、中盐、安格鲁、陶氏、壳牌等一批国内外大型企业集团参与榆林资源开发，招商引资额达到 148 亿元，出口总额累计达到 2.14 亿美元。

5.3.4　历史文化

榆林春秋为晋，战国归魏，秦统一六国后为上郡地。东晋时榆林为大夏国都统万城。唐及五代时设夏州等，属关内道管辖。宋代时榆林被北宋、西夏和金国反复争夺占领。明代设榆林卫，为边防九边重镇之一。清代设榆林府，"民国"设榆林道。新中国成立后，榆林为地区建制，先后设有专署、行署，2000 年 7 月改为地级市。历史上，秦代扶苏、蒙恬，汉代李广，唐代尉迟敬德、郭子仪，宋代范仲淹，明代余子俊等名将曾镇守于此。大夏国建立者赫连勃勃、西夏王朝建立者李继迁、北宋抗辽名将杨继业、南宋抗金名将韩世忠、明末农民起义军领袖李自成等一批有重要影响的历史英雄人物出生于此地。

榆林市地处黄土高原与毛乌素沙漠的交接地带，黄土文化与草原游牧文化会聚交融,文化底蕴深厚,荟萃了众多风姿独特、雄奇壮美的自然景观和人文景观。距今 6 000 年前后的仰韶文化、龙山文化遗址遍布无定河两岸,万里长城蜿蜒横贯榆林 700 余 km,高耸在榆林城北的镇北台是长城上最大的烽火台。榆林古城、大夏国都统万城遗址、道教建筑群白云山道观等重点文物古迹遍及全市。大漠沙海、湖色山影、黄河激浪、草原牧歌奇异地融汇在一起。榆林民风淳朴、性情豪放,是民间艺术之乡,热情奔放的大秧歌、高亢激越的信天游、千姿百态的绥德石狮、细腻秀美的定边剪纸,以其浓郁的黄土风情和丰厚浑朴的生活底蕴风靡海内外。

1936 年 2 月,毛泽东在清涧县袁家沟村写就了气势磅礴的《沁园春·雪》,短时间内传遍了大江南北。佳县民歌手李有源,在大山峁上激情放歌"东方那个红,太阳那个升,中国出了个毛泽东",一曲《东方红》唱红了祖国的山山水水。在中国现代文学史上占有重要地位的长诗《王贵与李香香》,就是诗人李季 20 世纪 40 年代在"三边"参加革命工作时学习创作的信天游民歌体作品。榆林信天游对于中国民族音乐的发展起到了独特的作用,很多经典民族音乐作品的素材来源于此,如《春节序曲》《思乡曲》等。已故著名作家路遥也以家乡榆林为背景写下了传世巨著《平凡的世界》。

榆林市民间文化艺术十分发达,如陕北秧歌、榆林小曲、陕北民歌(信天游)、清涧道情、绥米唢呐、绥德石雕、定边剪纸、定边皮影道情曲、陕北靖边跑驴、横山老腰鼓、横山说书、府谷二人台、白云山庙会、白云山道教音乐和转灯等。

桃花水是榆林的骄傲。桃花水因榆林女子喝了沙漠边缘出露的泉水后面如凝脂、灿若桃花而得名。"米脂的婆姨,绥德的汉"是闻名天下的说法。"榆林桃花水"不仅是榆林水的美誉,更是榆林的"沙漠绿洲"文化品牌。

5.3.5　基本分析结论

榆林市地处我国西北,主要地貌特征为风沙草滩区和黄土丘陵沟壑区,自然环境较为恶劣,干旱少雨是其基本特征。但榆林市也有得天独厚的条件:一是北部风沙草滩区沙漠出露水量大质优;二是有丰富的矿产资源;三是有大量的名特优物产。

榆林历史悠久,民间文化十分发达、形式多样。榆林的旅游资源也比较丰富。

近年来榆林的交通、通信、教育等发展十分迅速,基础设施大大改善,已具备了经济社会腾飞的条件。

应该看到,虽然榆林市近年经济社会发展速度较快,但国内生产总值偏低,在全国仍处于较低水平,其经济总量小,处于工业化初级阶段,第一产业薄弱、第二产业不强、第三产业滞后等局面没有根本改观。今后仍需大力发展支柱性产业,以带动经济社会的进一步发展。

5.4　水资源背景分析

5.4.1　水资源总量

节水型社会关注可利用水资源量,重点是区域自产水,主要分为下述类型:

(1)地表水资源,包括区域内降水形成的河流、湖泊、冰川和沼泽水,其数量通常用逐年可以恢复和更新的动态水量即河川径流量表示。

(2)地下水资源,包括地下水资源总量、与地表水重复量、可开采(易开采)水量、浅层地下水、浅层地下水中微咸水和半咸水。

(3)水资源总量,包括自产地表水资源量和地下水资源量(扣除与地表水重复量)。

(4)过境水,主要指国家、上级主管部门严格控制的较大江河过境水,其利用要严格按照有关分配计划和许可。

榆林市境内多年平均径流量在 1 亿 m³ 以上的河流有无定河、秃尾河和窟野河,分别为 10.38 亿 m³、4.058 亿 m³ 和 3.856 亿 m³。榆林市境内主要河流流域面积、多年平均径流量详见表 5-2、图 5-1。榆林市境内主要河流河川径流量约为 20.7 亿 m³。

表 5-2 榆林市境内主要河流流域面积、多年平均径流量

河流	面积(km²)		境内占流域比例(%)	多年平均径流量(亿 m³)		境内占流域比例(%)	流经县(区)
	流域	境内		流域	境内		
清水川	883	567	64.21	0.596 4	0.383 1	64.24	府谷
孤山川	1 272	1 018	80.03	0.949 3	0.759 3	79.99	府谷
皇甫川	3 246	415	12.78	1.706	0.218 1	12.78	府谷
石马川	249	249	100.00	0.231 1	0.231 1	100.00	府谷
秃尾河	3 373	3 373	100.00	4.058	4.058	100.00	神木、榆阳、佳县
窟野河	8 692	4 069	46.81	6.968	3.856	55.34	神木、府谷
佳芦河	1 136	1 136	100.00	0.815 8	0.815 8	100.00	佳县
无定河	30 260	20 302	67.09	14.24	10.38	72.89	榆阳、横山、靖边、绥德、子洲、米脂、清涧、定边
合计	49 111	31 129	63.38	29.564 6	20.701 4	70.02	

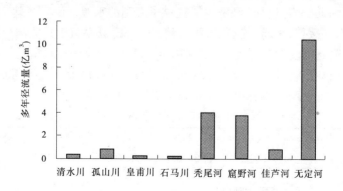

图 5-1 榆林市主要河川径流量

　　榆林市境内自产地表水资源 25.13 亿 m³,地下水资源 21.47 亿 m³,地表水与地下水之间的重复量 14.31 亿 m³,水资源总量 32.29 亿 m³,每平方千米综合产水量为 7.41 万 m³,只占全省每平方千米综合产水量 21.62 万 m³ 的 34.3%。榆林市每亩耕地拥有水量 430.5 m³,分别为全省及全国每亩耕地占有水量 725.5 m³ 和 1 536 m³ 的 59.3% 和 28%;人均占有水资源量 918 m³,分别为全省及全国人均占有水资源量 1 196 m³ 和 2 150 m³ 的 76.8% 和 42.7%。据水文地质部门勘探并经国家、省矿产储量委员会批准,全市地下水总可开采量 163 万 m³/d,其中 B 级 60 万 m³/d,C 级 75 万 m³/d,D 级 28 万 m³/d。另外,榆林市每年还有入境客水 9.45 亿 m³,黄河过境水量 299 亿 m³。地表水和地下水水质良好,均符合国家规定的生活饮用及灌溉用水的水质标准。此外,市区周边尚有黄河漫滩阶地地下水及府谷岩溶水 1.46 亿 m³ 可供利用。

　　地处北部风沙草滩区的榆阳、神木、府谷、横山、靖边、定边六县(区)是煤炭、石油、天然气等矿产资源富集区,也是国家确定的能源重化基地。该区域水资源相对较为丰富,其自产地表水资源为 19.446 亿 m³,地下水资源 18.462 亿 m³,扣除重复量后,其水资源总量为 26.392 亿 m³,人均水资源量为 2 500 m³,高于全国平均水平。同时,该区域河流年径流量的年际年内变化相对较小,水资源开发利用条件相对较为优越,为北部六县(区)经济发展提供了有利的水源条件。

　　南部绥德、米脂、佳县、吴堡、清涧、子洲六县系黄土丘陵沟壑区,地形破碎,且河流含沙量大,开发利用难度较大,水资源比较贫乏。

　　榆林市境内地下水资源量(不重复量)为 7.16 亿 m³,不考虑地下水随年景的变化,榆林市不同年景水资源总量见表 5-3。

表 5-3　榆林市不同年景水资源总量

年景	平均	25%	50%	75%	95%
水资源总量(亿 m³)	32.29	36.861	30.603	27.407	21.41

5.4.2　主要地下水源地

　　榆林市主要地下水源地及其开采情况详见表 5-4。榆林市主要地下水源地可开采量为 152.56 万 m³/d，已开采量为 4.14 万 m³/d，分别为每年 5.568 4 亿 m³ 和 0.151 1 亿 m³。可以看出，榆林市地下水资源开采的潜力较大，其中以秃尾河、黄河干流和榆溪河为最大（见图 5-2）。

表 5-4　榆林市主要地下水源地及其开采情况

序号	名称	流域	取水地段	面积（km²）	天然补给量（万 m³/d）	可开采量（万 m³/d）	已开采量（万 m³/d）
1	大柳塔	窟野河	石屹台—大柳塔	88.54	4.59	2.30	1.14
2	孙家岔地区	窟野河	活鸡兔—燕家塔	707.16	3.42	2.42	0.07
3	柠条塔	窟野河	柠条塔	105.37	2.08	1.50	0
4	常家沟	窟野河	水库	80.00	1.89	1.10	0.35
5	麻麻塔沟	窟野河	沟中下游	139.00	5.34	2.40	0.08
6	黄羊城沟	窟野河	石拉沟杨伙盘	563.00	1.89	1.02	0
7	沟岔	秃尾河	瑶镇	697.00	39.66	18.50	0
8	大小保当	秃尾河	袁家沟	745.38	30.47	13.50	0
9	青草界	秃尾河	泉口下游	188.00	8.58	4.47	0
10	长胜采当	秃尾河	泉口下游	54.00	2.57	1.62	0
11	府谷天桥	黄河	天桥西	5.68	51.53	21.60	0
12	孤山川口	黄河	县城下游	10.25	10.74	10.30	0
13	阴塔	黄河	阴塔	10.00	10.48	5.00	0
14	碛塄	黄河	碛塄	9.50	9.95	4.80	0
15	小壕兔	榆溪河	牛家梁上游	1 272.3	40.48	24.30	1.09
16	牛家梁	榆溪河	牛家梁	120.60	13.22	9.00	0
17	芹河	榆溪河	芹河	537.20	16.34	5.00	0
18	马合	榆溪河	泉城	110.00	9.99	4.35	0.55
19	巴拉素	榆溪河	泉城	52.00	4.10	3.80	0.56
20	水长沟泉	榆溪河	泉口处	12.80	0.56	0.37	0

续表 5-4

序号	名称	流域	取水地段	面积（km²）	天然补给量（万 m³/d）	可开采量（万 m³/d）	已开采量（万 m³/d）
21	色草后湾泉	榆溪河	泉口处	52.00	2.00	1.89	0
22	赵家湾	榆溪河	泉口处	62.00	4.88	0.95	0
23	榆林市	榆溪河	榆溪河	13.30	4.17	3.77	0.30
24	尔林兔	内流河	滩地	80.00	3.50	3.00	0
25	吧吓才当	内流河	滩地	162.74	6.58	5.60	0
合计				5 877.82	289.01	152.56	4.14

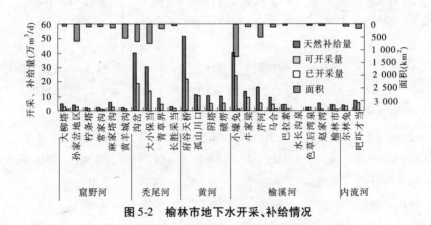

图 5-2　榆林市地下水开采、补给情况

5.4.3　土壤水分特征

考虑到榆林市干旱缺水的特点,用土壤水分资料去评价该区的水资源自然潜力尤其有意义。刘苏峡等(2007)利用榆林和绥德两个站点及周边豫陕 35 个土壤水分站点 1990～2005 年资料,分析了榆林市土壤水分与豫陕其他站点的土壤水分资源的情况和土壤水分变异的驱动力。分析表明：

　　(1)绥德在所收集站点中水分含量最低(0.28)，说明该地严重缺水，包括自然缺水和无灌溉条件；榆林在周边(绥德、延安、洛川、韩城)环境中表现出相对较高的水分含量(0.65)，显示出沙漠出露水和灌溉的共同影响(见图5-3)。

　　(2)表层(0~20 cm)田间持水量和灌溉与土壤水分状况最为密切，相关系数分别为0.61~0.65和0.59~0.67。降水与土壤水分状况的相关系数只有0.31~0.47，下层(20~50 cm)田间持水量为0.4~0.49，表明土壤水分与土壤性质(通过田间持水量反映)有基本相关关系。而在干旱、半干旱地区，降水偏少，蒸散发能力大，降水难以维持在土壤中。

　　(3)土壤水分含量整体表现为正值(刘苏峡等定义为凋萎含水量以上的相当水分深度)，表明土壤水分总体在凋萎含水量以上，说明雨养牧业或天然植被可以存在，生态如不被破坏就可以自然修复。

　　(4)主成分分析表明，榆林、绥德二站土壤水分受综合因素影响大(在站点中分别排名第一、第二)，说明该地土壤水分处于"自然无序状态"，即土壤水分没有明显驱动力因子。该二站在研究区域的最北端，其特征表征了当地为"最无奈"的本质干旱。

　　榆林土壤水分的上述特征从侧面反映了灌溉对农业生产的重要性，也说明自然状态下生态修复的可能性。

5.4.4　天然径流及其年内分配

　　根据2003年完成的《陕西省水资源开发利用规划》，利用面积比例法计算榆林市各三级区天然径流，并将各区相应天然径流量相加得出榆林市不同年景各月天然径流量，见表5-5。由此计算的年平均天然径流量为24.315亿 m^3。与本书前面引用数据25.13亿 m^3 略有出入，偏小0.815亿 m^3。为保持资料系列的一致性，进行一致性调整。由于榆林市近年规划、计划等普遍采用25.13亿 m^3 这一数据，本书主要立论也以该数据为依据，一致性处理以"自产地表水资源25.13亿 m^3，地下水资源21.47亿 m^3，地表水与地下水之间的重复量14.31亿 m^3，水资源总量

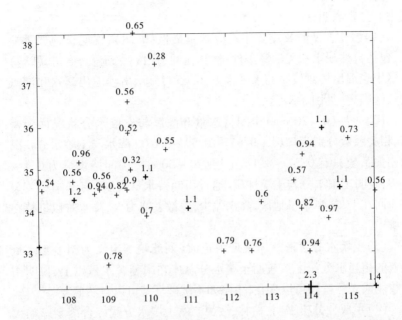

图 5-3　榆林和绥德(最北边的两个点)土壤水分(10 cm 土层水分储量)

与相邻站点的空间比较(站点标注数值为 *ASM*,从小到大由字符 + ＋ ✛ 表示)

32. 29 亿 m³"为准,以比例系数 25. 13/24. 315 = 1. 033 518 4校核不同年景、不同月份的天然径流量。校核后成果见表5-6。

　　榆林市天然径流量呈现明显的季节变化特征,多集中在夏季 7、8、9 三个月,约占天然径流总量的 50%,此外 3 月解冻(融雪、融冰)期天然径流量也较大(见图 5-4)。榆林天然径流的时间分布特征使得水资源开发利用对蓄水工程的要求较高。

5. 4. 5　水资源稀缺程度分析

　　根据联合国的指标,再基于榆林市的实际情况,得出榆林市水资源状况判别指标值,用以判别水资源稀缺程度,见表5-7。由表 5-7 可知,榆林市水资源情况不容乐观。按 2005 年状况判别,全市属资源性重度缺水(人均占有水量 918 m³)、用水中高度紧张(水资源开发利用率 19.6%),

表5-5　榆林市天然径流分配

径流量（亿 m³）

年景	年总量	1月	2月	3月	4月	5月	6月	7月	8月	9月	10月	11月	12月
平均	24.315	0.927	1.214	3.362	1.574	1.155	1.221	3.567	4.863	2.238	1.750	1.443	1.001
25%	28.738	1.102	1.163	3.475	1.976	1.537	1.099	3.038	5.854	3.522	2.560	1.968	1.444
50%	22.683	1.240	1.785	3.165	1.869	1.354	1.098	2.133	2.371	2.743	2.228	1.585	1.112
75%	19.591	0.941	1.210	2.142	1.487	1.131	2.395	3.959	1.822	1.186	1.255	1.174	0.889
95%	14.25	0.622	0.714	2.021	1.068	0.853	1.456	3.102	0.873	0.957	0.923	0.941	0.720

表5-6　校核后榆林市天然径流量分配

径流量（亿 m³）

年景	年总量	1月	2月	3月	4月	5月	6月	7月	8月	9月	10月	11月	12月
平均	25.130	0.958	1.255	3.475	1.627	1.194	1.262	3.686	5.026	2.313	1.809	1.491	1.034
25%	29.701	1.139	1.202	3.591	2.042	1.589	1.136	3.140	6.050	3.640	2.646	2.034	1.492
50%	23.443	1.282	1.845	3.271	1.932	1.399	1.135	2.204	2.450	2.835	2.303	1.638	1.149
75%	20.248	0.972	1.251	2.214	1.537	1.169	2.475	4.092	1.883	1.226	1.297	1.213	0.919
95%	14.728	0.643	0.738	2.089	1.104	0.882	1.505	3.206	0.902	0.989	0.954	0.972	0.744

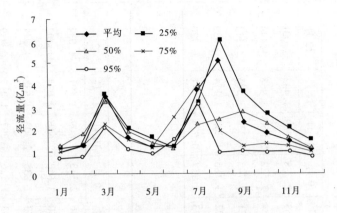

图 5-4　榆林市天然径流季节变化

表 5-7　榆林市水资源状况判别指标

指标	全市		北部		南部		联合国有关标准
	量值	水资源稀缺程度	量值	水资源稀缺程度	量值	水资源稀缺程度	
人均占有水量	918 m³/人	重度缺水	2 500 m³/人	轻度缺水	240 m³/人	极度缺水	> 3 000 m³/人,丰水; 2 000～3 000 m³/人,轻度缺水;1 000～2 000 m³/人,中度缺水;500～1 000 m³/人,重度缺水;<500 m³/人,极度缺水
水资源开发利用率	19.6%	中度紧张					<10%,低度紧张,用水不是限制因素;10%～20%,中度紧张,可用水量开始成为限制因素;20%～40%,中高度紧张,需要加强供需管理,确保水生态系统有充足的水流量,增加水资源管理投资;>40%,高度紧张,严重缺水已成为经济增长的限制因素,现有的用水格局和用水量不能持续下去

续表 5-7

指标	全市		北部		南部		联合国有关标准
	量值	水资源稀缺程度	量值	水资源稀缺程度	量值	水资源稀缺程度	
地表径流深	74.1 mm	远不能满足建设适合人类生存和发展的良好生态环境用水要求	149.8 mm	适当人类活动可维持较好的生态环境状况	22.7 mm	远不能满足建设适合人类生存和发展的良好生态环境用水	以水资源总量折合径流深来衡量生态系统的自然状况,当径流深 >150 mm,基本上可以保证适当人类活动,维持原有生态系统不蜕化,即可维持较好的生态环境状况

水资源远不能满足建设适合人类生存和发展的良好生态环境用水要求(地表径流深 74.1 mm)。随着人口的增多和水资源开发利用程度的增大,这种状况会继续发展下去,经济社会发展必须考虑水资源的承载能力。就分区而言,北部风沙草滩区明显好于南部黄土丘陵沟壑区;南部极度缺水,生产、生活、生态用水均受到严重限制。

5.4.6　地表水功能区划分析

按照《中国水功能区划》,榆林市境内主要河流共划分出 31 个一级功能区,总长度 2 062 km,其中黄河干流整体为 1 个一级功能区,即黄河晋陕开发利用区,具有满足工农业生产、城镇生活、渔业、游乐和净化水体污染等多种需水要求的功能。该区的现状水质为Ⅳ类,目标水质为Ⅲ类。该河段的二级区划为 7 个河段,包括天桥农业用水区、府谷保德排污控制区、府谷保德过渡区、碛口农业用水区、吴堡排污控制区、吴堡过渡区、古贤农业用水区。榆林市境内黄河支流共划分为 30 个一级功能区和 18 个二级功能区,详见表 5-8。

5.4.7　水环境、水质状况

5.4.7.1　水环境概况

榆林市河流水化学成分主要由降水和径流与岩石、土壤、生物接

表 5-8　榆林水功能区划(源自《中国水功能区划》)

一级水功能区名称	二级水功能区名称	范围		长度(km)	现状水质	水质目标	功能排序
		起始断面	终止断面				
黄河晋陕开发利用区		榆林上界(河曲)	榆林下界(无定河口)	364.5			
	天桥农业用水区	河曲	天桥大坝	48.5	Ⅳ	Ⅲ	农业
	府谷保德排污控制区	天桥大坝	孤山川入口	9.7	Ⅳ		排污控制
	府谷保德过渡区	孤山川入口	石马川入口	19.9	Ⅳ	Ⅲ	过渡
	碛口农业用水区	石马川入口	回水湾	202.5	Ⅳ	Ⅲ	农业
	吴堡排污控制区	回水湾	吴堡水文站	15.8	Ⅳ		排污控制
	吴堡过渡区	吴堡水文站	河底	21.4	Ⅳ	Ⅲ	过渡
	古贤农业用水区	河底	榆林下界	46.7	Ⅳ	Ⅲ	农业
皇甫川蒙陕缓冲区		郭家坪	前坪	16		Ⅲ	
皇甫川府谷保留区		前坪	贾家寨	38		Ⅲ	
皇甫川府谷缓冲区		贾家寨	入黄口	6	劣Ⅴ	Ⅳ	
孤山川蒙陕源头水保护区		源头	庙沟门	31.8		Ⅲ	
孤山川府谷保留区		庙沟门	孤山	27		Ⅲ	
孤山川府谷开发利用区		孤山	高石崖	16.3			
	孤山川府谷饮用农业用水区	孤山	高石崖	16.3	劣Ⅴ	Ⅲ	饮用、农业
孤山川府谷缓冲区		高石崖	入黄口	4.3	劣Ⅴ	Ⅲ	
佳芦河佳县源头水保护区		源头	王家砭	45.5		Ⅱ	
佳芦河佳县保留区		王家砭	入黄口	47	劣Ⅴ	Ⅲ	
窟野河蒙陕缓冲区		张家畔	大柳塔	18		Ⅲ	

续表 5-8

一级水功能区名称	二级水功能区名称	范围			现状水质	水质目标	功能排序
		起始断面	终止断面	长度(km)			
窟野河神木开发利用区		大柳塔	贺家川	131.8			
	窟野河神木饮用农业用水区	大柳塔	神木	70.6		Ⅲ	饮用、农业
	窟野河神木农业用水区	神木	贺家川	61.2		Ⅴ	农业
窟野河神木缓冲区		贺家川	入黄口	13	劣Ⅴ	Ⅲ	
考考乌素沟神木保留区		源头	入窟野河口	41.9		Ⅲ	
无定河吴旗源头水保护区		源头	新桥	55.9		Ⅲ	
无定河靖边开发利用区		新桥	金鸡沙	33			
	无定河靖边工业农业用水区	新桥	金鸡沙	33		Ⅳ	工业、农业、渔业
无定河陕蒙缓冲区		金鸡沙	大沟湾	48.4		Ⅳ	
无定河巴图湾开发利用区		大沟湾	巴图湾坝址	44.6			
	无定河巴图湾农业用水区	大沟湾	巴图湾水库入口	26.3		Ⅴ	农业
	无定河巴图湾工业农业用水区	巴图湾水库入口	巴图湾坝址	18.3		Ⅳ	工业、农业
无定河蒙陕蒙缓冲区		巴图湾坝址	蘑菇台	15.8	Ⅲ	Ⅲ	
无定河蒙陕缓冲区		河南畔	雷龙湾	10		Ⅲ	

续表 5-8

一级水功能区名称	二级水功能区名称	范围			现状水质	水质目标	功能排序
		起始断面	终止断面	长度（km）			
无定河横山绥德开发利用区		雷龙湾	淮宁河入口	158.3			
	无定河横山饮用农业用水区	雷龙湾	榆溪河入口	72.4		Ⅲ	饮用、农业、工业
	无定河米脂工业农业用水区	榆溪河入口	米脂	45.3		Ⅲ	工业、农业
	无定河米脂排污控制区	米脂	十里铺	5.5			排污控制
	无定河绥德工业农业用水区	十里铺	绥德	27.9		Ⅲ	工业、农业
	无定河绥德排污控制区	绥德	淮宁河入口	7.2			排污控制
无定河绥德缓冲区		淮宁河入口	入黄口	115.2	劣Ⅴ	Ⅲ	
海流兔河蒙陕保留区		源头	入无定河口	120.9		Ⅲ	
芦河靖边源头水保护区		源头	张家峁	48.4		Ⅱ	
芦河横山开发利用区		张家峁	入无定河口	117.4			
	芦河靖边工业农业用水区	张家峁	靖边	11.7		Ⅲ	工业、农业
	芦河靖边排污控制区	靖边	新农村	5			排污控制
	芦河靖边过渡区	新农村	杨桥畔	27.2		Ⅲ	过渡
	芦河横山农业用水区	杨桥畔	入无定河口	73.5		Ⅲ	农业、工业
榆溪河榆林源头水保护区		源头	白河入口	90.7		Ⅱ	
榆溪河榆林开发利用区		白河入口	入无定河口	64			
	榆溪河榆林饮用工业用水区	白河入口	榆林	20.9		Ⅲ	饮用、工业
	榆溪河榆林排污控制区	榆林	南桥	5			排污控制
	榆溪河榆林过渡区	南桥	入无定河口	38.1		Ⅳ	过渡

续表 5-8

一级水功能区名称	二级水功能区名称	范围			现状水质	水质目标	功能排序
		起始断面	终止断面	长度（km）			
大理河靖边源头水保护区		源头	青阳岔	35.2		Ⅱ	
大理河绥德保留区		青阳岔	入无定河口	134.9		Ⅲ	
小理河子洲保留区		源头	入大理河口	69.4		Ⅲ	
淮宁河绥德保留区		源头	入无定河口	98.4		Ⅲ	

注：1. 保护区指对水资源保护、饮用水保护、生态环境及珍稀濒危物种的保护具有重要意义的水域。

2. 缓冲区指为协调省际间、矛盾突出的地区间用水关系，协调内河功能区划与海洋功能区划关系，以及在保护区与开发利用区相接时，为满足保护区水质要求需划定的水域。

3. 开发利用区主要指具有满足工农业生产、城镇生活、渔业、游乐和净化水体污染等多种需水要求的水域和水污染控制、治理的重点水域。

4. 保留区指目前开发利用程度不高，为今后开发利用和保护水资源而预留的水域。该区内水资源应维持现状，不遭破坏。

5. 排污控制区指接纳生活、生产污废水比较集中，所接纳的污废水对水环境无重大不利影响的区域。

触，发生分解、交换而形成。按化学分类法可划分为重碳酸盐水和氯化盐水。榆林市大部分地区属重碳酸盐水，氯化盐水分布在定边县长城以北闭流区及大理河、红柳河、芦河流域。

榆林市地下水因受地形、地貌、地质构造、古地理环境以及地下水的补给、径流、排泄等条件影响，化学特征比较复杂，分布有重碳酸盐型水、重碳酸硫酸钠镁型水、重碳酸氯钙镁型水、重碳酸氯钠镁型水、硫酸氯钠型水、硫酸氯钠镁型水等。地下水氟含量总的分布规律是南部高于北部、西部高于东部。地下水除定边平原汇水地带及少数低洼地区和东南部少数地区水质较差外，其他广大地区水质均较好，能满足生活饮用水及农业灌溉用水要求。

榆林市各河流均为泥沙河流,是陕西境内河流含沙量最高、输沙量及侵蚀模数最大的地区。全区多年平均输入黄河的泥沙总量为 5.19 亿 t,是黄河中游水土流失最严重的地区。

5.4.7.2　水质及水污染状况

由于工业的发展及城市人口的增加,大量废污水进入河道,造成河道水体不同程度的污染。据统计,2005 年,榆林市污水排放量 2 712.5 万 m^3,其中城镇生活污水 1 050 万 m^3,工业污水 1 662.5 万 m^3,达标排放量仅占排污量的 15%。

黄河府谷段主要污染物是砷、汞,超标断面占总观测断面的67% ~ 85%,且浑浊度较高。无定河主要污染物是挥发酚,检出率40%,超标率33%,最高超标 5.4 倍;其次是亚酸盐氮、氨氮和砷,以米脂断面污染最为严重。榆溪河主要污染物是酚,检出率33%,超标率23%,最高超标达 4.6 倍,氨氮超标达 11%,污染最严重的是下游三岔湾断面。窟野河、孤山川口、府谷县城至天桥一带也存在不同程度的污染。

目前,榆林市污水集中处理与利用尚未起步,处理能力几乎为零。全市水体污染呈上升趋势。

5.5　水资源开发利用概况

5.5.1　水利基础设施和供水能力

截至 2005 年,榆林市设计总供水能力 8.74 亿 m^3,各县(区)设计供水能力见表 5-9。榆林市已建成各类水库 77 座,总库容 9.94 亿 m^3,其中中型以上水库 28 座,总库容 8.3 亿 m^3;各类池塘 799 口,总容积 2 091.5万 m^3;大小自流渠道 847 条;大小抽水站 2 104 处,总装机 8.796 万 kW。

截至 2005 年,榆林市共建成集中供水工程 1 192 处、单户工程 510 处,解决饮水困难 21.78 万人,先后建成 11 个县城供水水源工程,年供水量达到 1 097 万 m^3。

截至 2005 年,榆林市国营灌区 28 处,渠道总长度 1 133.8 km(干渠长 776. 2 km,支渠长 357. 6 km),有效灌溉面积 27. 975 万亩。50 亩以上民营灌区 1 090 处(含自流灌区 265 处、抽水灌区 273 处、井灌 552 处),渠道总长度 3 538. 04 km,有效灌溉面积 92. 385 8 万亩。合计有效灌溉面积 120. 360 8 万亩。

表 5-9 榆林市各县(区)设计供水能力

县(区)	榆阳	神木	府谷	横山	靖边	定边	绥德	米脂	佳县	吴堡	清涧	子洲	总计
设计供水能力(万 m³)	23 427	15 888	4 043	12 845	7 685	6 506	5 512	4 852	3 883	370	712	1 658	87 381

5. 5. 2 现状水平年供水和用水

2005 年榆林市平均降水量 377 mm,与多年均值 405 mm 相比,偏少 7%,属正常略偏少年份。榆林市各县(区)2005 年降水量见表 5-10。

表 5-10 榆林市各县(区)2005 年降水量统计

县(区)	榆阳	府谷	神木	定边	靖边	横山	佳县	米脂	子洲	绥德	吴堡	清涧	平均
降水量(mm)	312	210	299	274.8	224.1	268	421	548	525	447	483	515. 2	377

2005 年,榆林市各类水利工程供水量 6. 33 亿 m³,占当地水资源总量的 20%,其中地表水 3. 92 亿 m³,地下水 2. 41 亿 m³(含雨水利用),分别占 62% 和 38%,见图 5-5。榆林所属各县(区)供水情况及水源见表 5-11。

统计结果表明,榆林市地表水源主要是引水和提水,占地表水源供水量的 82%,而蓄水工程只占 17%。地下水源以浅层地下水为主,占地下水源供水量的 69%。

2005 年用水中,农业用水 5. 11 亿 m³,工业用水 0. 64 亿 m³,城乡生活、生态环境用水等 0. 58 亿 m³,占用水总量的比例分别为 80. 7%、10. 1% 和 9. 2%,见图 5-6。农业仍是榆林的用水大户。榆林市 2005 年农业用水见表 5-12,工业、城镇公共及居民生活用水见表 5-13,生态环境及总用水见表 5-14。

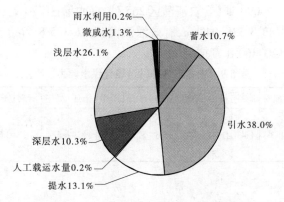

图 5-5 榆林市 2005 年水利工程供水量

表 5-11 榆林市 2005 年水利工程供水量 （单位:万 m³)

县(区)	地表水源供水量					地下水源供水量				雨水利用	总供水量
	蓄水	引水	提水	人工载运水量	小计	深层水	浅层水	微咸水	小计		
榆阳	3 977	8 046	3 324	2	15 349	656	4 786	2	5 444	0	20 793
神木	824	5 751	1 014	0	7 589	0	2 843	0	2 843	0	10 432
府谷	73	386	461	34	954	174	1 565	0	1 739	0	2 693
横山	1 498	5 745	1 712	19	8 974	390	788	0	1 178	12	10 164
靖边	85	130	454	3	672	3 454	1 920	840	6 214	20	6 906
定边	0	147	0	0	147	1 735	3 058	0	4 793	95	5 035
绥德	0	1 123	322	0	1 445	0	555	6	561	1	2 007
米脂	0	1 361	121	0	1 482	0	286	0	286	0	1 768
佳县	130	467	288	17	902	0	233	0	233	6	1 141
吴堡	15	128	140	28	311	0	1	0	1	0	312
清涧	43	178	288	0	509	133	44	0	177	0	686
子洲	142	583	174	0	899	0	471	0	471	10	1 380
总计	6 787	24 045	8 298	103	39 233	6 542	16 550	848	23 940	144	63 317

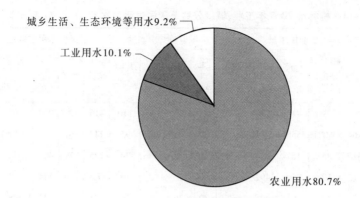

图 5-6　榆林市用水比例

表 5-12　榆林市 2005 年农业用水　　（单位：万 m³）

县(区)	农田灌溉用水量					林牧渔畜用水量						合计
	水田	水浇地	菜田	小计	其中地下水	林果灌溉	草场灌溉	鱼塘补水	牲畜用水	小计	其中地下水	
榆阳	3 382	13 161	520	17 063	3 784	270	90	123	271	754	119	17 817
神木	311	6 276	145	6 732	586	60	0	378	231	669	47	7 401
府谷	0	1 128	235	1 363	544	2	0	0	63	65	47	1 428
横山	4 738	2 719	797	8 254	581	362	50	291	175	878	146	9 132
靖边	0	4 171	1 160	5 331	4 746	195	234	69	179	677	625	6 008
定边	0	4 034	60	4 094	3 893	29	21	0	140	190	187	4 284
绥德	0	860	500	1 360	0	75	0	0	37	112	27	1 472
米脂	0	774	566	1 340	0	68	0	0	47	115	31	1 455
佳县	0	749	0	749	58	0	0	0	61	61	17	810
吴堡	0	58	68	126	0	10	0	0	9	19	0	145
清涧	0	268	0	268	28	0	0	0	43	43	2	311
子洲	0	597	143	740	62	32	0	0	76	108	19	848
总计	8 431	34 795	4 194	47 420	14 282	1 103	395	861	1 332	3 691	1 267	51 111

表 5-13　榆林市 2005 年工业、城镇公共及居民生活用水　（单位：万 m³）

县(区)	工业用水量					城镇公共用水量				居民生活用水量			
	火电	国有及规模以上	规模以下	小计	其中地下水	建筑业	服务业	小计	其中地下水	城镇	农村	小计	其中地下水
榆阳	56	1 390	415	1 861	428	75	35	110	110	416	493	909	907
神木	464	1 221	558	2 243	1 422	70	25	95	95	240	367	607	607
府谷	310	353	151	814	771	16	18	34	34	125	279	404	343
横山	112	103	277	492	113	8	5	13	13	75	449	524	322
靖边	3	393	9	405	376	30	26	56	56	195	237	432	406
定边	0	210	130	340	340	20	15	35	35	113	258	371	333
绥德	0	14	30	44	44	9	6	15	14	89	384	473	473
米脂	0	20	15	35	20	7	4	11	11	73	191	264	224
佳县	0	0	19	19	3	2	5	5	3	45	262	307	152
吴堡	0	34	9	43	1	0	2	2	0	36	86	122	0
清涧	0	0	62	62	23	0	14	14	14	41	258	299	110
子洲	0	18	17	35	16	2	1	3	2	74	420	494	372
总计	945	3 756	1 692	6 393	3 557	240	153	393	387	1 522	3 684	5 206	4 249

表 5-14　榆林市 2005 年生态环境及总用水　（单位：万 m³）

县(区)	生态环境用水量				总用水量	
	城镇环境	农村生态	小计	其中地下水	合计	其中地下水
榆阳	96	0	96	96	20 793	5 444
神木	86	0	86	86	10 432	2 843
府谷	13	0	13	0	2 693	1 739
横山	3	0	3	3	10 164	1 178
靖边	5	0	5	5	6 906	6 214
定边	5	0	5	5	5 035	4 793
绥德	3	0	3	3	2 007	561

县(区)	生态环境用水量				总用水量	
	城镇环境	农村生态	小计	其中地下水	合计	其中地下水
米脂	3	0	3	0	1 768	286
佳县	0	0	0	0	1 141	233
吴堡	0	0	0	0	312	1
清涧	0	0	0	0	686	177
子洲	0	0	0	0	1 380	471
总计	214	0	214	198	63 317	23 940

5.6　水资源开发利用水平分析

5.6.1　开发利用率及用水结构演变

榆林市 20 世纪 80 年代以来,水资源开发利用率基本在 12% ~ 20%,总体偏低,但稳步上升的趋势较明显,"十五"末期已达到 19.6%。

图 5-7 显示了榆林市用水结构的年际变化。到 2005 年,榆林市农业、工业、城乡生活用水比例为 81∶10∶9。自 20 世纪 80 年代以来,农业始终是榆林市的用水大户,但用水比例呈下降趋势,20 世纪 80 年代农业用水占总水量的 90% 左右,90 年代为 85% 左右,"十五"末期逼近 80%。与此同时,工业和城乡生活等用水比例大致相当,20 世纪为 5% 左右,2000 年以来基本稳定在 10% 左右。总体而言,农业用水比例偏大,工业用水比例偏小,说明榆林市尚处于工业化初期。榆林市历年水资源开发利用率及用水结构详见表 5-15。

统计表明,2005 年榆林市人均用水量为 180 m^3,低于陕西省、西北地区及全国的人均用水量;万元 GDP 用水量为 198 m^3,低于 357 m^3 的全国平均水平,但与先进地区的差值仍较大。近年来,榆林市万元

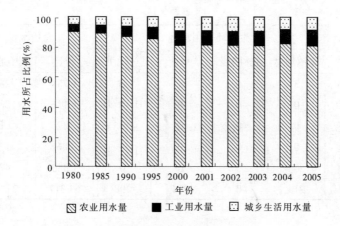

图 5-7　榆林市用水结构的年际变化

表 5-15　榆林市水资源开发利用率及用水结构

年份	水资源开发利用率	农业用水量（万 m³）	工业用水量（万 m³）	城乡生活用水量（万 m³）	总用水量（万 m³）	农业、工业和生活用水比例
1980	0.117	33 935	1 525	2 275	37 735	90:4:6
1985	0.124	35 730	1 882	2 513	40 125	89:5:6
1990	0.137	38 450	2 835	2 979	44 264	87:6:7
1995	0.161	44 280	3 563	4 063	51 906	85:7:8
2000	0.179	46 799	5 092	5 808	57 699	81:9:10
2001	0.181	47 306	5 209	5 893	58 408	81:9:10
2002	0.185	48 425	5 282	6 061	59 768	82:8:10
2003	0.186	48 495	5 385	6 122	60 002	81:9:10
2004	0.186	49 272	5 290	5 423	59 985	82:9:9
2005	0.196	51 111	6 393	5 813	63 317	81:10:9

GDP 用水量在逐年下降,呈现良好的势头(见图 5-8)。榆林市近年生产总值、用水量、万元 GDP 用水量详见表 5-16。

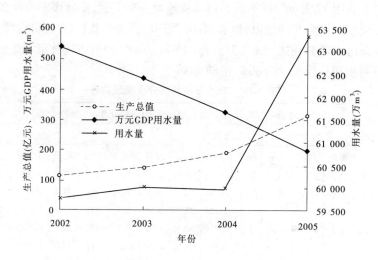

图 5-8　榆林市近年的生产总值和用水量变化

表 5-16　榆林近年万元 GDP 用水量

年份	生产总值（亿元）	用水量（万 m³）	万元 GDP 用水量（m³）
2002	111.3	59 768	537
2003	138.1	60 002	434
2004	185.04	59 985	324
2005	320.04	63 317	198

5.6.2　农业用水

2005 年榆林市分项灌溉内容见表 5-17。可以看出，2005 年榆林市水田、水浇地、菜田的用水定额分别为 753 m³/亩、278 m³/亩和 471 m³/亩。综合灌溉定额为 327 m³/亩。按 2005 年粮食产量 106.23 万 t、农田灌溉用水量 47 420 万 m³ 计，单位产量用水量 446 m³/t，单位水分产量为 0.002 2 t/m³，处于十分低的水平。

榆林市农业用水中，地表水占 33 066 万 m³，地下水 14 282 万 m³，雨水利用 72 万 m³,详见表 5-18。从地域分布上看,榆林市农业灌溉主要用水区域为北部榆阳、神木、横山、靖边、定边 5 县(区),灌溉面积和灌溉用水量分别达 128.9 万亩和 41 474 万 m³,分别占榆林市农业灌溉总面积和总用水量的 89% 和 87%。

表 5-17　2005 年榆林市分项灌溉内容

县(区)	当年分项实灌面积(万亩)、用水量(万 m³)及灌溉定额(m³/亩)											
	水田			水浇地			菜田			小计		
	面积	用水量	定额	面积	用水量	定额	面积	用水量	定额	面积	用水量	定额
榆阳	3.3	3 382	1 025	42.88	13 161	306.93	1.21	520	430	47.4	17 063	360.05
神木	0.36	311	864	26.47	6 276	237.1	0.3	145	483	27.1	6 732	248.14
府谷				3.38	1 128	333.73	0.54	235	435	3.92	1 363	347.7
横山	7.5	4 738	632	9.7	2 719	280.31	1.96	797	407	19.2	8 254	430.79
靖边				15.47	4 171	269.62	2.26	1 160	513	17.7	5 331	300.68
定边				17.4	4 034	231.84	0.13	60	462	17.5	4 094	233.54
绥德				3.8	860	226.32	1	500	500	4.8	1 360	283.33
米脂				2.06	774	375.73	1.13	566	501	3.19	1 340	420.06
佳县				2.24	749	334.38				2.24	749	334.38
吴堡				0.08	58	725	0.12	68	567	0.2	126	630
清涧				0.09	268	2 977.8				0.09	268	2 977.8
子洲				1.62	597	368.52	0.25	143	572	1.87	740	395.72
总计	11.2	8 431	753	125.2	34 795	278	8.9	4 194	471	145	47 420	327

　　榆林市现状地面灌溉渠系利用系数为 0.46,田间水利用系数为 0.6,农业灌溉水利用系数为 0.276。在 47 420 万 m³ 的农业用水中,实际净灌溉水只有 13 088 万 m³,渠系损失 25 607 万 m³,田间损失 8 725 万 m³,渠系损失、田间损失和净灌溉水的比例为 54:18.4:27.6,农业节水潜力巨大。按 145 万亩的灌溉面积计算,实际净灌溉定额只有 90.3 m³/亩。各县(区)农业用水水平分析见表 5-19。《陕西省行业用水定额(试行)》要求灌溉渠系水利用系数和田间水利用系数分别不低于 0.7 和 0.92(长城沿线风沙区和黄土丘陵沟壑区),农业灌溉水利用系数为 0.64。有关定额要求及先进水平见表 5-20。

表 5-18　榆林市农业用水水源　　　　　（单位：万 m³）

县(区)	取用地表水				取用地下水				其他水源供水量			合计用水量
	蓄水工程	引水工程	提水工程	小计	深层水	浅层水	微咸水	小计	污水处理回用	雨水利用	小计	
榆阳	3 692	6 582	3 005	13 279	28	3 756		3 784				17 063
神木	642	5 191	313	6 146		586		586				6 732
府谷	57	376	386	819		544		544				1 363
横山	840	5 494	1 327	7 661	270	311		581		12	12	8 254
靖边	33	130	422	585	2 463	1 669	614	4 746				5 331
定边		147		147	1 244	2 649		3 893		54	54	4 094
绥德		1 039	320	1 359						1	1	1 360
米脂		1 302	38	1 340								1 340
佳县	103	376	212	691		58		58				749
吴堡	5	86	35	126								126
清涧		109	131	240	10	18		28				268
子洲	120	515	38	673		62		62		5	5	740
总计	5 492	21 347	6 227	33 066	4 015	9 653	614	14 282		72	72	47 420

表 5-19　2005 年榆林市农业用水水平

县(区)	面积(万亩)	用水量(万 m³)	毛定额(m³/亩)	渠系水利用系数	田间水利用系数	灌溉水利用系数	灌溉净用水量(万 m³)	净定额(m³/亩)
榆阳	47.4	17 063	360.05	0.51	0.72	0.367	6 262	132.1
神木	27.1	6 732	248.14	0.46	0.72	0.331	2 228	82.2
府谷	3.92	1 363	347.7	0.43	0.69	0.297	404.8	103.3
横山	19.2	8 254	430.79	0.45	0.44	0.198	1 634	85.1
靖边	17.7	5 331	300.68	0.39	0.67	0.261	1 391	78.6
定边	17.5	4 094	233.54	0.38	0.63	0.239	978.5	55.9
绥德	4.8	1 360	283.33	0.38	0.63	0.239	325	67.7
米脂	3.19	1 340	420.06	0.39	0.61	0.238	318.9	100.0
佳县	2.24	749	334.38	0.43	0.66	0.284	212.7	95.0
吴堡	0.2	126	630	0.42	0.67	0.281	35.41	177.0
清涧	0.09	268	2 977.8	0.42	0.71	0.298	79.86	887.4
子洲	1.87	740	395.72	0.38	0.68	0.258	190.9	102.1
总计	145	47 420	327	0.46	0.6	0.276	13 088	90.3

榆林市农业用水水平偏低,浪费十分严重,有极大的节水潜力。

表 5-20　有关定额要求及先进水平

项目	国际或全国先进水平	省定额水平
农业灌溉水利用系数	0.7~0.8	0.64
水浇地(m³/亩)	31	200
水稻(m³/亩)	218	500~600

5.6.3　林牧渔畜用水

由 2005 年榆林市林牧渔畜用水水平(见表 5-21)和 2005 年榆林市林牧渔畜用水定额(见表 5-22)可知,榆林市林牧渔畜用水水平基本与《陕西省行业用水定额(试行)》规定相当,其中鱼塘补水、牲畜用水低于定额规定。

表 5-21　2005 年榆林市林牧渔畜用水水平

县(区)	当年分项实灌面积(万亩)、牲畜数量(万头)及用水量(万 m³)										用水量合计
	林果灌溉		草场灌溉		鱼塘补水		大牲畜		小牲畜		
	面积	用水量	面积	用水量	面积	用水量	数量	用水量	数量	用水量	
榆阳	3.08	270	1.44	90	0.5	123	4.16	23	92.3	248	754
神木	0.39	60			1.6	378	6	36	70	195	669
府谷	0.3	2					1.36	10	18.2	53	65
横山	1.5	362	0.3	50	0.8	291	4.55	36	52.1	139	878
靖边	0.78	195	0.18	234	0.6	69	4.7	30	48	149	677
定边	0.21	29	0.12	21			5.96	35	55.2	105	190
绥德	0.38	75					0.95	5	17.5	32	112
米脂	0.31	68					1.15	7	17.6	40	115
佳县							1.72	10	19.5	51	61
吴堡	0.03	10					0.1	1	4	8	19
清涧							1.6	9	14.3	34	43
子洲	1	32					3.11	14	26.8	62	108
总计	7.98	1 103	2.04	395	3.5	861	35.4	216	435	1 116	3 691

表 5-22　2005 年榆林市林牧渔畜用水定额

县(区)	林果(m³/亩)	草场(m³/亩)	鱼塘(m³/亩)	大牲畜 (L/(d·头))	小牲畜 (L/(d·头))
榆阳	88	63	246	15	7
神木	154		236	16	8
府谷	7			20	8
横山	241	167	364	22	7
靖边	250	1 300	115	17	9
定边	138	175		16	5
绥德	197			14	5
米脂	219			17	6
佳县				16	7
吴堡	333			27	5
清涧				15	7
子洲	32			12	6
总计	138	194	253	17	7

5.6.4　工业用水

2005 年第二产业增加值为 200.56 亿元,其中工业增加值 185.47 亿元(火电 6.51 亿元,规模以上工业 126.58 亿元,规模以下工业 52.38 亿元),榆林市工业(净)用水 6 393 万 m³,万元工业增加值用水 35 m³,低于陕西省平均的 83 m³ 和全国平均的 169 m³。2005 年榆林市各县(区)工业用水量统计见表 5-23。2002 ~ 2005 年榆林市工业增加值、工业用水量及万元工业增加值用水量见表 5-24。可以看出,榆林市工业用水在逐年优化。据国家发展和改革委员会、水利部、国家统计局联合公布的 2005 年各地区万元工业增加值用水指标,仅山东、天津的万元工业增加值用水低于 30 m³,山东为 23 m³,天津为 24 m³。但榆林市工业用水重复利用率较低,仅为 16%,部分产业单位产量用水高于陕西省颁布的有关定额,工业节水有一定的潜力可挖。另据统计,榆林市一般工业万元增加值用水量 67 m^3,火电万元增加值用水量 258 m^3。相对而言,该数据较为可信。本书万元增加值用水取为 70 m^3。

表 5-23　2005 年榆林市各县(区)工业用水量统计

县(区)	榆阳	神木	府谷	横山	靖边	定边	绥德	米脂	佳县	吴堡	清涧	子洲	总计
工业用水量(万 m^3)	1 861	2 243	814	492	405	340	44	35	19	43	62	35	6 393

表 5-24　榆林市 2002～2005 年万元工业增加值用水量

年份	工业增加值(亿元)	工业用水量(万 m^3)	万元工业增加值用水量(m^3)
2002	60.20	5 282	88
2003	78.7	5 385	68
2004	114.94	5 290	46
2005	185.47	6 393	34

5.6.5　城市供水管网损失率

榆林市城市供水管网水平低,损失率为 18%,比全国平均水平的 12% 高很多,更高于先进水平的 7%。

5.6.6　城乡居民生活用水

榆林市 2005 年统计资料表明(见表 5-25),城乡居民生活总用水 5 206万 m^3,其中城镇 1 522 万 m^3,农村 3 684 万 m^3。榆林市城镇居民生活用水水平为城镇 71 L/(人·d),低于陕西省有关定额(陕北 95 L/(人·d));农村 34 L/(人·d),处于陕西省有关定额(30～60 L/(人·d))的下限。根据构建社会主义和谐社会的目标和社会主义新农村建设的精神,城乡居民生活用水水平宜适当提高。

表 5-25　榆林市 2005 年城乡居民生活用水

县(区)	人口(万人)			用水(万 m³)		人均用水(L/(人·d))	
	城镇	农村	合计	城镇	农村	城镇	农村
榆阳	15.15	29.15	44.30	416	493	75	46
神木	10.08	28.14	38.22	240	367	65	36
府谷	4.16	18.50	22.66	125	279	82	41
横山	3.16	30.60	33.76	75	449	65	40
靖边	3.93	25.23	29.16	195	237	136	26
定边	4.11	27.99	32.10	113	258	75	25
绥德	5.40	31.25	36.65	89	384	45	34
米脂	3.33	20.32	23.65	73	191	60	26
佳县	2.62	24.50	27.12	45	262	47	29
吴堡	1.47	7.06	8.53	36	86	67	33
清涧	2.55	19.85	22.40	41	258	44	36
子洲	2.95	30.13	33.08	74	420	69	38
总计	58.91	292.72	351.63	1 522	3 684	71	34

5.6.7　环境及城建用水

2005 年,榆林市城镇环境用水为 214 万 m³。其中榆阳、神木、府谷用水较多,分别为 96 万 m³、86 万 m³ 和 13 万 m³,其余均不高于 5 万 m³,佳县、吴堡、清涧、子洲 4 县的统计数据为零。

建筑业、服务业用水分别为 240 万 m³ 和 153 万 m³。

5.6.8　管理体制和制度

陕西省、榆林市近年十分重视水资源开发利用及其管理工作。陕西省颁布了《陕西省水资源管理条例》、《陕西省行业用水定额(试行)》、《陕西省节约用水管理办法》、《陕西省节水型社会发展纲要》、

《陕西省水资源费征收办法》等。榆林市于 2001 年将水利水保局更名为水务局,全市 11 个县(区)将节约用水办公室、自来水公司划归水利部门,市水务局主管全市计划用水和节约用水工作,水利部门已基本上对全市水资源实行了统一管理,对取水许可、计划用水、节约用水也有一系列办法、规定。

5.6.9　水资源开发利用中存在的问题

榆林市水资源开发利用取得了很大成绩,为全市经济社会发展提供了重要的基础支撑。但榆林市属重度缺水地区,水资源开发利用中还存在许多问题,与构建社会主义和谐社会、建设社会主义新农村、实现经济社会可持续发展要求相比还有不少差距,突出表现在以下几个方面:

(1)控制性蓄水工程少,现有水利设施老化失修,淤积严重,水资源调控能力低,供水能力不足,干旱年景供需矛盾突出。

榆林市地处陕北干旱半干旱地区,降水和径流主要集中在夏季,水资源开发利用难度大,但目前尚没有大型控制性蓄水工程。榆林市现有水利工程大多始建于 20 世纪六七十年代,标准低、功能单一、质量差,同时由于泥沙淤积和年久失修,许多水库已报废,供水能力锐减。2005 年榆林市水库实际供水量只有 0.66 亿 m³,占总供水量的 11%,灌溉面积 10.4 万亩,只占总灌溉面积的 6.2%。据统计,1990 年榆林市尚有 287 座水库,到 2005 年仅剩 77 座,且大部分水库带病运行。目前,榆林市已有 28 座病险水库被列入国家除险加固的规划中,国家投资近 3 亿元。到 2005 年,已有 11 座基本完工,12 座正在施工中。总体而言,榆林市水资源调控能力低,供水能力不足,干旱年景供需矛盾突出。

(2)三次产业用水比例不协调,农业用水水平偏低。

榆林市三次产业用水比例表明,农业用水达 80% 左右,比例偏高,工业和第三产业用水均为 10% 左右,比例偏低。由于工业和第三产业用水的保证率较高,用水比例的不协调也反映出榆林市产业结构中有不合理之处。

榆林市农业用水水平偏低,农业综合灌溉定额为 327 m^3/亩,地面灌溉渠系水利用系数为 0.46,田间水利用系数为 0.6,灌溉水利用系数不足 0.3。工业用水重复利用率低,仅为 16%。农业用水和工业用水指标均处于全国落后水平。城市供水管网损失率为 12%,高于 7% 的先进水平。

(3)水土流失严重,水生态环境恶化。

榆林为水土流失严重地区,水土流失面积 36 900 km^2,占总面积的 84.7%,到 2005 年,完成初步治理面积 2.21 万 km^2,水土流失得到缓解。但由于治理标准偏低,局部地区水土流失严重趋势仍未得到遏制,加之人为活动破坏和自然灾害时常发生,新的水土流失仍在不断产生,治理任务依然十分艰巨。

榆林市目前无污水处理厂,85% 的废污水未达到排放标准。2005年,榆林市污水排放量 2 712.5 万 m^3,其中城镇生活污水 1 050 万 m^3,工业污水 1 662.5 万 m^3,全市水体的污染呈上升趋势。水污染加剧了水资源的短缺矛盾,同时对生态环境、农业生产和群众生活带来的危害更加严重。

(4)水资源前期基础工作薄弱。

榆林市雨量、水文、水质监测等地表水测站布设站网少,资料系列短缺且不连续,使区域水资源评价、水质分析质量受到一定影响。另外,地下水源地未经过详细勘探,地下水资源量底子不清。

榆林市尚未形成完整的水资源综合开发利用规划,全市水资源利用、配置不尽合理。

(5)水资源管理体制和机制不健全。

相关政策法规和管理制度尚不健全,依法治水管水力度需要进一步加大。市场配置水资源的基础性作用尚未得到充分发挥,宏观调控和监管效能有待进一步增强。在水利投融资体制改革方面,市场化程度不高,没有形成多元化、多渠道、多层次的投入机制,影响着水利事业的持续发展。

节水意识尚未深入人心,总体节水技术落后,节水器具使用率不高,节水投资偏低。

5.6.10　现状供水能力和供需矛盾

据有关分析估算成果,榆林市50%平水年的供水能力为6.80亿 m^3,中等干旱年(75%保证率来水年)为5.9亿 m^3,严重干旱年(95%保证率来水年)为5.2亿 m^3。农田灌溉保证率按75%考虑,城市、农村生活及工业用水不考虑代表年影响,榆林市现状水平年总需水量50%平水年为5.4亿 m^3,中等干旱年为6.1亿 m^3,严重干旱年为6.8亿 m^3。

按榆林市现状供水能力,50%平水年现状水资源供需矛盾尚不突出,但中等干旱年景和严重干旱年景分别缺水0.2亿 m^3 和1.6亿 m^3,农业生产及农村人畜饮水会受到较大影响。

5.6.11　节水潜力初步分析

根据榆林市用水实际情况及水资源开发利用中存在的问题,榆林市节水潜力很大。

5.6.11.1　**农业**

榆林市现状用水结构中第一产业用水比例过大,除产业结构不合理外,农业用水浪费较大也是重要原因。按现状水平,榆林市灌溉水利用系数仅为0.28左右,节水改造后按0.55计算,即可节约2.4亿 m^3 左右的水量。

榆林市国营与50亩以上民营灌区基本情况见表5-26。由表可知,榆林市灌区综合灌溉定额为498 m^3/亩,其中国营灌区1 756 m^3/亩,民营灌区187 m^3/亩。国营灌区灌溉定额约为民营灌的10倍,节水潜力很大。

榆林市万亩以上灌区共计11处,干渠总长度390.4 km,衬砌率为43.3%,支渠长度160.8 km,衬砌率43.6%,斗渠总长度644 km,衬砌率2.3%,见表5-27。由于榆林渠系水损失问题十分突出,渠道衬砌对农业节水有十分重要的意义。

5.6.11.2　**工业**

榆林市工业节水潜力也较大。按工业水重复利用率由16%提高到60%考虑,可以节约50%的工业用水。

表 5-26　榆林市国营及 50 亩以上民营灌区基本情况

县(区)	民营 50 亩以上灌区引水（万 m³）	面积（亩）	国营灌区引水（万 m³）	面积（亩）	引水量合计（万 m³）	面积合计（亩）	定额（m³/亩）
榆阳	5 634.2	291 926	12 170	54 750	17 804.2	346 676	514
神木	610.2	31 619	2 539	43 050	3 149.2	74 669	422
府谷	407.6	21 567	205	3 750	612.6	25 317	242
横山	1 124	57 673	20 078	60 000	21 202	117 673	1 802
靖边	5 240.7	289 544	0	0	5 240.7	289 544	181
定边	3 264.2	175 027		0	3 264.2	175 027	186
绥德	51.4	2 705	964	30 000	1 015.4	32 705	310
米脂	123.35	6 461	3 800	21 000	3 923.35	27 461	1 429
佳县	226.7	12 457		0	226.7	12 457	182
吴堡	31.5	1 750		0	31.5	1 750	180
清涧	37.24	2 061		0	37.24	2 061	181
子洲	568.5	31 068	280	15 450	848.5	46 518	182
总计	17 319.59	923 858	40 036	228 000	57 355.59	1 151 858	498

表 5-27　榆林市万亩以上灌区渠道基本情况

灌区	水源	干渠			支渠			斗渠		
		总长（km）	已衬（km）	衬砌率（%）	总长（km）	已衬（km）	衬砌率（%）	总长（km）	已衬（km）	衬砌率（%）
榆高渠	榆溪河	54	34	63	8.6	0	0			
三岔湾渠	榆溪河	15.2	12	78.9	7.2	4	55.6			
榆东渠	榆溪河	32.5	2.5	7.7				39	10	25.6
南郊抽	榆溪河	3	3	100	20	17	85			
一云渠	窟野河	34	15	44	10	0	0	30	0	0
红花渠	秃尾河	54	8	15	6	0	0	42	0	0
定惠渠	无定河	35	27	77	22	17	77	80	4	5
雷惠渠	无定河	45	22	49	13	0	0	300	0	0
二定渠	无定河	42	10	24	15	0	0			
织女渠	无定河	35.7	16.6	46	46	12	26	73	1	1
大理渠	大理河	40	19	48	13	10.1	77.7	80	0	0
合计		390.4	169.1	43.3	160.8	70.1	43.6	644	15	2.3

5.6.11.3　城乡生活

榆林市 2005 年各自来水公司供水量为 2 000 万 m^3 左右,供水管网损失率为 12%,若降低到 7% 左右,可节水 100 万 m^3 以上。

5.6.11.4　水污染防治与中水利用

榆林市 2005 年污水排放量 2 712.5 万 m^3,通过污水处理和达标排放,在恢复水体功能、确保水源地安全的同时,产生的中水也相当可观。

5.7　榆林 WSS 构建主成分分析

本节利用主成分分析法,粗略分析榆林市榆阳、神木、府谷、横山、靖边、定边、绥德、米脂、佳县、吴堡、清涧和子洲 12 个县(区)的 WSS 构建潜力。具体计算采用 SPSS 软件。

5.7.1　指标体系构建

榆林市 WSS 构建潜力的评价体系按一级指标和二级指标来构建。一级指标包括自然背景(B_1)、农业社会规模(B_2)、工业生活社会规模(B_3)、科技效率(B_4)、工程供水规模(B_5)、农业用水规模(B_6)、工业生活生态用水规模(B_7)、法规制度(B_8)和节水文化培育与保障(B_9)9 个层面(侧面)。二级指标包括 66 个指标,分别隶属于 $B_1 \sim B_9$ 各个层面,其中隶属于 B_1 的有 9 个指标,隶属于 B_2 的有 12 个指标,隶属于 B_3 的有 9 个指标,隶属于 B_4 的有 7 个指标,隶属于 B_5 的有 8 个指标,隶属于 B_6 的有 7 个指标,隶属于 B_7 的有 8 个指标。对于 B_8 和 B_9,难以找到量化的综合指标,根据实际资料的可获取性,暂用“十一五”以来累计新增供水能力与规划供水能力之比、工业生产用水水价、城镇生活用水水价共 3 个指标来评价 B_8;暂用国营灌区始建年份、2006 年国营灌区职工人数、与水有关的名胜故事个数共 3 个指标来评价 B_9。详见表 5-28 ~ 表 5-37。

表 5-28 节水型社会评价指标体系层次结构

节水型社会的构建潜力评估（A）								
自然背景（B_1）	农业社会规模（B_2）	工业生活社会规模（B_3）	科技效率（B_4）	工程供水规模（B_5）	农业用水规模（B_6）	工业生活生态用水规模（B_7）	法规制度（B_8）	节水文化培育与保障（B_9）
C 层（见表 5-29 ~ 表 5-37）								

表 5-29 节水型社会评价一级指标层——自然背景(B_1)

符号	序号	变量名	量纲
C_1	1	降水量	mm
C_2	2	年平均温度	℃
C_3	3	无霜期	d
C_4	4	大雨日	d
C_5	5	暴雨日	d
C_6	6	平均冰雹日	d
C_7	7	有风日	d
C_8	8	地表水资源量	亿 m³
C_9	9	地下水资源量	亿 m³

表 5-30　节水型社会评价一级指标层——农业社会规模(B_2)

符号	序号	变量名	量纲
C_{10}	1	耕地面积	$10^3 \ hm^2$
C_{11}	2	大牲畜	万头
C_{12}	3	小牲畜	万头
C_{13}	4	粮食产量	万 t
C_{14}	5	农村人口	万人
C_{15}	6	农田有效灌溉面积	$10^3 \ hm^2$
C_{16}	7	水田实灌面积	$10^3 \ hm^2$
C_{17}	8	水浇地实灌面积	$10^3 \ hm^2$
C_{18}	9	菜田实灌面积	$10^3 \ hm^2$
C_{19}	10	林果灌溉用水面积	$10^3 \ hm^2$
C_{20}	11	草场灌溉用水面积	$10^3 \ hm^2$
C_{21}	12	鱼塘补水用水面积	$10^3 \ hm^2$

表 5-31　节水型社会评价一级指标层——工业生活社会规模(B_3)

符号	序号	变量名	量纲
C_{22}	1	第一产业国内生产总值	亿元
C_{23}	2	第二产业国内生产总值	亿元
C_{24}	3	城镇人口	万人
C_{25}	4	第三产业国内生产总值	亿元
C_{26}	5	火电工业增加值	亿元
C_{27}	6	国有及规模以上工业增加值	亿元
C_{28}	7	规模以下工业增加值	亿元
C_{29}	8	工业污水排放量	万 m^3
C_{30}	9	生活污水排放量	万 m^3

表 5-32　节水型社会评价一级指标层——科技效率（B_4）

符号	序号	变量名	量纲
C_{31}	1	农业实灌面积	万亩
C_{32}	2	50 亩以上民营灌区有效灌溉面积	亩
C_{33}	3	淤地坝个数	
C_{34}	4	水利工程年实际供水能力与水利工程年设计供水能力之比	
C_{35}	5	田间水利用系数	
C_{36}	6	渠系水利用系数	
C_{37}	7	管网水利用系数	

表 5-33　节水型社会评价一级指标层——工程供水规模（B_5）

符号	序号	变量名	量纲
C_{38}	1	地表水利工程蓄水量	万 m^3
C_{39}	2	地表水利工程引水量	万 m^3
C_{40}	3	地表水利工程提水量	万 m^3
C_{41}	4	人工载运水量	万 m^3
C_{42}	5	地下水源深层水供水量	万 m^3
C_{43}	6	地下水源浅层水供水量	万 m^3
C_{44}	7	地下水源微咸水供水量	万 m^3
C_{45}	8	雨水利用量	万 m^3

表 5-34　节水型社会评价一级指标层——农业用水规模（B_6）

符号	序号	变量名	量纲
C_{46}	1	农田灌溉水田用水量	万 m^3
C_{47}	2	农田灌溉水浇地用水量	万 m^3
C_{48}	3	农田灌溉菜田用水量	万 m^3
C_{49}	4	林果灌溉用水量	万 m^3
C_{50}	5	草场灌溉用水量	万 m^3
C_{51}	6	鱼塘补水用水量	万 m^3
C_{52}	7	牲畜用水量	万 m^3

表 5-35　节水型社会评价一级指标层——工业生活生态用水规模(B_7)

符号	序号	变量名	量纲
C_{53}	1	工业火电用水量	万 m³
C_{54}	2	工业其他国有及规模以上用水量	万 m³
C_{55}	3	工业规模以下用水量	万 m³
C_{56}	4	城镇公共建筑业用水量	万 m³
C_{57}	5	城镇公共服务业用水量	万 m³
C_{58}	6	城镇居民生活用水量	万 m³
C_{59}	7	农村居民生活用水量	万 m³
C_{60}	8	城镇生态环境用水量	万 m³

表 5-36　节水型社会评价一级指标层——法规制度(B_8)

符号	序号	变量名	量纲
C_{61}	1	"十一五"以来累计新增供水能力与规划供水能力之比	
C_{62}	2	工业生产用水水价	元/m³
C_{63}	3	城镇生活用水水价	元/m³

表 5-37　节水型社会评价一级指标层——节水文化培育与保障(B_9)

符号	序号	变量名	量纲
C_{64}	1	国营灌区始建年份	
C_{65}	2	2006 年国营灌区职工人数	人
C_{66}	3	与水有关的名胜故事个数	

5.7.2　主成分分析原理和工作步骤

5.7.2.1　主成分分析基本原理

　　假设有 I 个样本,每个样本测得 J 项指标。由于这 J 项指标之间往往具有相关关系,且每个样本各指标取值的单位和数量大小不同,因此较难利用这 J 项指标的信息区别 I 个样本。如何从这 J 项指标中找出少数几个综合指标,使它们尽可能多地反映指标的信息,而且彼此之间不相关,主成分分析(Pearson,1901;Hotelling,1933)对此给出了较好的办法。

设 $X = (x_1, x_2, \cdots, x_J)$ 是一个 J 维随机向量,且 $E(X) = u$,协方差 $D(X) = V$。V 的 J 个特征值为 $\lambda_1 \geqslant \lambda_2 \geqslant \cdots \geqslant \lambda_J$,其对应的特征向量 u_1,$u_2, \cdots, u_J$ 标准正交,$u_1, u_2, \cdots, u_J$ 称为主轴,则主成分可表示为

$$z_k = \sum_{j=1}^{J} u_j x_j \quad (j = 1, 2, \cdots, J; k = 1, 2, \cdots, m) \tag{5-1}$$

变量 $z_1, z_2, \cdots, z_m$ 均是 $x_1, x_2, \cdots, x_J$ 的线性组合,$m < J$。其构成的坐标系是在原坐标系经平移和正交旋转后得到的,亦称 $z_1, z_2, \cdots, z_m$ 组成的空间为 m 维主超平面。在主超平面上,第一主分量 z_1 对应于数据变异最大的方向,对于 $z_2, z_3, \cdots, z_m$,依次有 $V(z_2) \geqslant V(z_3) \geqslant \cdots \geqslant V(z_m)$,因此 z_1 是携带原数据信息最多的一维变量。而 m 维主超平面是保留原始数据信息量最大的 m 维子空间。如果一个主成分不足以代表原 J 个变量所包含的信息,就考虑采用 z_2,得到第二主成分。类似可得第三主成分、第四主成分等。究竟取多少个主成分通常由累计贡献率 E 来判断。$E = \sum_{k=1}^{m} \lambda_k / \sum_{j=1}^{J} \lambda_j$,如取 $E > 80\%$ 为足够代表原 J 个变量的信息,主成分个数即为 m。

在实际问题中,J 项指标的协方差矩阵 V 往往未知。常采用 J 项指标的 I 个样本的样本协方差来代替 V,则 V 可用数据表 $(y_{ij})_{I \times J}$ 的相关矩阵 R 来代替。

根据 m 个主成分的权重 w_k:

$$w_k = \lambda_k / \sum_{j=1}^{J} \lambda_j \quad (k = 1, 2, \cdots, m; j = 1, 2, \cdots, J) \tag{5-2}$$

确定综合评价函数 z^*:

$$z^* = \sum_{k=1}^{m} w_k z_k \tag{5-3}$$

5.7.2.2　主成分分析实际工作步骤

1)指标的无量纲化处理

节水型社会评价的二级指标共 66 项。为便于分析,消除单位不

相同和量级相差过大对结果造成的可能影响,对指标采用下式进行无量纲化:

$$X'_{i,j} = \frac{X_{i,j} - \bar{X}_i}{\sigma_i} \tag{5-4}$$

式中,$X_{i,j}$ 是第 j 个县第 i 个指标;$X'_{i,j}$ 是标准化后的第 j 个县第 i 个指标;$\bar{X}_i, \sigma_i$ 分别是第 i 个指标的 12 个县(区)的平均值和均方差。

进行无量纲化处理后,指标的均值接近于零,标准均方差接近于 1,既可采用相关系数矩阵又可采用协方差阵进行主成分分析。本书采用相关系数矩阵来分析。

2)相关性分析

计算 $B_j(j=1,2,\cdots,9)$ 层变量间的相关系数。当相关系数矩阵为单位矩阵(主对角线元素为 1,其余为 0)时,变量间相互独立,否则变量间相互不独立,可进一步做主成分分析,遴选主要影响变量。

采用 Bartlett 球形检验来判断各指标层是否进行主成分分析。设 R 为相关系数矩阵,n 为样本数,m 为变量数。若总体包含 m 个彼此不相关的变量,则总体相关矩阵将是一单位矩阵。假设

$H_0:$ $\qquad |Rp| = 1$(单位矩阵的行列式 $= 1$)

$H_1:$ $\qquad\qquad |Rp| \neq 1$

Bartlett 球形检验的统计量为

$$\chi^2 = -\left[n - 1 - \frac{1}{6}(2m + 5)\right]\ln|R| \tag{5-5}$$

通过样本资料计算统计量,选定显著性水平 $\alpha = 0.05$,在自由度 $m(m-1)/2$ 下查统计表的 χ^2。若计算的 χ^2 小于查表所得的 χ^2,则该组资料元素为不相关,没有进行主成分分析的必要;反之,则进一步做主成分分析,遴选主要影响变量。

3)主成分分析

计算相关系数矩阵的特征值和相应的特征向量,并计算特征向量的贡献率,即特征向量的方差占总方差的比率,亦即特征值与特征值个数的比例。

设 $X' = (X_1, X_2, \cdots, X_m)$ 是 m 维向量,它的主成分为

$$Y_1 = e'_1 X = e_{11}X_1 + e_{21}X_2 + \ldots + e_{m1}X_m$$
$$Y_2 = e'_2 X = e_{12}X_1 + e_{22}X_2 + \ldots + e_{m2}X_m \qquad (5\text{-}6)$$
$$\vdots$$
$$Y_m = e'_m X = e_{1m}X_1 + e_{2m}X_2 + \ldots + e_{mm}X_m$$

其中,$e_i e'_i = 1 (i = 1,2,\cdots,m)$。$Y_1$ 是一切 $Y_i = e'_i X$ 中方差最大者,Y_2 是一切 $Y_i = e'_i X$ 中方差次大者,$\cdots$, Y_m 是一切 $Y_i = e'_i X$ 中方差最小者。$Y_1,Y_2,\cdots,Y_m$ 互不相关。因此,m 个变量的 m 个主成分就是这 m 个变量的 m 个线性组合,其中线性组合的系数向量是单位向量,由 X 的方差—协方差阵 S 求出。可以推导,系数向量刚好等于 S 的特征向量。

选取主成分的基本原则是选择特征值大于 1 的特征向量。为全面反映原数据包含的信息量,本书采用"累积贡献率不小于 90%"的特征向量为主成分,即将特征值自大到小排序,当累计贡献率达到或超过 90% 时所包含的特征向量即为所挑选的主成分。

4) 主成分物理内涵分析

计算主成分与原变量的相关系数(因子载荷),设定绝对值大于 0.4 的荷载为有效载荷,则其相应的原变量称为主导原变量,该原变量与主成分关系最密切,结合主成分的表达式,解释主成分指标的物理内涵。

5) 节水潜力排序分析

此项通过主成分表达式中的系数向量,即影响得分,对各县(区)主导因子进行排序。然后用系数向量的值加权平均,得到综合影响得分,以此进行分县(区)排序,从不同侧面分析各县(区)的节水潜力。

5.7.3　主成分分析结果

经主成分分析,$B_1 \sim B_8$ 层共产生 31 个主成分,节水文化培育与保障层 B_9 的 3 个变量之间的相关系数较小,直接参与分析。

对各主成分的理解可通过分析该主成分及其主导原变量的构成实现。各主成分物理意义及主导原变量见表 5-38。

在 31 个主成分和 3 个原变量中,依据其物理意义初步确定其对复合节水型社会构建潜力的正负影响,见表 5-39。当影响为正时,其值越大,对构建复合节水型社会越有利。如某县(区)的降水量越大,认为

表 5-38　主成分分析成果

项目	主成分表达式或符号	变量名或成物理意义（主导原变量）
自然背景 B_1	$z_1 = 0.465C_1 + 0.434C_2 + 0.444C_3 + 0.247C_4 + 0.396C_5 - 0.089C_6 - 0.155C_7 - 0.243C_8 - 0.301C_9$	基本自然条件（降水量,年平均温度,无霜期,大雨日,暴雨日,地表水资源量,地下水资源量）
	$z_2 = -0.081C_1 + 0.041C_2 + 0.242C_3 + 0.440C_4 + 0.280C_5 + 0.392C_6 + 0.014C_7 + 0.552C_8 + 0.450C_9$	自然灾害和水资源情况（大雨日,暴雨日,平均冰雹日,地表水资源量,地下水资源量）
	$z_3 = -0.258C_1 + 0.246C_2 + 0.138C_3 + 0.161C_4 - 0.233C_5 + 0.469C_6 + 0.642C_7 - 0.245C_8 - 0.285C_9$	自然恶劣情况（平均冰雹日,有风日）
	$z_4 = 0.040C_1 - 0.397C_2 - 0.436C_3 + 0.311C_4 + 0.281C_5 + 0.474C_6 - 0.294C_7 - 0.210C_8 - 0.346C_9$	冰雹（有雹日）
	$z_5 = 0.298C_1 - 0.347C_2 - 0.056C_3 + 0.649C_4 - 0.281C_5 - 0.430C_6 + 0.312C_7 + 0.038C_8 - 0.026C_9$	大雨情况（大雨日）
农业社会规模 B_2	$a_1 = -0.319C_{10} - 0.337C_{11} - 0.384C_{12} - 0.380C_{13} - 0.261C_{14} - 0.373C_{15} - 0.218C_{16} - 0.362C_{17} - 0.205C_{18} - 0.046C_{19} - 0.055C_{20} - 0.245C_{21}$	退耕容易度（小牲畜,粮食产量,农田有效灌溉面积,水浇地实灌面积,耕地面积,大牲畜,水浇地面积,农村人口,鱼塘补水面积,水田实灌面积,菜田实灌面积）

续表 5-38

项目	主成分表达式或符号	变量名或物理意义（主导原变量）
农业社会规模 B_2	$a_2 = 0.013C_{10} - 0.165C_{11} - 0.124C_{12} - 0.111C_{13} - 0.124C_{14} - 0.065C_{15} + 0.301C_{16} - 0.139C_{17} + 0.231C_{18} + 0.546C_{19} + 0.603C_{20} + 0.316C_{21}$	灌溉用水面积的综合指标（草场灌溉用水面积，林果灌溉用水面积，鱼塘补水用水面积，农田有效灌溉面积）
	$a_3 = 0.418C_{10} - 0.317C_{11} + 0.211C_{12} - 0.153C_{13} - 0.375C_{14} + 0.289C_{15} + 0.026C_{16} + 0.316C_{17} - 0.122C_{18} - 0.084C_{19} - 0.199C_{20} + 0.520C_{21}$	副业农业规模（鱼塘补水用水面积，耕地面积，农村人口）
	$a_4 = -0.249C_{10} - 0.130C_{11} - 0.038C_{12} - 0.123C_{13} + 0.198C_{14} - 0.064C_{15} + 0.478C_{16} - 0.112C_{17} + 0.631C_{18} - 0.460C_{19} - 0.095C_{20} - 0.040C_{21}$	稻蔬业规模（菜田实灌面积，水田实灌面积，林果灌溉用水面积）
	$a_5 = 0.054C_1 + 0.022C_2 - 0.004C_3 + 0.166C_4 - 0.534C_5 + 0.208C_6 - 0.473C_7 + 0.054C_8 + 0.502C_9 + 0.195C_{10} + 0.288C_{11} - 0.206C_{12}$	菜农规模（农村人口）
工业生活社会规模 B_3	$b_1 = -0.322C_{22} - 0.295C_{23} - 0.362C_{24} - 0.382C_{25} - 0.307C_{26} - 0.353C_{27} - 0.148C_{28} - 0.388C_{29} - 0.374C_{30}$	工业生活社会逆规模综合指标（第一产业国内生产总值，第二产业国内生产总值，城镇人口，第三产业国内生产总值，火电工业增加值，国有及规模以上工业增加值，工业污水排放量，生活污水排放量）

续表 5-38

项目	主成分表达式或符号	变量名或物理意义（主导原变量）
工业生活社会规模 B_3	$b_2 = -0.160C_{22} - 0.523C_{23} + 0.231C_{25} + 0.241C_{26} + 0.105C_{27}$ $-0.721C_{28} + 0.074C_{29} + 0.004C_{30}$	小工业逆规模（第二产业国内生产总值，规模以上工业增加值）
	$b_3 = -0.364C_{22} + 0.195C_{23} - 0.361C_{25} + 0.523C_{26} + 0.461C_{27}$ $+0.099C_{28} - 0.186C_{29} - 0.374C_{30}$	大工业规模（国有及规模以上工业增加值）
科技效率 B_4	$d_1 = 0.551C_{31} + 0.558C_{32} - 0.339C_{33} + 0.430C_{34} + 0.042C_{35} + 0.255C_{36}$ $-0.142C_{37}$	灌溉技术为主导的技术水平（农业实灌面积，50亩以上民营灌区有效灌溉面积，渠地坝个数，水利工程年实际供水能力与水利工程年设计供水能力之比，渠系水利用系数）
	$d_2 = 0.183C_{31} + 0.046C_{32} + 0.188C_{33} - 0.313C_{34} + 0.264C_{35} + 0.596C_{36}$ $+0.637C_{37}$	渠系，管网水利用水平（渠系水利用系数，管网水利用系数）
	$d_3 = -0.225C_{31} - 0.074C_{32} - 0.323C_{33} - 0.138C_{34} + 0.825C_{35} + 0.117C_{36}$ $-0.355C_{37}$	田间水利用水平（田间水利用系数，渠系水利用系数，管网水利用系数）
	$d_4 = -0.325C_{31} - 0.409C_{32} - 0.580C_{33} - 0.397C_{34} - 0.222C_{35} + 0.341C_{36}$ $+0.261C_{37}$	渠地坝逆水平（渠地坝个数）
	$d_5 = -0.080C_{31} - 0.219C_{32} + 0.605C_{33} + 0.453C_{34} + 0.040C_{35} + 0.478C_{36}$ $-0.380C_{37}$	渠地坝和水利工程效率（渠地坝效率，渠地坝个数）

续表 5-38

项目	主成分表达式或符号	变量名或物理意义（主导原变量）
工程供水规模 B_5	$e_1 = 0.508C_{38} + 0.486C_{39} + 0.510C_{40} - 0.100C_{41} + 0.142C_{42} + 0.461C_{43} - 0.046C_{44} + 0.030C_{45}$	以地表水和浅层地下水为来源的供水量水平（地表水利工程蓄水量，地表水利工程提水量，地表水利工程引水量）
	$e_2 = -0.135C_{38} - 0.188C_{39} - 0.134C_{40} - 0.165C_{41} + 0.621C_{42} + 0.188C_{43} + 0.535C_{44} + 0.440C_{45}$	以深层地下水和微咸水及雨水为来源的供水量水平（地下水源深层水供水量，地下水源微咸水供水量，雨水利用量）
	$e_3 = 0.067C_{38} - 0.042C_{39} + 0.150C_{40} + 0.696C_{41} + 0.198C_{42} - 0.120C_{43} + 0.456C_{44} - 0.474C_{45}$	人工载运水和地下咸水与雨水利用的差异水平（人工载运水量，雨水利用量，地下水源微咸水供水量）
	$e_4 = -0.023C_{38} + 0.086C_{39} + 0.011C_{40} - 0.679C_{41} + 0.008C_{42} - 0.226C_{43} + 0.370C_{44} - 0.586C_{45}$	人工载运水和雨水利用水平（人工载运水量，雨水利用量）
农业用水规模 B_6	$f_1 = -0.385C_{46} - 0.383C_{47} - 0.321C_{48} - 0.442C_{49} - 0.333C_{50} - 0.351C_{51} - 0.415C_{52}$	农业用水量逆水量综合指标（农田灌溉水田用水量，农田灌溉水浇地用水量，农田灌溉菜田用水量，林果灌溉用水量，草场灌溉用水量，鱼塘补水用水量，牲畜用水量）

续表 5-38

项目	主成分表达式或符号	变量名或物理意义（主导原变量）
	$f_2 = 0.180C_{46} + 0.288C_{47} - 0.628C_{48} - 0.167C_{49} + 0.481C_{50} + 0.382C_{51} + 0.293C_{52}$	菜田用水逆水平（农田灌溉菜田用水量）
农业用水规模 B_6	$f_3 = -0.482C_{46} + 0.460C_{47} - 0.184C_{48} - 0.320C_{49} + 0.456C_{50} - 0.272C_{51} + 0.371C_{52}$	灌溉水田、水浇地和草场灌溉用水量的对照（退耕力度指标）（农田灌溉水田用水量、农田灌溉水浇地用水量、草场灌溉用水量）
	$f_4 = -0.495C_{46} - 0.304C_{47} + 0.195C_{48} - 0.202C_{49} + 0.099C_{50} + 0.752C_{51} + 0.089C_{52}$	鱼塘补水的用水水平（鱼塘补水用水量）
工业生活生态用水规模 B_7	$g_1 = -0.272C_{53} - 0.406C_{54} - 0.371C_{55} - 0.402C_{56} - 0.349C_{57} - 0.382C_{58} - 0.199C_{59} - 0.394C_{60}$	城镇生产、生活、生态用水（工业火电用水量、工业其他国有及规模以上用水量、工业规模以下用水量、城镇公共建筑业用水量、城镇公共服务业用水量、农村居民生活用水量、城镇居民生活用水量、城镇生态环境用水量）
	$g_2 = 0.300C_{53} - 0.127C_{54} + 0.274C_{55} - 0.162C_{56} - 0.403C_{57} - 0.206C_{58} + 0.766C_{59} + 0.002C_{60}$	农村居民生活用水（农村居民生活用水量）
	$g_3 = 0.732C_{53} + 0.009C_{54} + 0.234C_{55} - 0.062C_{56} - 0.125C_{57} - 0.323C_{58} - 0.534C_{59} + 0.022C_{60}$	农民工进入火电行业的转移水平（工业火电用水量、农村居民生活用水量）

续表 5-38

项目	主成分表达式或符号	变量名或原变量（主导原变量）
法规制度 B_8	$h_1 = 0.511C_{61} - 0.588C_{62} - 0.627C_{63}$	法律措施（不含提高水价）实现更多新增供水能力的保障水平（"十一五"以来累计新增供水能力与规划供水能力之比，工业生产用水水价、城镇生活用水水价）
	$h_2 = 0.832C_{61} + 0.520C_{62} + 0.191C_{63}$	通过提高水价新增供水能力方法律保障水平（"十一五"以来累计新增供水能力与规划供水能力之比、工业生产用水水价）
节水文化培育与保障 B_9	C_{64}、C_{65}、C_{66}	国营灌区始建年份，2006年国营灌区职工人数，与水有关的名胜故事个数

表 5-39　主成分影响方向

正影响	负影响	无法断定
C_1、C_8、C_9、b_1、b_2、d_1、d_2、d_3、d_5、e_1、e_2、e_3、e_4、f_3、g_1、h_1、h_2、C_{64}、C_{65}、C_{66}	C_2、C_3、C_4、C_5、C_6、C_7、a_2、a_3、a_4、a_5、b_3、d_4、f_1、g_2、g_3	a_1、f_2、f_4

对该县(区)构建复合节水型社会越有利;当影响为负时则相反。对于诸如 d_4 之类的含有"逆"字的指标,按照物理意义应该是正影响指标,但由于主成分表达式算出的指标水平为负值,所以仍归为负影响指标一类。d_4 的物理意义是,淤地坝水平越高,该指标值越小,对构建复合节水型社会越有利。

　　必须指出的是,表 5-38 中对主成分的物理解释具有较大的主观性,解释也不尽合理,只能供进一步分析做参考。

5.7.4　各县(区)节水型社会建设潜力比较分析

　　各县(区)计算的主成分及各层综合指标(得分)见表 5-40。

表 5-40　各县(区)计算的主成分及各层综合指标(得分)

县(区)	榆阳	神木	府谷	横山	靖边	定边	绥德	米脂	佳县	吴堡	清涧	子洲
z_1	-1.53	-0.66	-0.73	-0.85	-1.2	-1.5	0.43	0.71	0.68	1.69	0.93	0.59
z_2	1.22	2.97	0.9	-0.26	-0.94	-2.02	0.02	-0.68	0.4	-0.51	0.1	-0.35
z_3	-1.66	-1.2	1.26	0.79	-0.39	-0.17	1.5	-1.39	0.65	-0.04	-0.16	-1.08
z_4	-1.36	-0.72	1.14	0.38	0.41	-1.34	-1	0.72	0.07	-2.38	0.21	1.33
z_5	0.59	-0.16	-1.96	0.44	0.03	-0.56	1.71	0.45	0.03	-2.11	0.86	-0.7
B_1 综合	-0.75	0.1	0.11	-0.19	-0.76	-1.27	0.52	-0.05	0.52	0.23	0.45	0
a_1	-1.94	-0.69	0.35	-0.91	-0.74	-0.86	0.48	0.76	0.75	1.46	0.89	0.45
a_2	-0.11	-1.02	2.31	1.59	-0.05	-0.96	-0.23	-0.29	-0.58	-0.19	0.27	-0.75
a_3	2.3	-0.06	0.07	-0.91	-0.79	-1.35	-0.48	0.19	0.02	1.39	0.09	-0.46
a_4	0.06	-0.72	-1.61	1.64	0.68	-1.53	0.73	0.97	0.08	0.22	-0.88	0.35
a_5	-0.4	-0.12	0.46	-1.05	2.48	0.04	-0.53	0.65	-0.7	0.86	-0.79	-0.89
B_2 综合	-0.85	-0.66	0.53	-0.18	-0.3	-0.95	0.2	0.51	0.26	0.98	0.42	0.03
b_1	-2.35	-2.62	-0.38	0.02	-1.29	-0.19	0.27	0.4	0.54	0.77	0.57	0.47
b_2	0.98	1.21	0.81	-0.22	-3.74	-0.69	0.3	0.26	0.09	0.15	0.09	0.13
b_3	-2.95	2.33	1.54	-0.07	0.41	-0.62	-0.5	-0.09	-0.06	0.52	0.05	-0.16
B_3 综合	-1.77	-1.32	0.06	-0.04	-1.57	-0.34	0.19	0.32	0.39	0.62	0.42	0.33

续表 5-40

县(区)	榆阳	神木	府谷	横山	靖边	定边	绥德	米脂	佳县	吴堡	清涧	子洲
d_1	2.39	- 0.1	- 0.33	0.84	1.92	0.75	- 1.43	- 0.64	- 1.06	- 0.06	- 0.29	- 0.15
d_2	2.32	1.65	0.84	- 0.56	- 1.59	- 0.43	0.62	- 0.27	0.49	- 0.62	- 0.27	- 1.01
d_3	- 0.08	0.63	0.36	- 3.39	0.36	- 0.46	- 1.24	- 0.61	0.19	0.83	0.99	0.11
d_4	- 0.31	0.28	0.8	1.9	- 1.84	- 0.09	- 1.61	0.24	- 1.43	1.15	0.22	- 0.34
d_5	0.6	- 0.14	- 0.58	1.87	0.02	- 2.24	0.01	- 0.85	0.87	- 0.02	0.86	0.95
B_4 综合	1.44	0.45	0.16	0.03	0.24	- 0.1	- 0.84	- 0.47	- 0.37	0.13	0.11	- 0.21
e_1	3.68	1.19	- 0.23	1.21	0.38	0.21	- 0.28	- 0.38	- 0.47	- 0.69	- 0.48	- 0.37
e_2	- 0.62	- 0.42	- 0.32	- 0.57	3.62	2.36	- 0.2	- 0.24	- 0.3	- 0.45	- 0.16	- 0.06
e_3	0.15	- 0.59	1.39	0.66	2.08	- 2.53	- 0.49	- 0.5	0.36	1.1	- 0.39	- 0.72
e_4	0.03	0.47	- 1.49	- 0.63	1.53	- 2.71	0.71	0.79	- 0.42	- 0.86	0.79	0.41
B_5 综合	1.52	0.39	- 0.18	0.4	1.7	0.15	- 0.17	- 0.23	- 0.3	- 0.4	- 0.23	- 0.23
f_1	- 2.91	- 1.31	0.37	- 2.71	- 2.03	- 0.1	0.15	0.11	0.52	0.66	0.6	0.34
f_2	1.06	2.78	- 0.08	0.2	- 3.5	0.62	- 0.87	- 0.96	0.35	- 0.09	0.23	0.06
f_3	1.18	0.44	0.05	- 3.57	2.24	1.31	- 0.4	- 0.61	- 0.4	- 0.06	- 0.02	
f_4	- 2.75	3.96	0.04	- 0.1	1.7	- 0.51	0.03	0.16	- 0.14	- 0.1	- 0.09	- 0.05
B_6 综合	- 1.77	- 0.12	0.24	- 2.18	- 1.54	0.16	- 0.15	0.41	0.37	0.42	0.22	
g_1	- 2.84	- 2.64	- 0.5	- 0.07	- 0.36	- 0.04	0.32	0.54	0.62	0.79	0.44	0.47
g_2	- 0.59	0.74	0.22	2.03	- 1.77	- 0.59	0.74	- 0.58	0.15	- 1.13	- 0.27	1.2
g_3	- 2.16	2.27	1.68	0.08	- 0.78	- 0.2	- 0.8	0.31	0.08	1.06	0.04	- 0.87
B_7 综合	- 2.5	- 1.72	- 0.18	0.19	- 0.57	- 0.12	0.25	0.39	0.51	0.59	0.32	0.42
h_1	2.6	1.45	- 0.08	- 0.91	- 0.25	0.84	- 0.27	1.2	- 0.8	- 1.03	- 0.2	- 0.06
h_2	- 0.34	0.03	2.29	- 0.34	0.4	- 1.82	- 1	1.05	0.38	- 0.65	- 1.03	0.79
B_8 综合	1.95	1.14	0.44	- 0.78	- 0.1	0.25	- 0.43	1.17	- 0.54	- 0.95	- 0.38	0.13

　　对表 5-40 进行精确分析解释极为困难,这里给出粗略的诠释,仅供参考:

　　(1)从自然背景层分析结果看,榆阳水资源条件最好,自然灾害情况较弱;吴堡相反。所以,第一主成分榆阳得分最小。就水资源情况而论,定边偏低,榆阳、神木较丰。绥德的冰雹日、有风日最多,榆阳自然环境相对最好。子洲、府谷冰雹日最多,榆阳、吴堡最少。绥德、清涧大雨日最多,吴堡、府谷大雨日最少。神木、府谷、横山、靖边、定边年降水量在 300 mm 以下,属干旱地区,为不适于居住区,该自然条件对节水型社会建设较为不利。

(2)从农业社会规模(B_2 综合)看,吴堡、府谷、米脂、清涧、佳县、绥德 6 县农业社会规模较好,节水难度大,但节水潜力也大。

(3)从工业生活社会规模(B_3 综合)看,吴堡、清涧、佳县、子洲、米脂、绥德节水型社会建设容易程度相对较高。实际情况是该 6 县的工业化程度较低。

(4)从科技效率(B_4 综合)看,榆阳、神木、靖边、府谷、吴堡、清涧程度较高,有利于节水型社会建设。

(5)从工程供水规模(B_5 综合)看,靖边、榆阳、横山、神木、定边的工程供水规模较大,水资源控制程度较好。

(6)从农业用水规模(B_6 综合)看,神木、米脂、绥德、府谷、定边的用水规模较大,相应节水潜力也较大。

(7)从工业生活生态用水规模(B_7 综合)看,清涧、吴堡、佳县、子洲、米脂、横山为正值,说明工业节水潜力较大。榆阳工业、生活、生态用水综合水平最高,吴堡最低。横山农村居民生活用水水平最高,靖边最低。综合看来,榆阳工业生活生态用水水平最高,吴堡最低。

(8)从法规制度(B_8 综合)看,榆阳、米脂、神木、府谷、绥德的基础较好。

5.8　榆林 WSS 构建聚类分析

5.8.1　原理

聚类分析是研究"物以类聚"的数学方法,属于多元分析的重要分支。聚类分析的基本思想是根据对象间的相关程度进行类别的聚合,聚类后同一类中的个体有较大相似性,不同类中的个体有较大差异。早在 20 世纪 70 年代,聚类分析方法就已经较为完善,至今仍然得到广泛应用。聚类分析开始时,样本中的 n 个样品各自成类,共有 n 类。计算 n 类样品的两两距离(相似性测度),得到距离矩阵,再把距离最近的两个样品合并为一类,剩下 $n-1$ 个类。然后计算这 $n-1$ 个类样品的两两距离,找到离得最近的两个类并将其合并,剩下 $n-2$ 个类……如此重复,直到剩下两个类,把它们合并为一个类为止。整个聚类过程最后用聚类图(树图)形象地描绘出来。

聚类分析的目的并不是将所有样本合并为一个类,而是在分析的过程中,依据一定的标准对样本进行分类,即选择上述聚类过程中的某个类水平作为最终的分类。

本书采用 5.7 节所遴选出来的 31 个主成分和 3 个原始指标(见表 5-38),对榆林 12 个县(区)(样本)WSS 构建潜力进行聚类分析。具体计算采用 SPSS 软件。

5.8.2　统计量确定

榆林市 12 个县(区)(样品)的 WSS 建设相关的状态,可用上述 34 项指标的标准化值构成的 34 维向量表示。为了系统比较这 12 个 34 维向量的亲疏程度,首先规定表示各县(区)两两之间亲疏程度的统计量。目前聚类分析法常用的统计量包括以下两种。

(1)绝对距离:

$$d_{il} = \sum_{j=1}^{m} |x_{ij} - x_{lj}| \tag{5-7}$$

(2)欧氏距离:

$$d_{il} = \sqrt{\sum_{j=1}^{m} (x_{ij} - x_{lj})^2} \tag{5-8}$$

上述两式中,i,l 是县(区)的样本号,i,$l = 1, 2, \cdots, n$;j 是指标编号;n 是县(区)样本的总个数;m 是指标的总个数。

绝对距离越小,表示样本县(区)越亲近,绝对距离越大则越疏远。

一般来讲,欧氏距离法特别适用于标准化值差别较大,且这样的

"大"值对结果影响很大的情况。如在环境评价中一些高值区对一个地区的环境质量休戚相关。对这种情况,采用欧氏距离作为统计量,用平方加以强调,对分析将很有帮助。但对于本书的实际情形,尚没有充足的理由直接决定用欧氏统计量。所以,下面分析将采用两种统计量进行分析比较。

5.8.3 类与类之间距离的定义方法

在规定了样本县(区)之间的距离后,尚需对生成的类与类之间的距离的定义进行规定。以此对 $n(n=12)$ 个样本县(区)逐步聚类,可以达到对样本县(区)分类的目的。目前有许多定义类与类之间距离的方法。如 Single Linkage (Nearest Neighbor)、Complete Linkage (Furthest Neighbor)、Simple Average (Weighted Pair-Group)、Group Average (Unweighted Pair-Group),基于欧氏距离的 Median (Weighted Pair-Group Centroid)、Centroid (Unweighted Pair-Group Centroid)、Ward's Minimum Variance 和 Flexible Strategy 等方法。不同的定义相应于不同的聚类方法,并产生不同的分类效果。目前普遍采用的类平均法 (Group Average)是比较好的方法之一。但本书将分别用上述 8 种方法进行聚类分析,然后进行比较。为此,下面对上述 8 种方法作简单介绍。

由前面可知,样本县(区)i 和 l 之间的距离为 d_{il},设距离矩阵中最小元素是 D_{pq},则将类(或样本县(区))G_p 和类(或样本县(区))G_q 合并为一新类 G_r,类 G_r 同其他样本县(区)$G_k(k \neq r)$ 的距离为 D_{rk}。一般可以用下式来定义距离 D_{rk}:

$$D_{rk} = \alpha_p d_{pk} + \alpha_q d_{qk} + \beta d_{pq} + \gamma |d_{pk} - d_{qk}| \tag{5-9}$$

用这个新距离代替距离矩阵中的 d_{pk} 和 d_{qk}。重复上面的运算,直到距离矩阵中只包含一个类。对应于上述 8 种方法,式(5-9)中参数 α_p、α_q、β 和 γ 的取值不同。

(1)最短距离法(Single Linkage,SL):这是聚类分析最古老也最有名的定义类与类之间距离的算法。利用这种算法可使每个样本顺序进入分类。对应上述距离方程,其参数取值分别为

$$\alpha_p = \alpha_q = 0.5, \beta = 0, \gamma = -0.5 \tag{5-10}$$

（2）最长距离法（Complete Linkage,CL）：此法认为类与类的距离是离得最远的样本之间的距离。此法定义的类一般都分得很开,每一类内部很密实。对应上述距离方程,其参数取值分别为

$$\alpha_p = \alpha_q = 0.5, \beta = 0, \gamma = 0.5 \tag{5-11}$$

（3）加权类对法（Simple Average,SA）：此法定义的类与类之间的距离是每个样本成员之间的平均距离,用距离连接的两类对最后结果产生相同的影响。对应上述距离方程,其参数取值分别为

$$\alpha_p = \alpha_q = 0.5, \beta = 0, \gamma = 0 \tag{5-12}$$

（4）中心法（Centroid）：该法类似于上一种方法,不同的是,所计算的距离是向量平均的中心。当树状图看起来不像树时,常用此方法。对应上述距离方程,其参数取值分别为

$$\alpha_p = \frac{n_p}{n_r}, \alpha_q = \frac{n_q}{n_r}, \beta = -\alpha_p\alpha_q, \gamma = 0 \tag{5-13}$$

式中,n_r、n_p、n_q 分别为类 G_r、G_p、G_q 包含的样本数,且有：

$$n_r = n_p + n_q \tag{5-14}$$

（5）中值法 （Median）：此法又称为加权类对中心法。此法定义类与类之间的距离为中心的加权平均,权重与每一类包含的样本数目成正比。样本之间的距离必须用欧氏距离法计算。对应上述距离方程,其参数取值分别为

$$\alpha_p = \alpha_q = 0.5, \beta = -0.25, \gamma = 0 \tag{5-15}$$

（6）类平均法（Group Average,GA）：又称为非加权类对法。此法是聚类分析中最受欢迎的方法。类与类之间的距离定义为类间每个样本之间距离的平均。对应上述距离方程,其参数取值分别为

$$\alpha_p = \frac{n_p}{n_r}, \alpha_q = \frac{n_q}{n_r}, \beta = 0, \gamma = 0 \tag{5-16}$$

（7）Ward 最小方差法（Ward's Minimum Variance,Wards）：在此法中,先任选组,然后视所选的组中样本数的和的平方最小为一类。对应上述距离方程,其参数取值分别为

$$\alpha_p = \frac{n_p + n_k}{n_r + n_k}, \alpha_q = \frac{n_q + n_k}{n_r + n_k}, \beta = \frac{-n_k}{n_r + n_k}, \gamma = 0 \tag{5-17}$$

式中，n_k 为不属于类 r 的样本数。

（8）弹性决策法（Flexible Strategy，Flexible）：此法认为在前面的第一和第二种方法之间存在一个过渡，可以从中挑选到一个最佳方法。对应上述距离方程，其参数取值分别为

$$\alpha_p = 1 - \beta - \alpha_q, \alpha_q = 1 - \beta - \alpha_p, -1 \leqslant \beta \leqslant 1, \gamma = 0 \qquad (5\text{-}18)$$

5.8.4　聚类分析结果的精度衡量办法

采用上述各种技术可得到不同的分类结果。衡量结果的方法之一是计算 Cophenetic 相关系数 R：

$$R = \frac{\sum_{i<l}(d_{il} - \bar{d})(d_{il}^* - \bar{d}^*)}{\sqrt{\sum_{i<l}(d_{il} - \bar{d})^2 \sum_{i<l}(d_{il}^* - \bar{d}^*)^2}} \qquad (5\text{-}19)$$

其中，d_{il} 是县（区）之间的距离矩阵；d_{il}^* 是分类后县（区）之间的距离；$\bar{d}$ 和 $\bar{d}^*$ 为相应的均值。

R 是原始距离和分类后的距离的相关，是相似性的量度。若该值大于 0.75，结果就可以接受。类平均法一般能得到较高的 R 值。

另一个指标是计算 Delta，它是歪曲度的量度。计算公式为

$$\Delta A = \left[\frac{\sum_{q<r}^{N}|d_{qr} - d_{qr}^*|^{1/A}}{\sum_{q<r}(d_{qr}^*)^{1/A}}\right]^A \qquad (5\text{-}20)$$

式中，A 取 0.5 或 1；d_{qr}^* 是分类后的距离。

Delta 越接近于 0，分类结果越理想。

虽然大多数实践证明，类平均法的分类结果最理想。但对具体情况，应试用各种方法，最后挑选上述指标最满意的分类结果作为分类结果。

5.8.5　县（区）相似分析

样本县（区）之间 34 维向量间欧氏距离分析计算成果见表 5-41。

表5-41　榆林县域 WSS 欧氏距离

县(区)	榆阳	神木	府谷	横山	靖边	定边	绥德	米脂	佳县	吴堡	清涧	子洲
榆阳		1.62	1.98	1.82	2.04	1.8	1.77	1.75	1.77	2.04	1.78	1.8
神木	1.62		1.38	1.65	1.9	1.6	1.47	1.38	1.36	1.6	1.35	1.4
府谷	1.98	1.38		1.47	1.71	1.52	1.38	1.19	1.07	1.2	1.15	1.2
横山	1.82	1.65	1.47		1.86	1.69	1.21	1.34	1.3	1.58	1.33	1.23
靖边	2.04	1.9	1.71	1.86		1.58	1.62	1.46	1.54	1.66	1.54	1.51
定边	1.8	1.6	1.52	1.69	1.58		1.31	1.29	1.31	1.43	1.26	1.3
绥德	1.77	1.47	1.38	1.21	1.62	1.31		0.88	0.63	1.22	0.77	0.89
米脂	1.75	1.38	1.19	1.34	1.46	1.29	0.88		0.79	1.03	0.77	0.69
佳县	1.77	1.36	1.07	1.3	1.54	1.31	0.63	0.79		0.96	0.59	0.63
吴堡	2.04	1.6	1.2	1.58	1.66	1.43	1.22	1.03	0.96		0.92	1.12
清涧	1.78	1.35	1.15	1.33	1.54	1.26	0.77	0.77	0.59	0.92		0.66
子洲	1.8	1.4	1.2	1.23	1.51	1.3	0.89	0.69	0.63	1.12	0.66	
均值	1.83	1.52	1.39	1.5	1.67	1.46	1.2	1.14	1.09	1.34	1.1	1.13
最大	2.04	1.9	1.98	1.86	2.04	1.8	1.77	1.75	1.77	2.04	1.78	1.8
最小	1.62	1.35	1.07	1.21	1.46	1.26	0.63	0.69	0.59	0.92	0.59	0.63

由表5-41可知,县(区)距离最近的是佳县和清涧县,为0.59,表明该两县的 WSS 建设背景最为相似;距离最远的是榆阳和靖边、榆阳和吴堡,均为2.04,即榆阳与靖边、吴堡差异最大。

榆林市县(区)间状况最接近的情况是(榆阳,神木)、(神木,清涧)、(府谷,佳县)、(横山,绥德)、(靖边,米脂)、(定边,清涧)、(绥德,佳县)、(米脂,子洲)、(佳县,清涧)、(吴堡,清涧)、(清涧,佳县)和(子洲,佳县)。上述最接近县域对逆序不成立,即榆阳虽然与神木最接近,但神木并不与榆阳最接近,而是与清涧最接近。可以看出,最接近平均状的是佳县和清涧。除了它们相互最接近外,分别还有另外3个县与其最接近。

同样,榆林市县(区)间状况差异最大的情况是(榆阳,靖边)、(神木,靖边)、(府谷,榆阳)、(横山,靖边)、(靖边,榆阳)、(定边,榆阳)、(绥德,榆阳)、(米脂,榆阳)、(佳县,榆阳)、(吴堡,榆阳)、(清涧,榆阳)和(子洲,榆阳)。可以看出,在榆林市的 12 个县(区)中,榆阳的情况最为不同,有 9 个县与榆阳差异大。其次是靖边,榆阳、神木、横山与之有较大差异。同时,榆阳和靖边的差异为所有县(区)中最大,距离值为 2.04。

从县(区)之间距离的均值看,从小到大的顺序依次为佳县、清涧、子洲、米脂、绥德、吴堡、府谷、定边、横山、神木、靖边和榆阳。距离代表了县(区)之间的差异情况,因此该顺序也是普通性由强到弱和特殊性由弱到强的顺序。

上述分析结论对榆林市 WSS 建设的空间布局具有一定的指导作用。

5.8.6 聚类分析结果

经过对比分析发现,对于榆林市 WSS 构建潜力的聚类分析,用欧氏距离计算样本县(区)之间的距离、用类平均法计算类与类之间的距离,得到的分类效果最理想。下面以此为基础,详述分析结果。各种方法的对比留作下节再具体阐述。

样本县(区)之间 34 维向量间距离分析计算表明,县 9(佳县)和县11(清涧)距离最短(0.590 141),两县首先被聚类,说明其在 WSS 建设方面的状况或条件最为接近。第二轮分析县 12(子洲)加入聚类,第三轮分析县 8(米脂)加入聚类,第四轮分析县 7(绥德)加入聚类,第五轮分析县 10(吴堡)加入聚类。依次类推,榆阳最后加入聚类,即聚类的过程为(佳县,清涧) + 子洲 + 米脂 + 绥德 + 吴堡 + 府谷 + 定边 + 横山 + 神木 + 靖边 + 榆阳。详见表 5-42。

设定分类的距离临界值为 1.0,第四轮聚类分析得到的最小类间距离为 0.794 578,第五轮为 1.050 708。因此,以第五轮分析的结果为依据,将佳县、清涧、子洲、米脂、绥德、吴堡分为一类,其余各县(区)自成一类,共 7 类。详见表 5-43。

表 5-42 榆林市各县(区)复合节水型社会构建潜力的聚类分析过程

聚类序号	类的数目	类(县(区))	最短距离类	类间最短距离
1	12	1,2,3,4,5,6,7,8,9,10,11,12	9,11	0.590 141
2	11	(9,11),1,2,3,4,5,6,7,8,10,12	(9,11),12	0.645 778
3	10	(9,11,12),1,2,3,4,5,6,7,8,10	(9,11,12),8	0.752 085
4	9	(9,11,12,8),1,2,3,4,5,6,7,10	(9,11,12,8,),7	0.794 578
5	8	(9,11,12,8,7),1,2,3,4,5,6,10	(9,11,12,8,7),10	1.050 708
6	7	(9,11,12,8,7,10),1,2,3,4,5,6	(9,11,12,8,7,10),3	1.198 295
7	6	(9,11,12,8,7,10,3),1,2,4,5,6	(9,11,12,8,7,10,3,),6	1.345 453
8	5	(9,11,12,8,7,10,3,6),1,2,4,5	(9,11,12,8,7,10,3,6),4	1.393 297
9	4	(9,11,12,8,7,10,3,6,4),1,2,5	(9,11,12,8,7,10,3,6,4),2	1.464 855
10	3	(9,11,12,8,7,10,3,6,4,2),1,5	(9,11,12,8,7,10,3,6,4,2),5	1.638 158
11	2	(9,11,12,8,7,10,3,6,4,2,5),1	(9,11,12,8,7,10,3,6,4,2,5),1	1.833 650
12	1	(9,11,12,8,7,10,3,6,4,2,5,1)		

表 5-43 榆林市 WSS 构建潜力聚类

县(区)代号	类	县(区)名
9	1	佳县
11	1	清涧
12	1	子洲
8	1	米脂
7	1	绥德
10	1	吴堡
3	2	府谷
6	3	定边
4	4	横山
2	5	神木
5	6	靖边
1	7	榆阳

上述聚类分析结果符合对榆林市的一般认识。佳县、清涧、子洲、米脂、绥德、吴堡全部位于榆林南部黄土丘陵沟壑区,多为黄土层覆盖,厚 50~100 m;基岩为中生界沙页岩;区内梁峁起伏,沟壑发育,地形破碎,干旱缺雨,水资源短缺,节水型社会建设的条件十分不利。

通过计算可知,Cophenetic 相关系数为 0.95,delta(0.5) 为 0.07,delta(1) 为 0.08,拟合效果较好。

榆林市 WSS 构建潜力聚类分析结果可用树状图来表示,见图 5-9。

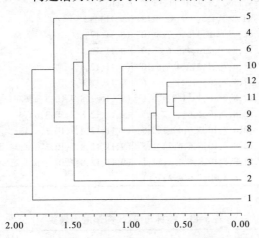

图 5-9　榆林 WSS 构建潜力聚类图(图中数字 1、2 等代表各县(区)代号,横轴为距离)

5.8.7　讨论

本节采用各种技术方法分别进行聚类分析,以判断类平均法和欧氏距离对榆林市 WSS 构建的聚类分析是否适用。

表 5-44 给出了利用各种方法分析计算得到的 Cophenetic 相关系数 R、delta(0.5)和 delta(1)。可以看出,以基于欧氏距离的类平均法(EU-GA)在所有 12 种技术方法中模拟效果最好。其他方法,如 MA-GA、EU-SL、EU-CL、EU-SA、MA-SL、MA-CL 和 MA-SA 方法,效果也还令人满意,相关系数都能保持在 0.9 以上,delta 值能保持 0.2 以下。效果最差的是 EU-flexible,其次是 EU-wards、EU-median 和 EU-centroid 方法。上述方法英文缩写的前缀 EU 和 MA 分别表示该方法基于欧氏距离和基于绝对距离。

各种技术方法分析得到的聚类树见图 5-10。虽然模拟精度各法有异,但由图 5-10 可以看出(7,9,8,12,11,10),绥德、米脂、佳县、吴堡、清涧、子洲属于一类,这个事实可从每个技术方法的结果中得到。

表 5-44　各种分类技术的聚类分析优劣比较

方法	R	Delta(0.5)	Delta(1)
EU-GA	0.95	0.07	0.08
MA-GA	0.92	0.10	0.12
EU-SL	0.94	0.12	0.15
EU-CL	0.91	0.13	0.16
EU-SA	0.91	0.09	0.12
EU-median	0.87	0.25	0.31
EU-centroid	0.93	0.32	0.39
EU-wards	0.83	0.35	0.41
EU-flexible	0.19	0.77	0.82
MA-SL	0.92	0.14	0.20
MA-CL	0.92	0.15	0.19
MA-SA	0.91	0.10	0.13

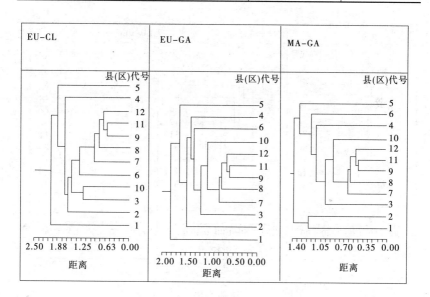

图 5-10　各种技术方法分析得到的聚类树

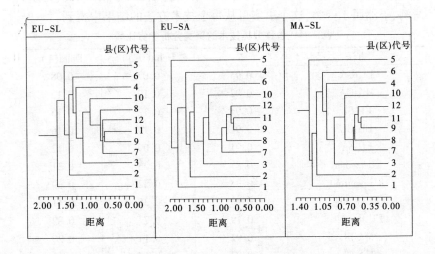

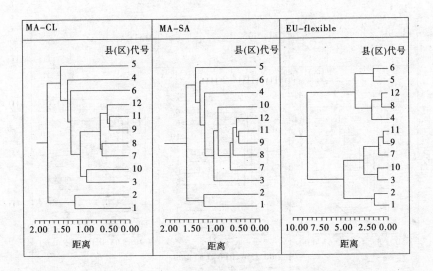

续图 5-10

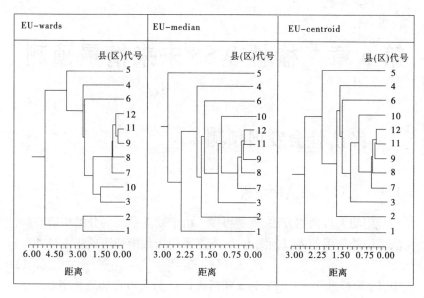

续图 5-10

　　需要指出的是,无论是主成分分析还是聚类分析,变量(指标)的选取及组合(分层次)都是分析的基础,但在这方面存在一定的主观性,有值得商榷的地方。尽管如此,但两种方法的分析结果相互基本吻合,也符合人们对该地区的基本认识及本章其他部分的分析结果。

第 6 章 榆林 WSS 未来情景预测

6.1 经济社会发展预测

6.1.1 人口与城镇化预测

可用的人口预测方法、模型很多。由于缺乏系统的分组年龄资料，无法采用较准确的人口预测方法，本书采用指数增长法预测人口，即

$$P_n = (1 + r)^n P_0 \tag{6-1}$$

式中，P_0 为基准年人口；P_n 为 n 年后人口；r 为人口自然增长率。

榆林市现状(2005 年)人口 351.63 万人，农村人口 292.72 万人。根据《榆林市国民经济和社会发展第十一个五年规划纲要》，榆林市人口自然增长率控制在年均 6‰以内，到 2010 年人口控制在 362 万人以内。在 2010 ~ 2020 年，考虑到人口基数和经济社会发展及人民生活、医疗水平的提高，人口老龄化趋势将维持，人口自然增长率仍按 6‰控制，据此推算，2020 年榆林市人口可能达到 385 万人。

榆林市"十五"期间的城镇化年均发展速度约为 1.7%，城镇化水平由"九五"末的 20% 上升到"十五"末的 28.5%。根据规划，榆林市"十一五"期间城镇化速度保持年均增长 2% 左右，到 2010 年城镇化水平将达到 40%。考虑榆林市的现状和"十五"城镇化发展的实际情况及"十一五"规划情况，预测 2010 ~ 2020 年期间年均城镇化发展速度为 2.8% 左右，由此估算榆林市 2020 城镇化水平约为 68%。

综上所述，榆林市 2010 年城镇、农村人口将分别达到 145 万人和 217 万人，2020 年分别为 262 万人和 123 万人。各县(区)分别预测，城乡结构采用全市统一比例，结果见表 6-1。

表 6-1　榆林市人口、经济规模现状和预测

（单位:人口,万人;经济规模,亿元）

县(区)	2005 年				2010 年				2020 年			
	总人口	城镇人口	农村人口	经济规模	总人口	城镇人口	农村人口	经济规模	总人口	城镇人口	农村人口	经济规模
榆阳	44.30	15.15	29.15	52.22	46	18	28	122	48	33	15	487
神木	38.22	10.08	28.14	89.51	39	16	23	209	42	28	14	835
府谷	22.66	4.16	18.50	22.49	23	9	14	52	25	17	8	210
横山	33.76	3.16	30.60	15.98	35	14	21	37	37	25	12	149
靖边	29.16	3.93	25.23	100.66	30	12	18	235	32	22	10	940
定边	32.10	4.11	27.99	30.85	33	13	20	72	35	24	11	288
绥德	36.65	5.40	31.25	8.28	38	15	23	19	40	27	13	77
米脂	23.65	3.33	20.32	5.99	24	10	14	14	26	18	8	56
佳县	27.12	2.62	24.50	4.34	28	11	17	10	30	20	10	41
吴堡	8.53	1.47	7.06	2.54	9	4	5	6	9	6	3	24
清涧	22.40	2.55	19.85	4.78	23	9	14	11	25	17	8	45
子洲	33.08	2.95	30.13	5.19	34	14	20	13	36	25	11	48
总计	351.63	58.91	292.72	342.83	362	145	217	800	385	262	123	3 200

6.1.2　经济规模和三产结构预测

2005 年,榆林市生产总值达到 342.83 亿元,人均达到 9 750 元,三次产业增加值的比例为 8∶59∶33。"九五"末,榆林市三次产业结构为 18∶45∶37。榆林市"十五"期间经济结构发生了明显变化,即第一产业比例下降,第二产业比例上升。榆林市近年三次产业增加值及其比例情况见表 6-2。

表 6-2　榆林市"十五"期间各产业增加值及其比例

年份	生产总值 (亿元)	第一产业 增加值(亿元)	第二产业 增加值(亿元)	第三产业 增加值(亿元)	各产业比例
2002	111.3	17.7	60.20	33.40	16:54:30
2003	138.1	19.3	78.7	40.1	14:57:29
2004	185.04	25.22	114.94	44.88	16:62:24
2005	342.83	27.69	200.56	114.58	8:59:33

　　预测到 2010 年,榆林市综合实力将进一步增强,生产总值将达到 800 亿元,年均增长 18% 以上,人均生产总值达到 2.2 万元,三次产业结构调整为 5:65:30,三次产业增加值分别达到 40 亿元、520 亿元和 240 亿元。根据榆林市的发展基础及近年三次产业比例变化和资源环境等条件,该发展规模及产业结构比例基本适宜。

　　预测到 2020 年,榆林市生产总值可望达到 3 200 亿元,人均 8.31 万元,有望建成西部经济强市、特色文化大市、绿色生态名市。根据全国总体发展目标及榆林市的实际情况,2020 年榆林市三次产业比例以大致控制在 5:50:45 为宜。

　　榆林市各县(区)2010 年和 2020 年的经济规模按 2005 年占全市的份额进行分配,经济结构全市按同一比例,预测结果见表 6-1。

6.2　第一产业需水预测

　　榆林市第一产业的主体发展方向是"草、羊、枣、薯"为主的特色农牧业。第一产业需水按种植面积、灌溉定额和农业灌溉水利用系数确定。

6.2.1　农业需水预测

　　2005 年榆林市粮食产量约为 106.23 万 t,油料 4.34 万 t,蔬菜 33.51 万 t,水果 14.41 万 t,人均自产粮食 302 kg,略低于全国人均 370

kg 的水平。据榆林市有关规划,榆林市未来一个时期,耕地面积巩固
在 1 000 万亩左右,粮食综合生产能力为 100 万 t,粮食、经济作物、饲
料比例达到50∶15∶35。榆林市 2005 年实际有效灌溉面积145 万亩,其
中水田 11.2 万亩,水浇地 125.2 万亩,菜地 8.9 万亩,农业灌溉用水
47 420 万 m³,灌溉定额 327 m³/亩。根据榆林市当前的作物产量、灌溉
规模和水资源供需状况,人均粮食产量 2010 年达到 400 kg 左右,主要
靠农业生产技术水平提高实现,灌溉规模微量扩大,所需用水主要由农
业节水实现。根据榆林市水资源状况,2010 年水田、水浇地、菜地的灌
溉面积分别拟定为 10 万亩、130 万亩和 10 万亩,合计 150 万亩。

榆林市粮食以玉米、土豆、大豆、绿豆、糜谷、荞麦等秋杂粮为主,经
济作物以油料、蔬菜、西瓜、甜瓜为主,其他作物以青饲料为主。榆林全
市农林牧渔业分为两个区,定边、靖边、横山、榆阳、神木、府谷 6 县
(区)为长城沿线风沙草滩区,佳县、吴堡、米脂、绥德、子洲、清涧 6 县
为黄土丘陵沟壑区。综合考虑榆林现状农业用水(2005 年为略干旱
年,灌溉净定额 90.3 m³/亩)和种植结构调整,以春玉米为主,结合《陕
西省行业用水定额(试行)》的相关规定,确定榆林市粮食生产用水定
额(见表6-3)。其中湿润年、正常年和干旱年相应的降水频率(保证
率)分别为 25%、50% 和 75%。

表 6-3 榆林市粮食生产用水定额   (单位:m³/亩)

农业分区	年景			所含县(区)
	湿润年(降水频率25%)	正常年(降水频率50%)	干旱年(降水频率75%)	
长城沿线风沙草滩区	90	120	140	定边、靖边、横山、榆阳、神木、府谷
黄土丘陵沟壑区	70	100	140	佳县、吴堡、米脂、绥德、子洲、清涧

按《陕西省行业用水定额(试行)》规定,榆林市田间水利用系数应
达到 0.92,渠系利用系数为 0.70 ~ 0.75,灌溉水利用系数为 0.64 ~
0.69。考虑到榆林市农业用水的现状,确定 2010 年榆林市灌溉水利用

系数为 0.55。按面积定额法推算,农业灌溉需水量(毛用水量)湿润年为 24 000 万 m^3,正常年为 32 182 万 m^3,干旱年为 38 182 万 m^3,见表 6-4。

2020 年灌溉面积适当扩大,灌溉定额降低,农业用水总量保持不变。

表 6-4　榆林市 2010 年农业用水预测(灌溉水利用系数 0.55)

县 (区)	面积 (万亩)	不同年景净用水量(万 m^3)			不同年景毛用水量(万 m^3)		
		湿润年	正常年	干旱年	湿润年	正常年	干旱年
榆阳	45	4 050	5 400	6 300	7 364	9 818	11 455
神木	25	2 250	3 000	3 500	4 091	5 455	6 364
府谷	5	450	600	700	818	1 091	1 273
横山	20	1 800	2 400	2 800	3 273	4 364	5 091
靖边	20	1 800	2 400	2 800	3 273	4 364	5 091
定边	20	1 800	2 400	2 800	3 273	4 364	5 091
绥德	5	350	500	700	636	909	1 273
米脂	2	140	200	280	255	364	509
佳县	2	140	200	280	255	364	509
吴堡	2	140	200	280	255	364	509
清涧	2	140	200	280	255	364	509
子洲	2	140	200	280	255	364	509
总计	150	13 200	17 700	21 000	24 000	32 182	38 182

6.2.2　林牧渔业需水预测

根据《榆林市国民经济和社会发展第十一个五年规划纲要》,榆林市 2010 年牧草面积将达到 2 000 万亩,其中人工草地 1 000 万亩,改良天然草地 1 000 万亩;羊饲养规模达到 1 000 万只,奶牛 3 万头,肉牛 5 万头,生猪 500 万头,家禽 1 000 万只;退耕还林和封山造林 700 万亩,治理水土流失面积 5 000 km^2,林草覆盖率 45%以上,水产养殖水面 1 150.5 万 hm^2(约合 17 258 万亩)。按此规划及《陕西省行业用水定额(试行)》规定的有关定额,榆林市林、牧、渔业用水将十分庞大,远远超出榆林市水资源承载能力,必须重新核定。核定的原则如下:考虑到榆林市第一产业结构的调整,适度增加林、牧、渔业用水需求;牧草、林业按雨养能力或结合水土流失治理进行,规模要适当;渔业养殖水面的扩大靠地表水供水水源水面的扩大而增长。

林果、草场、牲畜用水及鱼塘补水按现状水平适度提高,到 2010 年,增幅控制在现状水平的 50% 之内,到 2020 年增幅不超过现状的 200%。

重新核定后,2010 年榆林市林果、草场、鱼塘、牲畜用水量将分别为 1 655 万 m³、593 万 m³、1 292 万 m³ 和 1 998 万 m³,合计 5 538 万 m³。到 2020 年,合计将需水 11 073 万 m³。榆林市各县(区)不同水平年林草渔畜需水预测见表6-5。

表6-5 榆林市各县(区)不同水平年林草渔畜需水预测(单位:万 m³)

县(区)	2010 年					2020 年				
	林果	草场	鱼塘	牲畜	合计	林果	草场	鱼塘	牲畜	合计
榆阳	405	135	184	407	1 131	810	270	369	813	2 262
神木	90	0	567	347	1 004	180	0	1 134	693	2 007
府谷	3	0	0	95	98	6	0	0	189	195
横山	542	75	437	261	1 315	1 086	150	873	525	2 634
靖边	293	351	104	268	1 016	585	702	207	537	2 031
定边	44	32	0	209	285	87	63	0	420	570
绥德	113	0	0	55	168	225	0	0	111	336
米脂	102	0	0	71	173	204	0	0	141	345
佳县	0	0	0	92	92	0	0	0	183	183
吴堡	15	0	0	14	29	30	0	0	27	57
清涧	0	0	0	65	65	0	0	0	129	129
子洲	48	0	0	114	162	96	0	0	228	324
合计	1 655	593	1 292	1 998	5 538	3 309	1 185	2 583	3 996	11 073

6.2.3 第一产业总需水

综上,2010 年水平年,第一产业湿润年、正常年和干旱年需水将分别为 29 538 万 m³、37 725 万 m³ 和 43 720 万 m³,2020 年湿润年、正常年和干旱年需水将分别为 35 073 万 m³、43 255 万 m³ 和 49 255 万 m³,详见表 6-6。

表 6-6　榆林市不同水平年第一产业总需水预测　（单位:万 m³）

县 (区)	2010 年			2020 年		
	湿润年	正常年	干旱年	湿润年	正常年	干旱年
榆阳	8 495	10 949	12 586	9 626	12 080	13 717
神木	5 095	6 459	7 368	6 098	7 462	8 371
府谷	916	1 189	1 371	1 013	1 286	1 468
横山	4 590	5 681	6 408	5 907	6 998	7 725
靖边	4 289	5 380	6 107	5 304	6 395	7 122
定边	3 558	4 649	5 376	3 843	4 934	5 661
绥德	804	1 077	1 441	972	1 245	1 609
米脂	428	537	682	600	709	854
佳县	347	456	601	438	547	692
吴堡	284	393	538	312	421	566
清涧	320	429	574	384	493	638
子洲	412	526	668	576	685	832
总计	29 538	37 725	43 720	35 073	43 255	49 255

6.3　工业需水预测

榆林市近年工业产业结构发生了很大的变化,因此在需水预测中为了避免单一方法的任意性,采用了定额法、弹性系数法、灰色系统预测法、双累积曲线、规划校核等多种方法,最后综合比较确定。

6.3.1　定额法

2010 年,榆林市第二产业增加值将达到 520 亿元,根据榆林市工业用水水平现状(2005 年万元工业增加值用水 35 m^3),第二产业万元增加值用水定为 30 m^3 较为适宜。据此推算,2010 年榆林市第二产业用水为15 600万 m^3。

到 2020 年榆林市生产总值将达到 3 200 亿元,其中第二产业增加值占50%,总量为 1 600 亿元,万元增加值用水按 20 m^3 计算(2005 年全国领先水平),需水 32 000 万 m^3。

6.3.2　弹性系数法

工业用水弹性系数是反映工业用水量随工业增加值(产值,下同)发展变化的相关数,数值上等于工业用水量增长率与工业增加值增长率之比。

令工业用水量增长率为

$$\alpha = (V_{tn}/V_{t1})^{\frac{1}{n-1}} - 1 \qquad (6\text{-}2)$$

工业增加值增长率为

$$\beta = (Z_n/Z_1)^{\frac{1}{n-1}} - 1 \qquad (6\text{-}3)$$

式中,V_{t1}、Z_1 分别为序列第一年的工业用水量及工业增加值;V_{tn}、Z_n 分别为序列末年(即预测基础年)的工业用水量及工业增加值。

工业用水弹性系数为

$$\varepsilon = \alpha/\beta \qquad (6\text{-}4)$$

根据历史资料估算弹性系数 $\bar{\varepsilon}$,利用预测的工业增加值增长率 β' 可计算工业用水量增长率 $\alpha' = \bar{\varepsilon}\beta'$,则预测期 T 年内的用水量 V_{tT} 为

$$V_{tT} = V_{tn}(1 + \alpha')^{T-n} \qquad (6\text{-}5)$$

式中,V_{tn} 为预测基础年的用水量。

榆林市 2002 ~ 2005 年逐年工业用水量、工业增加值及计算的相关

增长率和弹性系数见表6-7。

表6-7　榆林市工业及其需水分析

年份	工业增加值（亿元）	工业用水量（万 m³）	工业增加值增长率	工业用水量增长率	弹性系数
2001	46.09	5 209			
2002	60.2	5 282	0.306	0.014	0.046
2003	78.7	5 385	0.307	0.020	0.063
2004	114.94	5 290	0.460	−0.018	−0.038
2005	200.56	6 393	0.745	0.209	0.28
2010	520	8 677	0.21	0.063	0.30
2020	1 600	12 372	0.15	0.045	0.30

由表6-7可以看出,由于统计口径变化及产业结构变化等原因,2004年前后数据出入较大。同时,由于获得的资料有限,且榆林市产业结构近年发生较大变化,弹性系数法预测面临较大的困难,这里仅进行粗略框算。以2005年为预测基础年,参考2004~2005年分析成果,弹性系数取0.30,2010年工业增加值为520亿元,2020年工业增加值为1 600亿元,工业增加值增长率分别为0.21和0.15,则工业用水量增长率分别为0.063和0.045,工业用水量分别为8 677万 m³ 和12 372万 m³。

6.3.3　灰色系统预测法

灰色系统预测法基于灰色系统理论,当工业用水量资料有一定长度时,可建立工业用水量与时间的函数关系,并据此预测工业用水量。

设工业用水量序列为 $Y^{(0)} = [Y_1^{(0)}, Y_2^{(0)}, Y_3^{(0)}, \cdots, Y_t^{(0)}]$,对 $Y^{(0)}$ 系列进行累积,生成累积工业用水系列 $Y^{(1)} = [Y_1^{(1)}, Y_2^{(1)}, Y_3^{(1)}, \cdots, Y_t^{(1)}]$, $Y_t^{(1)} = \sum_{i=1}^{t} Y_i^{(0)}$。对 $Y^{(1)}$ 系列求均值 $Z_t^{(1)} = \frac{1}{2}[Y_t^{(1)} + Y_{t-1}^{(1)}]$,生成 $Z_i^{(1)}$ 系

列, $i = 2, 3, \cdots, t$。根据灰色理论, 可建立预测年份的累积工业需水量系列:

$$\overline{Y}_t^{(1)} = \left[Y_1^{(1)} - \frac{b}{a} \right] e^{-a(t-1)} + \frac{b}{a} \tag{6-6}$$

式中, $Y_1^{(1)}$ 为预测起始年的城市需水量; a, b 为参数, 用最小二乘法求得。

榆林市 2001 ~ 2005 年工业用水量、累积工业用水量及其均值见表 6-8。利用最小二乘法求得式 (6-6) 参数 $a = -0.060\,051, b = 4\,627.93$。以 2001 年为预测起始年, 则工业需水量预测函数为

$$\overline{Y}_t^{(1)} = \left[Y_1^{(1)} - \frac{b}{a} \right] e^{-a(t-1)} + \frac{b}{a} = 82\,275.58 e^{0.060\,051(t-1)} - 77\,066.58 \tag{6-7}$$

式中, t 为自 2001 年起年数, 2001 年 $t = 1$, 2002 年 $t = 2$, 依次类推。

利用式 (6-7) 拟合 2001 ~ 2005 年的工业用水量, 进而预测出 2010 年工业用水量为 8 233 万 m^3, 2020 年为 15 008 万 m^3, 见表 6-8。

6.3.4 双累积预测法

6.3.4.1 双累积预测法步骤

借用水文学传统的双累积法的思想, 本书提出双累积预测法, 该方法步骤如下:

(1) 对工业增加值序列 Z_i 和工业用水量序列 V_i, 分别进行累加, 得到累积工业增加值序列 $Z_i^{(1)}$ 和累积工业用水量序列 $V_i^{(1)}$ ($i = 1, 2, \cdots, n$), n 为资料系列长度。

(2) 建立 $Z_i^{(1)}$ 和 $V_i^{(1)}$ 之间的关系, 一般为线性或折线关系。

(3) 利用有关方法预测规划水平年的工业增加值。

(4) 建立工业增加值随时间变化的关系, 并利用建立的拟合关系插补未来逐年的工业增加值, 将累积工业增加值序列 $Z_i^{(1)}$ 延长至规划水平年 N。

(5) 利用得到的 $Z_i^{(1)}$ ($i = n + 1, n + 2, \cdots, N$) 和步骤 (2) 建立的关系, 得到 $n + 1$ 到 N 年的累积工业用水 $V_i^{(1)}$。

表 6-8　榆林市 2001~2020 年工业用水量、累积工业用水量及其均值

（单位：万 m^3）

序号	年份	工业用水量	累积工业用水量	累积工业用水量均值	模拟累积工业用水量
1	2001	5 209	5 209		5 209
2	2002	5 282	10 491	7 850	10 301
3	2003	5 385	15 876	13 184	15 708
4	2004	5 290	21 166	18 521	21 450
5	2005	6 393	27 559	24 363	27 548
6	2006	6 475			34 022
7	2007	6 875			40 898
8	2008	7 301			48 198
9	2009	7 753			55 951
10	2010	8 233			64 184
11	2011	8 742			72 926
12	2012	9 283			82 209
13	2013	9 858			92 067
14	2014	10 468			102 534
15	2015	11 116			113 650
16	2016	11 804			125 454
17	2017	12 534			137 988
18	2018	13 310			151 298
19	2019	14 134			165 431
20	2020	15 008			180 440

（6）反演累积工业用水量系列 $V_i^{(1)}$（$i = n+1, n+2, \cdots, N$）系列可得到未来逐年的工业用水量 V_i。

双累积法的优点是稳健性较好,受个别年份资料波动的干扰较小,能反映长期变化趋势和关系的系统性变异与转折,但缺点是要求的资料系列相对较长。同时,该方法是本书首次在需水预测中采用,需进一步检验。

6.3.4.2　预测榆林市工业用水量的过程

利用该方法预测榆林市工业用水量的过程如下:

(1)统计有历史资料年份的工业增加值、累积工业增加值、工业用水量、累积工业用水量系列。榆林市 2001~2005 年工业增加值、累积工业增加值、工业用水量、累积工业用水量系列见表6-9。

表6-9　利用双累积法预测榆林市工业用水量、工业增加值及其累积

(单位:增加值,万元;用水量,万 m³)

序号	年份	工业增加值	拟合工业增加值	累积工业增加值	工业用水量	累积工业用水量
1	2001	46.09	29.00	46.09	5 209	5 209
2	2002	60.2	59.31	106.29	5 282	10 491
3	2003	78.7	95.44	184.99	5 385	15 876
4	2004	114.94	137.40	299.93	5 290	21 166
5	2005	199.84	185.20	499.77	6 393	27 559

序号	年份	预测工业增加值	拟合工业增加值	拟合累积工业增加值	预测工业用水量	计算累积工业用水量
6	2006		238.82	738.59	10 057	38 390
7	2007		298.28	1 036.87	12 561	50 951
8	2008		363.57	1 400.44	15 310	66 260
9	2009		434.68	1 835.12	18 304	84 565
10	2010	520	511.63	2 346.75	21 545	106 109
11	2011		594.41	2 941.16	25 030	131 140
12	2012		683.01	3 624.17	28 762	159 902

续表6-9

序号	年份	工业增加值	拟合工业增加值	累积工业增加值	工业用水量	累积工业用水量
13	2013		777.45	4 401.62	32 738	192 640
14	2014		777.45	5 179.07	32 738	225 379
15	2015		983.82	6 162.89	41 429	266 807
16	2016		1 095.75	7 258.64	46 142	312 949
17	2017		1 213.51	8 472.15	51 101	364 050
18	2018		1 337.10	9 809.24	56 305	420 355
19	2019		1 466.52	11 275.76	61 755	482 110
20	2020	1 600	1 601.77	12 877.53	67 450	549 561

(2)点绘2001～2005年累积工业增加值(X)和累积工业用水量(Y)关系,见图6-1。由于点据较少,简单拟合为线性关系:

$$Y = 42.0X + 7\ 303.3 \tag{6-8}$$

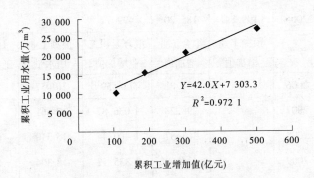

图6-1 榆林市2001～2005年累积工业增加值和
累积工业用水量关系

(3)利用历史(2001～2005年)和预测(2010年和2020年)的工业

增加值建立工业增加值随时间变化的关系。为方便起见,设定起始年
2001 年为第一年,2002 年为第二年,以下类推,则榆林市工业增加值随
时间变化(含实际值和预测值)的关系见图 6-2,用公式可表示为

$$Y = 2.9152X^2 + 21.558X + 4.5288 \qquad (6\text{-}9)$$

式中,X 为自 2001 年起的年数;Y 为该年工业增加值。

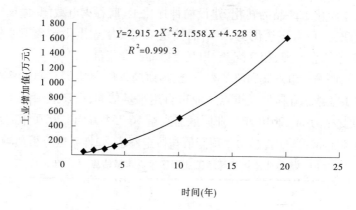

图 6-2　榆林市工业增加值随时间变化趋势

(4)利用式(6-9)进行拟合计算,得出逐年工业增加值及累积值。

(5)利用式(6-8)计算逐年累积工业用水量,并反算预测工业用水
量。

利用双累积法预测 2010 年榆林市工业用水量为 21 545 万 m³,
2020 年为 67 450 万 m³。计算中间过程及结果见表 6-9。

6.3.5　规划校核法

规划校核法是本书提出的另一种需水预测方法。如果有未来情景
的产业发展规划(设计、计划),可按规划生产规模和具体定额预测产
业需水量。该法的核心是对行业需水量进行校核。由于产业规划涉及
较长的建设周期,受国家产业政策变化、资金保证程度及规划时技术水
平等影响较大,加上规划采用安全性原则,总体上需水量可能偏大,需
对照国家最新产业政策的要求进行核减。

6.3.5.1　能源化工基地规划需水量

丰富的煤、气、油、盐等优势矿产资源是榆林市未来一个时期经济社会发展的最大优势和基本支撑。按照有关规划,榆林市将按照新型工业化的要求,着力打造具有国际竞争力的国家能源化工基地,加快神府、榆林两大经济开发区建设,积极推进煤向电、煤电向材料工业品、煤油气盐向化工产品的转化,建设榆神煤化工、府谷火电载能、榆横煤化工及载能、鱼米绥盐化工、定靖油气化工和吴堡煤焦化 6 个工业集中区,形成综合开发、相互配套、相互支撑的产业集群。

根据榆林市发展和改革委员会、招商局 2005 年 8 月汇总的榆林能源化工基地工业园区及重点产业项目用水量估算,已建成项目年需水量 11 999 万 m^3,2010 年工业园区需水量 56 754 万 m^3,2020 年需水量 83 574万 m^3,详见表6-10。预测值与按定额法、弹性系数分析预测法、

表6-10　榆林能源化工基地工业园区年需水量估算　　（单位:万 m^3）

项目名称	年需水量						
	已建成	在建	"十一五"内实施	2010～2020 年续建	2005 年	2010 年	2020 年
府谷火电载能区	100	1 094	1 300	4 440	100	2 494	6 934
榆神煤化工区	2 129	3 565	20 273	11 100	2 129	25 967	37 067
榆横煤化工及载能区		1 997	7 760	5 480		9 757	15 237
鱼米绥盐化工区	50	726	4 820	2 800	50	5 596	8 396
定靖油气化工区	920		720		920	1 640	1 640
吴堡矿区			500			500	500
单列小火电	800				800	800	800
单列煤矿	8 000		2 000	3 000	8 000	10 000	13 000
合计	11 999	7 382	37 373	26 820	11 999	56 754	83 574

双累积法等推算的工业需水量差异甚大,已建成项目需水量与 2005 年工业用水量(6 393 万 m^3)差距亦较大。

(1)府谷火电载能区:该区以府谷县城为依托,沿黄河呈扇形展布,上至清水川,下至沿黄的段寨、阴塔等地。

据估算,府谷火电载能区已建成项目年需水量 100 万 m^3,在建项目年需水量 1 094 万 m^3,"十一五"期间建设项目年需水量 1 300 万 m^3,2010~2020 年建设项目年需水量 4 440 万 m^3,即 2010 年工业区年需水量 2 494 万 m^3,到 2020 年需水量增加至 6 934 万 m^3。

(2)榆神煤化工区:榆神煤化工区地域上包括神木锦界工业园区、大保当、孙家岔及榆阳区金鸡镇等。

据估算,榆神煤化工区已建成项目年需水量 2 129 万 m^3,在建项目年需水量 3 565 万 m^3,"十一五"开工并基本完成项目年需水量 20 273 万 m^3,2020 年前完工项目年需水量 11 100 万 m^3,即 2010 年该区需水量 25 967 万 m^3,2020 年需水量 37 067 万 m^3。

(3)榆横煤化工及载能区:榆横煤化工基地位于榆阳横山一带。据估算,该区在建项目年需水量 1 997 万 m^3,"十一五"实施项目年需水量 7 760 万 m^3,即 2010 年该区需水量 9 757 万 m^3。2010~2020 年内实施项目年需水量 5 480 万 m^3,2020 年需水量 15 237 万 m^3。

(4)鱼米绥盐化工区:该区地处无定河中游,由鱼河、镇川、米脂 3 个工业园区和绥德部分区域构成,主要为盐化工工业。

据估算,该区已建项目年需水量 50 万 m^3,在建项目年需水量 726 万 m^3,"十一五"实施的项目年需水量 4 820 万 m^3,2010~2020 年间实施项目年需水量 2 800 万 m^3,即 2010 年需水量 5 596 万 m^3,2020 年需水量 8 396 万 m^3。

(5)定靖油气化工区:定靖油气化工区位于定边、靖边、横山、子洲一带。据估算,定靖油气化工区已建成项目年需水量 920 万 m^3,"十一五"期间实施项目年需水量 720 万 m^3,即 2010 年需水量 1 640 万 m^3。

(6)吴堡矿区:吴堡矿区"十一五"期间实施吴堡煤炭转化项目(年产冶金焦 200 万 t,配套建设环保型化工厂和自备电厂),年需水量 500 万 m^3。

(7)单列小火电:榆林市已建成的单列小火电总规模为 400 MW,年需水量 800 万 m³。

(8)单列煤矿:榆林市已建成单列煤矿年需水量 8 000 万 m³,"十一五"实施项目年需水量 2 000 万 m³,2010～2020 年实施项目年需水量 3 000 万 m³,即 2010 年煤矿项目需水量 10 000 万 m³,2020 年需水量 13 000 万 m³。

6.3.5.2　能源化工行业需水量分析核减

能源化工行业需水量分析核减的原则是基本保持生产能力不变,用水定额低于陕西省定额的原则不变,高于陕西省定额的按陕西省定额执行。同时,国家规定的淘汰产品和落后工艺不考虑供水指标,部分行业根据榆林市的实际水平按《中国节水城市 2010 年规划》要求的定额执行。其中小火电(含自备电厂)应按国务院〔国发 2007〕20 号《国务院批转发展改革委、能源办关于加快关停小火电机组若干意见的通知》规定,采取关停、改造等措施。其余单位装机用水量定额按空冷机组标准执行,取 0. 17 m³/(sGW)。

分析核减后,榆林市工业园区各行业现状(2005 年)总需水量 9 333 m³,2010 年需水量 50 752 万 m³,2020 年需水量 76 492 万 m³(见表 6-11)。榆林市工业园区 2010 年耗水量排在前五位的是煤制甲醇、煤、综合化工、火电、聚氯乙烯,占全部园区用水量的 80%。2020 年耗水量排在前五位的是煤制甲醇、综合化工、火电、煤、煤间接液化,占全部园区用水量的 75%。

6.3.6　工业需水量预测成果确定

以不同方法预测的工业需水量见表 6-12。

从表 6-12 中可以看出,以不同方法预测的工业需水量差距较大,原因分析如下:

(1)榆林市当前及今后一个时期产业结构发生较大变化,能源化工基地建设急速推进,各种预测方法均难以反映这种结构上的急剧变化,这是预测成果与能源化工基地需水量统计相比较小的根本原因。

(2)各种预测方法所依据的资料系列太短,各种关系确定时受单

表6-11　核减后工业园区各工业行业规模及需水量

（单位：规模除火电为 MW 外，其余均为万 t/a；需水量为万 m³/a；定额除火电为 m³/(sGW)，其余均为 m³/t）

行业	现状			在建			"十一五"实施			2010~2020年实施			2010年			2020年		
	规模	需水量	定额	规模	需水量	定额	规模	需水量	定额	规模	需水量	定额	规模	需水量	定额	规模	需水量	定额
火电	470	1 000	0.91	4 300	2 332	0.23	5 400	2 280	0.18	13 800	5 640	0.17	10 170	5 612	0.24	23 970	11 252	0.20
煤制甲醇	63	805	12.8	100	1 925	19.3	815	12 985	15.9	170	900	5.3	978	15 715	16.1	1 148	16 615	14.5
聚氯乙烯	5	158	31.6	25	847	33.9	140	4 200	30.0				170	5 205	30.6	170	5 205	30.6
原油	410	600	1.5				390	585	1.5				800	1 185	1.5	800	1 185	1.5
炼油	150	220	1.5				300	135	0.5				450	355	0.8	450	355	0.8
煤间接液化							100	1 780	17.8	500	5 000	10	100	1 780	17.8	600	6 780	11.3
煤制油							300	3 000	10	300	3 000	10	300	3 000	10	600	6 000	10
纯碱							30	1 200	40	70	2 000	28.6	30	1 200	40	100	3 200	32
工业盐							60	200	3	180	500	2.8	60	200	3	240	700	2.9
真空盐	8	50	6.3				10	120	12	90	300	3.3	18	170	9.4	108	470	4.4
醋酸							20	137	7				20	137	6.9	20	137	6.9
聚甲醛							2	66	33				2	66	33	2	66	33
氯酸钠							10	100	10				10	100	10	10	100	10

续表6-11

行业	现状 规模	现状 需水量	现状 定额	在建 规模	在建 需水量	在建 定额	"十一五"实施 规模	"十一五"实施 需水量	"十一五"实施 定额	2010~2020年实施 规模	2010~2020年实施 需水量	2010~2020年实施 定额	2010年 规模	2010年 需水量	2010年 定额	2020年 规模	2020年 需水量	2020年 定额
啤酒							10	100	10				10	100	10	10	100	10
1,4-丁二醇							2.5	85	34				2.5	85	34	2.5	85	34
综合化工								6 000			6 000			6 000			12 000	
煤焦化							200	500					200	500	2.5	200	500	2.5
煤焦油处理				50	80								50	80	1.6	50	80	1.6
浮法玻璃				14.6	62								14.6	62	4.2	14.6	62	4.2
电解铝							50	1 100	22				50	1 100	22	50	1 100	22
煤		6 400						1 600			2 400			8 000			10 400	
天然气净化		100												100			100	
合计	需水量	9 333		需水量	5 246		需水量	36 173		需水量	25 740		需水量	50 752		需水量	76 492	
配套火电	0	已考虑		270	已考虑		2 400	已考虑		0	已考虑		2 670	已考虑		2 670	已考虑	
配套煤矿	0	已考虑		1 200	已考虑		5 140	已考虑		960	已考虑		6 340	已考虑		7 300	已考虑	

表 6-12　不同方法榆林工业需水量预测　　（单位:万 m^3）

水平年	定额法	弹性 系数法	灰色系统 预测法	双累积 预测法	规划 校核法	采用值
2005 年	6 393	6 393	6 393	6 393	9 333	
2010 年	15 600	8 677	8 233	21 545	50 752	29 299
2020 年	32 000	12 372	15 008	67 450	76 492	58 647

个资料精度的影响太大。其中 2003 年工业用水量的波动造成的干扰太大,使弹性系数法、灰色系统预测法等预测方法失去意义。

(3)资料失真较为严重。榆林市发展和改革委员会、招商局统计的能源化工基地 2005 年需水量为 11 999 万 m^3,但当年全部工业用水量统计值为 6 393 万 m^3。虽然 2005 年为略偏枯年份,需水与供水间有一定矛盾,但由于工业用水保障率一般较高,缺口不应太大。工业用水量资料的问题是万元工业增加值用水量(32 m^3)与工业用水重复利用率(16%)之间矛盾太大,一个水平较高,另一个水平较低。统计的能源化工基地需水量来自项目的建议书或可行性研究、设计等文件,受时间及设计思想(偏安全)影响,其数值偏高。

工业需水量预测确定的原则是:

(1)单位增加值用水定额是考核节水型社会建设的核心指标之一,应作为预测的基础。但增加值的预测带有较大的不确定性,远期预测的可信度有限。

(2)分析核减后的能源化工基地用水量反映工业用水量的结构性变化,应作为重要参考。但能源化工基地需水量预测受项目建设周期、国家产业政策变化、资金保证程度及设计时生产水平等影响较大,亦有不确定性,总体上可能偏大。

(3)从双累积法预测的趋势图看,其成果有一定可信度,可参与成果综合。

(4)弹性系数法、灰色系统预测法受资料系列影响太大,预测结果可信度较低,不参与成果综合。

工业用水量预测的最终成果采用定额法、双累积法和规划校核法的平均值,即 2010 年需水量为 29 299 万 m^3 ,2020 年需水量为 58 647 万 m^3 。

假定 2005 年的经济结构和分布基本反映了榆林未来的情况,各县(区)工业需水量按其 2005 年工业用水量占全市工业用水量的比例分配,工业需水预测见表 6-13。

表 6-13　榆林市各县(区)工业需水预测　　　　（单位:万 m^3 ）

县(区)	榆阳	神木	府谷	横山	靖边	定边	绥德	米脂	佳县	吴堡	清涧	子洲	总计
2010 年	8 529	10 279	3 731	2 255	1 856	1 558	201	162	87	197	284	162	29 299
2020 年	17 049	20 548	7 457	4 508	3 711	3 115	403	321	174	394	568	399	58 647

6.4　城乡生活及其他需水预测

6.4.1　城乡生活需水预测

按《陕西省行业用水定额(试行)》规定,陕北城市居民生活用水定额取为 95 L/(人·d),陕北农村取为 50 L/(人·d),分别约折合为 34.66 m^3/(人·a)和 18.28 m^3/(人·a)。

按榆林市 2010 年城镇、农村人口分别为 145 万人和 217 万人计算,城乡生活需水量分别为 5 025 万 m^3 和 3 967 万 m^3 ,合计 8 992 万 m^3 。

2020 年榆林市城镇、农村人口将分别为 262 万人和 123 万人,生活需水量分别为 9 069 万 m^3 和 2 247 万 m^3 ,合计 11 316 万 m^3 。

榆林市城乡生活需水预测见表 6-14。

6.4.2　城镇和农村公共需水预测

城镇公共需水包括绿地灌溉需水、道路喷洒需水等。榆林市 2005 年城镇公共需水量 214 万 m^3 ,未来用水量按现状水平适度提高,

表 6-14　榆林市城乡生活需水预测　　（单位:万 m³）

县(区)	2010 年			2020 年		
	城镇	农村	合计	城镇	农村	合计
榆阳	633	500	1 133	1 143	283	1 426
神木	546	431	977	986	244	1 230
府谷	323	256	579	584	145	729
横山	482	381	863	870	216	1 086
靖边	417	329	746	752	186	938
定边	459	362	821	828	205	1 033
绥德	523	414	937	945	234	1 179
米脂	338	267	605	610	151	761
佳县	387	306	693	700	173	873
吴堡	122	96	218	221	54	275
清涧	320	253	573	578	143	721
子洲	475	372	847	852	213	1 065
总计	5 025	3 967	8 992	9 069	2 247	11 316

到 2010 年,增幅控制在现状水平的 50% 之内,不足 10 万 m³ 的县(区)补足到 10 万 m³。到 2020 年增幅不超过现状的 200%,不足 20 万 m³ 的县(区)补足到 20 万 m³。2010 年和 2020 年城镇公共需水量将分别达到 383 万 m³ 和 765 万 m³。城镇公共用水要尽量采用雨水和中水。

榆林市用水现状没有农村生态环境用水项,考虑到新农村建设和城镇化进程,2010 年和 2020 年各县(区)将分别增列 10 万 m³ 和 20 万 m³ 的农村生态环境用水,合计分别为 120 万 m³ 和 240 万 m³。榆林市城乡生活等需水预测见表 6-15。

表 6-15　榆林市城乡生活等需水预测　　（单位: 万 m³）

县 (区)	2010 年							2020 年						
	生活	城镇环境	农村环境	建筑	服务	合计	考虑管网	生活	城镇环境	农村环境	建筑	服务	合计	考虑管网
榆阳	1 133	144	10	75	70	1 432	1 532	1 426	288	20	75	175	1 984	2 122
神木	977	129	10	70	50	1 236	1 323	1 230	258	20	70	125	1 703	1 822
府谷	579	20	10	16	36	661	708	729	39	20	16	90	894	957
横山	863	10	10	8	10	901	964	1 086	20	20	8	25	1 159	1 241
靖边	746	10	10	30	52	848	907	938	20	20	30	130	1 138	1 218
定边	821	10	10	20	30	891	953	1 033	20	20	20	75	1 168	1 250
绥德	937	10	10	9	12	978	1 047	1 179	20	20	9	30	1 258	1 347
米脂	605	10	10	7	8	640	685	761	20	20	7	20	828	886
佳县	693	10	10	3	4	720	771	873	20	20	3	10	926	991
吴堡	218	10	10	0	4	242	259	275	20	20	0	10	325	347
清涧	573	10	10	0	28	621	664	721	20	20	0	70	831	889
子洲	847	10	10	2	2	871	931	1 065	20	20	2	5	1 112	1 189
总计	8 992	383	120	240	306	10 041	10 744	11 316	765	240	240	765	13 326	14 259

6.4.3　建筑业和服务业需水预测

2005 年榆林市建筑业用水量为 240 万 m³, 未来维持不变, 见表 6-15。

2005 年榆林市服务业用水量为 153 万 m³。根据产业结构调整方向, 第三产业比例应加大, 服务业用水量也要加大, 2010 年榆林市服务业需水量按现状的 2 倍考虑, 到 2020 年按现状的 5 倍考虑, 2010 年和 2020 年服务业需水量将分别为 306 万 m³ 和 765 万 m³, 见表 6-15。

6.4.4　小计

预测 2010 年和 2020 年榆林市城乡居民生活、城乡环境、服务业及建筑业需水量合计分别为 10 041 万 m³ 和 13 326 万 m³, 供水管网损失按 7% 计算, 则需水量分别为 10 744 万 m³ 和 14 259 万 m³, 详见表 6-15。

6.5　总需水预测

榆林市总需水预测见表 6-16。2010 年湿润年、正常年和干旱年总需水量分别将为 69 581 万 m³、77 763 万 m³ 和 83 763 万 m³。2020 年湿润年、正常年和干旱年总需水量将分别为 107 899 万 m³、116 081 万 m³ 和 122 081 万 m³。

表 6-16　榆林市总需水预测　　　　（单位：万 m³）

县（区）	2010 年			2020 年		
	湿润年	正常年	干旱年	湿润年	正常年	干旱年
榆阳	18 556	21 010	22 647	28 797	31 251	32 888
神木	16 697	18 061	18 970	28 468	29 832	30 741
府谷	5 355	5 628	5 810	9 427	9 700	9 882
横山	7 809	8 900	9 627	11 656	12 747	13 474
靖边	7 052	8 143	8 870	10 233	11 324	12 051
定边	6 069	7 160	7 887	8 208	9 299	10 026
绥德	2 052	2 325	2 689	2 722	2 995	3 359
米脂	1 273	1 382	1 527	1 807	1 916	2 061
佳县	1 205	1 314	1 459	1 603	1 712	1 857
吴堡	740	849	994	1 053	1 162	1 307
清涧	1 268	1 377	1 522	1 841	1 950	2 095
子洲	1 505	1 614	1 761	2 084	2 193	2 340
总计	69 581	77 763	83 763	107 899	116 081	122 081

榆林市规划水平年正常年景部门需水预测见表6-17。其中农业用水含农、林、牧、渔各业;生活用水含生活、环境、建筑业和服务业用水。2010年农业、工业、生活用水大致比例将为48:38:14,2020年将为37:50:13。

表6-17　榆林市正常年景部门需水预测　　（单位:万 m³）

县 (区)	2010 年				2020 年			
	农业	工业	生活	合计	农业	工业	生活	合计
榆阳	10 949	8 529	1 532	21 010	12 080	17 049	2 122	31 251
神木	6 459	10 279	1 323	18 061	7 462	20 548	1 822	29 832
府谷	1 189	3 731	708	5 628	1 286	7 457	957	9 700
横山	5 681	2 255	964	8 900	6 998	4 508	1 241	12 747
靖边	5 380	1 856	907	8 143	6 395	3 711	1 218	11 324
定边	4 649	1 558	953	7 160	4 934	3 115	1 250	9 299
绥德	1 077	201	1 047	2 325	1 245	403	1 347	2 995
米脂	537	160	685	1 382	709	321	886	1 916
佳县	456	87	771	1 314	547	174	991	1 712
吴堡	393	197	259	849	421	394	347	1 162
清涧	429	284	664	1 377	493	568	889	1 950
子洲	521	162	931	1 614	685	319	1 189	2 193
总计	37 720	29 299	10 744	77 763	43 255	58 567	14 259	116 081

榆林市规划水平年正常年景经济发展及其需水分析见表6-18。可以看出,2010年万元GDP和万元工业(第二产业)增加值需水量均偏高。在实际中应把好建设项目水资源论证和取水许可的关口,把相关项目需水定额降低到合适的水平。

表6-18　榆林规划水平年正常年景经济发展及其需水分析

县(区)	2010年						2020年					
	人口(万人)	GDP(亿元)	工业增加值(亿元)	人均GDP(元/人)	万元GDP用水量(万m³)	万元工业增加值用水量(万m³)	人口(万人)	GDP(亿元)	工业增加值(亿元)	人均GDP(元/人)	万元GDP用水量(万m³)	万元工业增加值用水量(万m³)
榆阳	46	122	56	26 522	172	153	48	487	171	101 458	64	99
神木	39	209	115	53 590	86	89	42	835	354	198 810	36	58
府谷	23	52	29	22 609	108	128	25	210	90	84 000	46	83
横山	35	37	22	10 571	241	94	37	149	74	40 270	86	61
靖边	30	235	231	78 333	35	8	32	940	710	293 750	12	5
定边	33	72	55	21 818	99	28	35	288	169	82 286	32	18
绥德	38	19	2	5 000	122	105	40	77	6	19 250	39	68
米脂	24	14	3	5 833	99	59	26	56	8	21 538	34	39
佳县	28	10	1	3 571	131	130	30	41	2	13 667	42	84
吴堡	9	6	1	6 667	142	199	9	24	3	26 667	48	130
清涧	23	11	3	4 783	125	111	25	45	8	18 000	43	72
子洲	34	13	2	3 824	135	101	36	48	5	13 333	46	66
总计	362	800	520	22 099	97	56	385	3 200	1 600	83 117	36	37

第 7 章　榆林 WSS 架构设计

7.1　目标分析

榆林市节水型社会建设应以水权水市场理论为基础,以提高水资源的利用效率和效益为目标,以制度建设为核心,建立与用水指标控制相适应的水资源管理体系、与区域水资源和水环境承载力相适应的经济结构体系,以及与水资源优化配置相适应的水利工程体系,以农业节水为突破口,逐步实现节水生产和清洁生产,组织好能源化工基地需水的供应保障工作,增强公众节水意识,形成健康文明、节约用水的消费方式。

榆林市节水型社会建设分近期和远期两个阶段,近期(2010 年)以制度建设、农业和工业节水及水资源配置与保护工程为重点,明晰初始产权分配,推动水权转换和交易;远期(2020 年)全面建成与小康社会相适应的节水型社会,在全社会树立节约用水观念,节水达到先进水平,水权交易等节水管理体制、运行机制和监督保障体系形成,节水型社会建设取得突破性成效。

榆林市节水型社会建设指标体系见表 7-1。

表 7-1　榆林市节水型社会建设指标体系

指标	现状值	2010 年目标值	国家"十一五"目标	2020 年目标值
自产水资源总量(亿 m³)	32.29	32.29		32.29
总需水量(正常年景)(亿 m³)	6.331 7	9.189 8		12.945 8
水资源开发利用程度	0.2	0.3		0.4
三产用水比例	81∶10∶9	52∶35∶13		49∶41∶10

续表 7-1

指标	现状值	2010 年目标值	国家"十一五"目标	2020 年目标值
万元 GDP 用水量（m³）	198	比 2005 年降低 40%以上	比 2005 年降低 20%以上	40
农业用水比例（%）	81	52		49
灌溉水综合利用系数	0.32	0.65	0.5	0.65
工业用水重复利用率（%）	16[1]	60		70
农业综合毛定额（m³/亩）	326	280		280
万元工业增加值用水量（m³）	32[1]	62[2]	<115	33[2]
基本生态用水保证率（%）	—	75		100
地下水超采率（%）	—	10		0
计划用水率（%）	80	90		>95
管网漏失率（%）	18	7	<15	<7
节水器具普及率（%）	100	100	全面推广	100
饮用水达标人口比例（%）	—	80		100
排污达标率（%）	—	80		95
水功能区达标率（%）	—	70		100
排污控制率（%）	—	80		>95
污水处理率（%）	—	50		95
不符合产业政策企业关停率（%）	—	80		100
再生水利用率（%）			达到污水处理量的 20%	
年减少需水量（亿 m³）		-0.55[3]	690	-0.44[3]

注：①工业用水重复利用率与万元工业增加值用水量之间的矛盾较为突出，怀疑统计数据
　　不全面或有误。

　　②由各种方法综合得出。

　　③根据水资源年景、水资源开发利用程度及榆林市经济社会发展要求得出。

7.2　产业结构调整分析

7.2.1　战略定位

产业结构调整是"以水定产"方针实现的根本途径。榆林市属水资源重度缺乏地区,在经济社会发展方面必须贯彻"以水定产"和"以供定需"的战略方针,按水资源承载力和水环境承载力确定经济社会发展目标,调整产业结构,实现以水资源的可持续利用支撑经济社会的可持续发展。

榆林市节水型社会建设框架下经济结构调整包括农业土地用途调整、种植结构调整、工业发展方向制定和第三产业发展趋势引导。

7.2.2　第一产业

榆林市属严重缺水地区,粮食生产原则上以自给自足为基本约束,除经济作物和特色农产品外,不考虑农产品的输出,降低直至消除"虚拟水"的出境,粮食综合生产能力保持在 100 万 t 左右。人口净增长、退耕还林、退耕还牧及城镇化建设、农业人口转化等所产生的粮食需求,主要通过节水、提高粮食生产技术水平等弥补,原则上不增加灌溉用水总量。

要形成以制种玉米、优质小杂粮、薯类、畜、桑为主的特色农产品基地。重点打造陕北羊子、沙源薯业、巨鹰滩枣、大明绿豆、大漠蔬菜、三边荞麦、陕北杂粮和子洲黄芪等八大品牌,提高榆林品牌的特色农牧产品市场占有率。粮、经、饲结构比例达到 50∶15∶35。

要发展雨养农业、林业、牧业。限制水稻种植和渔塘补水规模扩大。风沙草滩区大力发展节水型基本农田,形成以粮食、无公害蔬菜、畜产品为主的现代农业生产基地。

7.2.3　第二产业

坚持科学、合理、持续的开发方针,按照新型工业化的要求,打造具有国际竞争力的国家能源化工基地,坚持以科技为支撑,提高资源的转化利用率,构建煤电及材料工业、煤化工、煤制油、煤油气盐化工产品四大产业链,并注重配套产业的培育,走循环经济之路。资源的开发转化加工不能以浪费资源和破坏环境为代价,必须关停严重浪费水资源、污染水环境的企业,发展清洁生产,创建绿色工业园区,走绿色工业发展之路。

围绕建设国家能源化工基地的目标,加快神府、榆林两大经济开发区建设,积极推进煤向电、煤电向材料工业品、煤油气盐向化工产品的转化,加快发展煤、油气、盐、电、化工五大支柱产业,建设榆神煤电化、府谷火电载能、榆横煤化工及形成综合开发、相互配套、相互支撑的产业集群。

煤矿建设以保障煤化工转化为主,实行有限开发。"十一五"期间,全市煤炭产量控制在 1.5 亿 t 左右,建成我国重要的煤炭生产转化基地。提高天然气生产净化能力,满足地方工业和居民生活用气需要,到 2010 年天然气产量达到 120 亿 m^3,原油产量达到 800 万 t,原油加工能力达到 300 万 t。扩大勘探盐与开发,提高生产和转化能力。到 2010 年,盐的生产能力达到 200 万 t。加快"西电东送"火电基地建设,重点建设神木锦界、府谷庙沟门、清水川等一批骨干电厂,到 2010 年,形成 800 万 kW 火电装机容量;利用煤电优势发展载能工业,形成 500 万 t 载能产品的生产能力。以煤转化为突破口,吸纳和利用世界先进技术和工艺,重点发展煤制油、煤制甲醇、煤制烯烃等基础性化工工业,同时将煤、气、盐等优势资源进行科学组合,发展精细化工生产,在榆神工业区建设煤制烯烃和煤制油等项目;在榆横工业区建设煤制甲醇及甲醇制烯烃等项目;在鱼米绥工业区建设真空盐、醋酸、烧碱、氯酸钠、聚氯乙烯等;在吴堡工业区建设冶金焦和煤焦油加工项目。到 2010 年,力争形成 400 万 t 煤制油、600 万 t 甲醇、80 万 t 聚氯乙烯、50 万 t 煤焦油的加工生产能力。

充分利用榆林市传统工业发展的资源优势,注重发挥传统品牌效益,以更新产品、提高质量、降低耗水、提升效率、减少水污染为取向,对传统产业进行改造,提升传统产业产品竞争力。食品工业重点发展果蔬加工、乳制品、肉制品、豆制品、薯制品等特色资源加工,提高产品档次,扩大生产规模。纺织工业以重整毛纺厂和羊绒加工厂为龙头的毛纺行业为基础,力争实现毛纺行业的复兴。建材工业依托循环经济产业链,着重发展大规模新型干法水泥及水泥制品、卫生建筑陶瓷、浮法玻璃、玻璃纤维,积极发展新型节能建筑材料。轻工业以工艺美术、皮革、包装装潢等为重点,强化产品开发,扩大产业规模。

促进循环生产,推动产业循环式组合,走出一条低投入、低消耗、低排放和高效率的可持续发展路子。建立以生态工业为主体、生态农业为基础、生态服务业为纽带、生态环境保护为重点、生态城市为中心的五大循环经济体系,发展一批清洁生产企业。

到 2010 年,建成榆林、神木、绥德、靖边和工业园区的污水处理厂。工业用水重复利用率提高到 80%。必须按国家规定淘汰落后生产设备,关停转并工艺落后、高耗水、低产出的产业项目。

7.2.4　第三产业

以市场化、产业化、社会化为方向,以增加供给、优化结构、拓宽领域、提高质量和扩大就业为目标,改造提升传统服务业,培育壮大现代服务业,全面提高服务业整体水平。到 2010 年,基本建立起结构合理、辐射面广、较为发达的现代物流、市场中介、房地产、社区服务、区域性金融服务、现代市场体系建设、劳动力市场体系建设等服务业构架,服务业的产业化、专业化、信息化水平明显提高,形成自我发展的良好机制。

7.3　水资源合理配置

7.3.1　区域水资源可开发利用程度分析

榆林市当前的水资源开发利用程度已达 19.6%,未来不同年景需水量及其占榆林市自产水资源总量(32.29 亿 m³)的比例见表 7-2。考虑到榆林市特殊的自然地理环境,榆林本地自产水资源的开发利用程度总体上不能突破水资源总量的40%,即12.92亿 m³。适度引用客水可控制本地自产水资源的开发利用规模,使其不越过40%的界限,最好控制不超过30%,以改善当地生态环境。

表 7-2 榆林市需水量及其占自产水资源总量的比例

水平年	现状	2010 年			2020 年		
		湿润年	正常年	干旱年	湿润年	正常年	干旱年
需水量(万 m³)	63 317	69 581	77 763	83 763	107 899	116 081	122 081
占自产水资源量比例(%)	19.6	21.5	24.1	25.9	33.4	35.9	37.8

7.3.2 水资源合理配置

由于历史原因,榆林市水利建设欠账较多,水源工程建设不足,在水资源严重缺乏的背景下,仍不能让有限水资源得到充分利用,制约了榆林市的经济社会发展。榆林市水资源配置的基本原则是:面向能源重化工基地建设、面向环境生态保护和治理,前期"以蓄为主,蓄采结合",后期注重黄河干流天桥、龙口、碛口、大柳树等"西调东引"。

重视南部黄土丘陵沟壑区集雨工程建设,充分利用雨水资源。重视并充分利用再生水、循环水和回归水。

无定河及其支流榆溪河、秃尾河有一定开发潜力,可作为近中期水源。南部山区地下水贫乏,只能零星开发。北部风沙草滩区浅层地下水有一定潜力,但与生态环境密切相关,不适宜作为集中供水水源用于工业和城市供水,只能用于群众生活供水及少量农田灌溉供水。西部靖边、志丹下白垩系砂岩地下水有一定开发潜力,应在查清的基础上利用。府谷黄河滩地浅层水和岩溶水可用于城市、工业。

窟野河、皇甫川、清水川、孤山川诸河部分面积位于黄土丘陵沟壑区,部分面积位于沙漠区。流域属极强侵蚀带,年输沙模数在 2 万 t/km² 以上,是黄河主要粗沙来源区,水量不丰且洪枯流量变化大。其区域治理和水资源开发方向是在流域广植林草、防沙治沙、防止水土流失、土壤荒漠化、减少黄河下游泥沙,在此基础上,宜规划部分中小型工程;在部分支沟上广泛利用溢出泉或布置一些中小型水库,如朱盖沟水库,干流上一般不宜布设蓄水工程。

秃尾河发源于神木县风沙区宫泊海子,南北向流入黄河。干流长133.9 km,流域面积3 294 km²。中上游位于沙漠滩地区,水量相对较丰,年际年内变化不大,规划在干流上布置瑶镇水库和采兔沟水库,利用秃尾河水量为规划建设的榆神矿区和神木锦界电厂供水,兼顾部分农田灌溉供水。

无定河是黄河较大一级支流,发源于定边县白于山北麓,向北流经内蒙古毛乌素沙漠后流入榆林境内,于绥德县入黄,干流全长419 km,省内长385 km,全流域面积3.03万 km²,其中省内2.19万 km²,年径流量15.3亿 m³,年输沙量1.39亿 t。流域内一半为风沙区,一半为黄土丘陵沟壑区,植被稀少,风沙和水土流失严重,生态环境脆弱。无定河的开发治理应以治沙防沙、水土保持、改善生态环境、减少入黄泥沙和为农业、城镇生活、工业供水为主要目标,兼顾防洪、减沙等综合效益。新中国成立以来,为了减少入黄泥沙,结合农灌在干流上建成了边墙渠、金鸡沙、新桥、水路畔等中型水库工程,在支流上建成了河口庙、韩岔、王家庙、杨家湾、电市等中型水库以及数以百计的小型水库,已形成无定河上游的红柳河、芦河库坝群,这些工程拦泥效果显著,累计拦泥55亿 t。沿河川建成定惠渠、二定渠等万亩以上农田灌溉引水工程8处,以及众多小型水利工程。规划在干流中游河段建王圪堵控制性大型水库,为榆林电力、石油化工项目供水,兼顾农田灌溉和城镇生活用水,并有防洪、减沙、生态等综合效益。在支流榆溪河上,现有红石峡、中营盘、尤家峁等中型水库,为榆溪河川道农田灌溉供水。规划有李家梁水库,与现有水库联合运用,为榆林市及电力、化工企业供水,同时解决当地小范围农田灌溉和生活供水问题。

区内及周边易开发的水源大部分被利用之后,除继续挖掘本地水资源潜力外,必须及时开发利用黄河干流水源,配套完善盐环定扬黄工程,实现黄河水的西水东引;从天桥、龙口、碛口(规划)枢纽引水,进行黄河干流的东水西调,为榆林开发建设提供基本的水源保证。

7.4　涉水制度改革

7.4.1　涉水事务统筹管理

7.4.1.1　理顺水资源(水务)管理体制

2001 年榆林市水利水保局变更为榆林市水务局,全市 11 个县将原隶属于公用事业局的节约用水办公室、自来水公司划归水利部门,市政府明确由市水务局主管全市计划用水和节约用水工作,水利部门已基本上对全市水资源实行了统一管理。但市人民政府所在地的榆阳区自来水公司现仍由市建委管理,目前市区水资源管理体制存在条块分割、各自为政的现象,即水源管理部门不管供水、供水部门不管排水、排水单位不管治污,没有真正实现水务一体化管理。

水资源的统一管理关系到水资源的合理、高效和可持续利用,是贯彻水权管理、建设节水型社会的体制保证。为加强全市节约用水工作,2010 年前要实现全市水资源统一管理,建立包括规划计划—水源地建设管理—分配—取水—供水—用水—排水—处理回用各环节的统一管理体制,建立市、县(区)两级水资源管理体系。建立、完善以农民用水者协会为主要形式的农业供用水管理体制,同时将排水管理纳入日常管理范畴并逐步规范,形成农民自主管水、乡村两级监督协调、水管单位延伸服务的农村新型管水模式,推进公众参与式管理。

7.4.1.2　涉水事务管理、经营分离

在实现水资源统一管理的基础上,按照政企分开、政事分开的原则,推行水务管理体制改革,实行水行政主管部门与监测监督事业部门和规划设计、施工、供水、处理回用、交易、评估咨询等水务企业(企业化管理)分离。

水务部门要执行好《中华人民共和国水法》等法律法规和国家、省、市有关水行政管理工作的方针政策;负责全市水资源的统一管理和保护;编制节约用水规划,主管计划用水、节约用水工作;组织实施取水许可制度和水资源有偿使用制度;发布水资源公报。

监测监督事业部门要做好公益性水量、水质监测,水情、墒情、旱情预警预报,水资源调查评价,排污口调查监测,编制简报、年报、公报及有关动态,为水行政主管部门提供技术支撑及决策依据,为用水户及社会公众提供有关信息和技术支持。

要逐步推进规划设计、施工、供水、处理回用、交易中介、评估咨询等涉水事务的市场化进程,实行市场准入制和招投标制。

要加强污水集中处理和回用工作,强制推广节水器具。

7.4.1.3 推行听证会制度和公报公告发布制度

作为政务公开的重要内容之一,要逐步实施重要涉水事项的听证会制度,做到涉水信息、法律法规、规划计划、规范规程、指标定额、规定办法、预报预警、公报公告的及时发布,使节水型社会建设步入法制、规范的渠道。

7.4.1.4 建立用水户协会,尝试建立流域(河流)管理委员会

近期逐步建立以流域、行业或行政区域为单位的用水户协会。

远期尝试建立流域(河流)管理委员会,探索流域(河流)开发利用、供水、用水、排水、调解纠纷一体化的新模式。

7.4.2 用水制度

7.4.2.1 用水定额制定、核定

榆林市是严重缺水地区,应根据具体情况在《陕西省行业用水定额(试行)》规定的基础上,结合实际情况制定(核定)生活、生产用水定额。定额确定要考虑节约用水的水平,节约用水水平低、用水浪费严重时定额要适当从严,以促进节约用水。生活定额要根据情况逐步调整,以反映人民生活水平提高对用水增加的需求。

7.4.2.2 县(区)、行业用水总量控制

根据全市用水总量及各县(区)的多年平均可利用水资源量(包括过境水量)、现状用水量、人口、经济规模、经济结构和经济发展态势、生态环境等因素,依据定额,统筹考虑确定各县(区)用水总量和区域内行业用水量控制指标。

总量控制要符合流域机构、陕西省的有关规定,不得突破分配的用

水指标。缺额部分通过水权交易解决。

7.4.2.3　取水许可和建设项目水资源论证

依据国务院、水利部及流域机构、陕西省颁布的有关规定,深化和严格执行取水许可制度,实施总量控制下的地表水和地下水等水源取水的全面取水许可制度,实现以水定产。取水许可制度是我国水行政执法的重要内容,要按照有关法律法规和规章制度制定实施细则,明确权限,严格程序,文明执法。

规范榆林市建设项目水资源论证工作。对全市范围内一定规模以上的取水项目全部实行水资源论证制度,建立用水项目水资源论证结果公示与质询制度。

7.4.2.4　计划用水

计划用水的基本宗旨是根据水资源的情势变化平衡供需,以供定需。

计划用水包括可供水预测、用水计划上报、计划审核、计划下达和计划调整、用水统计和计划实施的监督管理。要制定计划用水管理办法,规范计划用水的各个环节。建立和完善各业严格的用水统计制度,强化对各业用水计划实施的监督与管理。

用水计划包括年、月、旬多个时间尺度。水管单位根据批复的用水计划供水,计划外用水量不做安排。超计划用水要实行加价收费并在下一年度的水权分配指标中予以扣除,未达到计划用水指标在下一年度的水量分配中予以适当考虑。

尝试开展重点企业,特别是能源化工基地的用水审计工作,建立相应制度。

7.4.3　水权、水市场

榆林是严重缺水地区,与人力资源、能源和生产资料相比,水资源在经济社会发展方面更具制约性。由于水资源在空间调配方面的困难最大,基础也最差,保证程度和可靠程度低,水权也是行业、企业的生存权和发展权,建立水权、水市场基本制度十分必要。

7.4.3.1　初始水权分配

　　榆林市初始水权分配工作的基础十分薄弱。要以建设项目取水许可为基本支撑,加大初始水权分配工作的力度,在 2010 年前完成初始产权分配。初始产权分配必须考虑流域(河流)规划和水功能区划要求,环境、生态需水要留足,要保证出境断面的水量、水质要求,按照"总量控制、定额管理、公平公正、兼顾效益、承认现状、合理利用、留有余地"的原则进行,要避免"分光吃净"。初始水权分配要明确各县(区)用水量指标,并明确县(区)跨界河流断面水质标准。各县(区)在确定政府预留水量和生态用水后,确定总量控制指标,确定不同用水户的用水指标。

　　1)黄河干流

　　以国务院分水方案和陕西省黄河水分配方案为基础,尽快完成黄河干流初始水权的逐级分配。黄河干流初始水权分配要统筹考虑全市经济社会发展目标和产业结构调整要求,考虑全市水资源开发、配置及取用黄河水的需求。

　　2)黄河支流

　　尽快完成境内黄河支流初始水权分配的试点和推广工作,2010 年前要完成窟野河、无定河、秃尾河、榆溪河等"四河四川"的初始水权分配。

　　3)内陆河流域

　　内陆河流初始产权分配要保证绿洲需水和沙漠及沙漠边缘区地下水补给的需求,避免"分光吃净"。

7.4.3.2　逐步建立水权交易制度

　　到 2010 年要建立起水权交易制度,并开始水权交易市场的试运行。要保障水权交易的公开、公平、互惠、互利。生态和环境用水、预留发展用水不得进入交易市场。水权交易要和取水许可、用水计划管理、水功能区划管理和排污管理相结合或协调一致,要实现"丰增枯减",处理好用水方向变化带来的用水优先顺序、保证程度变化以及由此而致的对第三方的可能影响。水权交易要鼓励人们节约用水,优化水资源配置,使水资源发挥更高的经济效益,以促进节水型社会建设,要防止造成资源闲置、浪费和污染。

7.4.4　水价制度

榆林市已施行累进式水价。要定期复核各类用水定额,原则上 3 年左右核定一次。

要保障基本用水,限制高耗水行业用水,杜绝浪费,鼓励水的循环利用。逐步形成基于供水成本的价格体系,消除供水企业亏损,并实现合理利润。

要逐步实现分质供水。

逐步提高水利工程供水价格。水利工程供水价格由供水生产成本、费用、税金和利润构成,根据不同的供水用途,确定合理的利润率。

有步骤有计划完善农业、工业和生活用水计量设施,逐步实现一户一表制,取消用水包费制。有条件的城镇、工业和农业用水户推行 IC 卡计量。逐步实现对供用水过程的全面全过程监控。

加强农业用水的计量以及计量设施的建设与管理,在地下水用户中建立以电费或水量为单位的计量模式,在地表灌区中,推行计量到斗门。

建立健全定价管理制度、水费计收制度、水价监督制度。

制定农村贫困人口的基本用水的经济补助政策或补充规定。

7.4.5　水环境和水生态保护制度

水环境和水生态保护制度建设包括水功能区管理、排污总量控制、排污许可、排污监管、排污付费、排污许可权交易等,坚持预防为主,综合治理,强化从源头防止污染,保护生态环境。

榆林市水污染防治工作面临的问题比较多,必须加大工作力度。一是要加强污水处理能力建设。各工矿企业要加强废污水的内部处理能力,一方面要提高水的重复利用率,另一面要限期做到达标排放,力争实现零排放。要建设一定规模的废污水集中处理设施,实现污水处理和中水利用。二是要严格实行排污总量控制和排污许可证制度。要根据污染现状及水功能区划的要求采取有效措施,关停高污染、低效益企业,恢复水体功能。三是要加强监测、监督、检查,建设旬报、通报制度和黑名单制度,并利用大众媒体进行宣传。四是要大力推进清洁生产,新增生产能力要符合国家产业政策,符合按清洁生产的要求,严格履行建设项目环境影响评价、水资源论证、防洪影响评价、水土保持影响评价等手续。

要重点做好能源化工工业园区的水环境和水生态保护工作。

7.4.5.1　水功能区管理

要根据水利部、流域机构和陕西省颁布的水功能区划及管理办法,制定榆林市的实施细则或具体管理办法,细化水功能区用途及其划分,规范各级水行政主管部门管理职责,明确管理内容,分析确定水功能区纳污能力,规范公民在水功能区的职责和义务,发布信息、公报措施等。

7.4.5.2　排污总量控制和排污权分配

分析计算不同功能区水体纳污能力,以此为依据确定允许排污总量。根据排污总量控制指标逐级分配排污权,直至各排污口。

实施排污许可制度。新建项目的审批过程,要认真执行国家环保产业政策,杜绝落后生产能力和工艺、高耗水、高污染的项目,制止低水平重复建设。对重点排污企业,分类管理、分类指导,严格排污许可证发放。

建立严格的排污管理制度,加强入河排污口的监督和管理,落实排污口设置审批、已设排污口登记、饮用水水源保护区内已设排污口管理、入河排污口档案和统计以及监督检查等主要制度与措施。对入河重点排污口,水利和环保部门要联合监测,实行定期和不定期检查。

对现有直接排入河流的排污口重新审核,关闭未获审核通过的排污口。在河道、水库(含塌陷区)新建、改建或者扩建排污口,必须按照严格的程序进行审查审批。加大对各排污口计量、监测和管理的力度。禁止在饮用水水源保护区内设置排污口。对于超标排污企业,采取"罚改并举"的措施,除处以高额罚金外,分别采取限令整改、停产整顿和关闭等管理措施,促其早日达标。

7.4.5.3　排污者付费和排污权交易

实行有偿排污制度。按照"谁污染、谁付费、谁治理"的原则,制定和实施排污者付费制度,在正常排污范围内,排污者向污水集中处理设施排放污水,收取污水处理费,通过合理收费实现水环境有偿使用。

对能源、冶金、造纸、建材等重点排污行业和企业,可以考虑实施强制环境责任保险,分散风险、消化损失。

探索建立排污权交易制度。随着工业化进程的推进和排污权交易市场基础的成熟,适时出台污染排放权交易管理办法,确定排污权交易范围、规则以及交易价格,规范排污权交易市场,促进排污权有偿转让。

7.4.5.4　水生态和水环境用水保障制度

制定水生态和水环境用水管理办法,建立基本生态用水保证率制度,将生态环境用水纳入区域水资源统一配置和调度的范畴。

7.4.5.5　地下水管理制度

分区域制定地下水管理制度。进一步探明地下水资源。加大浅层地下水开发利用的力度,科学布井,减少无效潜水蒸发。在地下水严重超采地区划定地下水禁止开采区或者限制开采区。在采煤区采取切实措施,防止地面沉降、塌陷和地下含水层结构的破坏,禁止向废井、废坑排放和倾倒有害的污水及其他废弃物。

7.4.6　制度改革和能力提高

7.4.6.1　地方法规

制定一系列与节水型社会建设配套的地方性管理办法和法规,加大执法和监督力度。目前,榆林市依法管水可遵照执行的地方性法规有《陕西省水资源管理条例》,行政规章及规范性文件有《陕西省节约用水管理办法》、《陕西省取水许可制度实施细则》、《陕西省水资源费征收办法》。结合榆林市发展现状和水利部、陕西省水权制度建设框架体系,制定出台《榆林市工业用水定额地方标准》、《榆林市城市节约用水办法》、《榆林市农田灌溉节约用水办法》,修订出台《榆林市取水许可制度实施办法》、《榆林市水资源及水生态环境保护条例》等。

7.4.6.2　市域、县域规划

以《榆林市节水型社会建设规划》为总纲,科学修编榆林市的有关发展规划,包括经济社会发展规划、水资源开发利用规划、水资源保护规划、水权转换规划、流域区域节水规划等,制定落实陕西省有关规划

的实施方案,形成以节水型社会建设为核心和平台的规划体系。

规划体系建设的核心是按照资源的地区分布特征确定榆林市的空间功能区划,对优化开发区域、重点开发区域、限制开发区域、禁止开发区域制定不同的发展目标,立足煤炭和石油两大优势资源,加速工业化、城镇化、农业现代化进程,推进传统产业升级改造,优化和调整三产结构和经济布局,实现在社会经济快速发展的同时节约水资源,提高水资源利用的效率和效益。

7.4.6.3　区域节水产品准入

根据国家《鼓励使用的节水工艺和设备(产品)目录》,联合技术监督、质监、工商等相关管理部门,建立和规范节水产品的认证以及市场准入制度。对节水器具进行严格的认证和标识。对生产节水器具的企业实行严格的审查和认证,从源头防止不符合节水标准的节水器具进入市场。

7.4.6.4　来水、用水监测、计量

榆林市水量、水质监测的力度十分薄弱,需加强水量、水质监测系统建设。为实现包括水质在内的水文数据采集、处理和预报,在全市主要河流及重点水源地建设水文监测站20个,水位、水质监测站30个。建立地下水动态监测网,在恢复原有监测的基础上,新增80处监测井。要大力加强水利信息化建设,以信息化促进水利现代化和水资源管理的现代化。充分利用计算机网络、信息化和数字化等技术手段,建立现代化的水资源实时监控系统、优化配置管理信息系统和决策系统,提高水资源开发利用水平。选择重点企业开展水平衡测试工作。

为给供水、用水、排水一体化管理提供支撑,近期安装计量设施30套,远期安装计量设施300套,实行计量用水、按方收费。

7.4.6.5　科研和能力建设

针对节水型社会建设的基本需求,深入开展相关科学研究,如流域水循环过程研究、区域水资源承载力与生态需水研究、地区水资源优化配置方案研究、用水需求管理的经济手段和技术政策研究、区域行业用水定额标准研究、节水型社会评价指标体系研究、水价研究、水权与水市场研究等。

加强以水务局为主体的机构能力建设,以及农业、林业、环保、计划、经贸、建设等部门的能力建设,对相关人员进行多种形式的全面培训。

7.5　工程布局和行业节水分析

7.5.1　水源及生态工程布局分析

榆林市目前供水能力不足,中等干旱年份缺水额较大,供需矛盾突出,需续建、新建部分水资源工程,保证经济社会和谐发展的用水需求。

榆林市现状供水能力情况下,2010 年正常年景(供水能力 6.8 亿 m³)缺水 1.0 亿 m³,干旱年景(供水能力 5.9 亿 m³)缺水 2.5 亿 m³;2020 年正常年景缺水 4.8 亿 m³,干旱年景缺水 6.3 亿 m³,因此需进一步开辟水源及强化节水措施。

榆林市水源工程建设包括现有病险水库除险加固,采兔沟、王圪堵、朱盖沟水库建设,南部山区集雨水窖工程建设,府谷黄河岩溶水开发,孤山川口傍河地下水开发。在有关规划、规定约束下,适时、适度开采境内其他区域地下水。远期建设黄河天桥等引水工程。

通过水源工程建设,与现状相比,榆林市的供水能力近期将增加 6.6 亿 m³ 左右,基本可满足节水型社会建设框架下的经济社会发展对水资源的需求。

7.5.1.1　水库建设改造

榆林市已列入国家除险加固规划的 28 座病险水库中,老柳卜、营盘山、杨伏井、尤家峁、红石峡、猪头山、水路畔、新桥、金鸡岔、大岔等 10 座已完工,河口、中营盘、石茆、惠桥、河畔、姬滩、旧城、柳匠台、土桥、王家墩、杨家湾、张家峁、河口庙等 13 座正在施工中。要抓紧已完工水库的供水能力恢复工作。在建水库除险加固要按计划完工。抓紧剩余水库除险加固的开工工作,力争 2010 年前完成已规划病险水库的除险加固工作。

2010 年前完成采兔沟工程续建,总库容 7 281 万 m³,年供水能力

5 419 万 m^3。2010 年前新建王圪堵水库开工,总库容 3.18 亿 m^3,年供水能力 2.81 亿 m^3。抓紧朱盖沟水库前期工作,争取 2010 年前后开工,总库容 4 156 万 m^3,年供水能力 2 000 万 m^3。

7.5.1.2 引水工程

续建定边引黄二期工程,引水能力 2 亿 m^3。

2020 年前后根据黄河水利委员会、陕西省有关规划,以及黄河干流骨干工程建设情况和陕西省分配初始水权情况,实施天桥、大柳树等引水工程,解决远期水源不足问题。

7.5.1.3 岩溶水及地下水开发

2010 年前后开发府谷黄河岩溶水、孤山川口傍河地下水。按有关规划、计划适度开采区域内其他地下水资源。

7.5.1.4 集雨工程

大力推进榆林市南部山区集雨水窖工程。建设集雨井(窖)1 万眼,发展灌溉面积 1 万亩。

7.5.2 生态工程布局分析

7.5.2.1 水土保持工程和淤地坝

建立重点水土流失治理区,结合国家黄河上中游水土保持治理措施,加快水土流失治理。2010 年前,新增治理面积 6 000 km^2,治理程度提高到 51%。2020 年前,水土流失基本得到全面治理和有效控制。

重点开展淤地坝建设。2020 年前建设 50 条坝系,骨干坝 640 座,中型坝 1 300 座,小型坝 2 000 座。建设全国最大的集中连片坝系农业景观区。2010 年前争取建设 3 000 座淤地坝。

7.5.2.2 退耕还林还草

榆林市南部黄土丘陵沟壑区以控制水土流失为主线,营造水保林、经济林等;北部风沙草滩区以减风、固沙为目的,建设林草防护体系。

力争使 25°以上坡耕地 358 万亩实现退耕还林还草。"十五"期间新增造林保存面积 221 万亩,草地面积 450 万亩,建成以长城沿线为主体的林草防护体系,使 260 万亩流沙得到固定或半固定;建设 100 个生态示范村。

到 2010 年,榆林市林草覆盖度达到 40.7%。

7.5.2.3　重要水源地生态建设

加强对红石峡水库、尤家峁水库生活用水水源区的生态建设。

7.5.3　供水工程分析

新建城市配水厂 27 个,配水管网 670 km,输水管道 335 km,供水水源 15 处。

新建、改造 222 个乡镇供水管网。

新建各类农村供水项目 2 250 处,解决 63 万人的饮水困难和饮水不安全问题。

续建部分工业水源改造项目。

7.5.4　市、县(区)污水集中处理

加快污水处理厂建设步伐,尽快改变榆林市无污水集中处理设施的局面。经城市污水处理厂处理的水,可用于市政杂用、地下水回灌、城市绿化等。

2010 年前建设榆林市污水处理厂一期工程,处理规模为 4 万 t/d,建设靖边县污水处理厂,主要处理靖边县工业项目排出的生产污水和废水,建设规模为 5 万 t/d。2020 年前建设榆林市污水处理厂二期工程和窟野河污水厂工程,总规模为 10 万 t/d。

7.5.5　农业节水措施分析

鉴于榆林市现状农业用水水平,榆林市农业节水的前景十分广阔,必须花大力气进行农业节水。

农业节水除了满足灌区规模适度扩大需水外,更主要的是,社会功能是在初始水权分配基础上提供水权交易所需的用水空间。

7.5.5.1　渠系防渗和扩大灌溉面积

对农业主产区、灌溉面积较大的灌区进行改造,重点对全市 15 个国营灌区进行改造,提高渠系水利用系数,扩大灌溉面积。对于北部井灌区,逐步采用管道输水,计量到户,发展高效节水农业。在"十一五"

期间改造27条国营灌区,衬砌278 km,改造节水灌溉面积22.60万亩,年节约水量1 130万 m³。2011～2020年间,更新改造节水灌溉面积36.50万亩,年节约水量3 286万 m³。

通过改造后,榆林市渠系有效利用系数有望提高到0.7左右。

7.5.5.2　田间水利用

总结现状喷灌、滴灌节水技术,进一步推广喷灌、微灌、滴灌等节水灌溉技术和先进的农耕措施,建设现代节水农业区。2010年前,发展喷灌、微灌面积4.03万亩和1.02万亩,年节约水量170万 m³。2011～2020年间,发展喷灌、微灌面积6.98万亩和2.16万亩,年节约水量494万 m³。

通过改造后,榆林市田间水利用系数有望提高到陕西省有关定额要求的0.92。

7.5.5.3　雨水和回归水利用

推广降水滞蓄利用。积极开展不同作物、不同降水条件下田间水管理。推广以滞蓄天然降水为主要目的的土地平整技术和改进耕作技术,推广鱼鳞坑、水平沟等集雨保水技术。推广阳畦、塑料大棚、日光温室、现代化温室、设施养殖等设施农业。推广庭院集雨。

推广灌溉回归水利用技术,实行灌排统一管理技术,减少无效退泄。

7.5.6　工业节水措施分析

重点对煤、油气、盐、电、化工五大支柱产业和规模以上其他工业,以及榆神煤电化、府谷火电载能、鱼横煤化工及载能、鱼米绥盐化工、定靖油气化工和吴堡煤焦化六个工业集中区进行用水节水技术改造,开展水平衡测试。

通过工业节水措施的实施,使工业用水重复利用率达到70%,万元工业增加值用水量不高于目标要求。

工业节水应强调的几个环节是:企业间、园区内重复利用;循环冷却节水;冷却工艺节水;洗涤节水;工业给水和废水处理节水;矿井水资源化;工业输用水管网、设备防漏;工业用水计量和审计。

榆林市应重点推广的节水技术(工艺)包括:

(1)火力发电、钢铁、电石等工业干式除灰与干式输灰(渣)、高浓度灰渣输送、冲灰水回收利用等节水技术和设备以及冶炼厂干法收尘净化技术。

(2)燃气—蒸汽联合循环发电、洁净煤燃烧发电技术、坑口发电、热电联产。

(3)炼焦生产中的干熄焦或低水分熄焦工艺、甲醇生产低压合成工艺。

(4)优化油田注水技术、油田产出水处理回注工艺。

(5)对围岩破坏小、水土流失少的先进煤炭采掘工艺和设备,干法选煤工艺和设备。

(6)水泥窑外分解新型干法生产新工艺,逐步淘汰湿法生产工艺。

7.5.7 市、县(区)生活节水

要强力推广节水型水龙头,推广节水型便器系统,推广节水型淋浴设施。宾馆、饭店、医院等用水量较大的公共建筑推广采用淋浴器的限流装置。

工业园区要就地处理就地回用产生的污水。建立再生水利用管网系统和集中处理厂出水、建筑中水、居民小区中水相结合的再生水利用体系。

居住小区达到一定规模的,采用小区再生水冲厕、保洁、洗车、绿化等。

对水质要求不高的要限定用水水源类型。再生水用于农业、工业、城市绿化、河湖景观、城市杂用、洗车、地下水补给以及污水集中处理回用管网覆盖范围内的公共建筑生活杂用水。

推广城市绿地草坪滞蓄和道路集雨直接利用技术。因地制宜采用微型水利工程技术,如房屋屋顶雨水收集技术等。把雨水利用与天然洼地、公园的河湖等湿地保护和湿地恢复相结合。推广城市雨洪水地下回灌系统技术。

改造市区供水管网,降低管网漏失率。榆林市城市生活供水管网普遍存在设备老化失修问题,跑、冒、滴、漏现象比较严重,要进行旧管网改造,使全市城镇供水管网损失普遍降至 10% 以下。2010 年前,改造供水管网(包括输水管道和配水管网)170 km,形成的节水能力为 90 万 m^3。2011 ～ 2020 年间,改造供水管网(包括输水管道和配水管网)396 km,形成节水能力 180 万 m^3。

公共建筑空调冷却水循环率应达到 98% 以上。敞开式系统冷却水浓缩倍数不低于 3。

推广应用锅炉蒸汽冷凝水回用技术。

绿化用水应优先使用再生水。使用非再生水的,应采用节水灌溉技术。

推广洗车用水循环利用技术。大力发展节水型公厕技术。

7.6　榆林节水文化

7.6.1　榆林市"十一五"规划中对文化规划的描述

积极推进文化大市建设。牢牢把握先进文化的发展方向,进一步繁荣文化艺术事业,满足人民群众日益增长的精神文化需求,努力打造文化创新能力强、文化辐射范围广、文化产业程度高、文化市场旺盛的区域中心城市。"十一五"期间要创作一批在国内有一定影响、地方特色浓郁的知名文化品牌,以及集思想性、艺术性、观赏性于一体,具有示范和导向作用的文化精品,建设一批设施先进、功能齐全、展示城市形象、反映现代文化和特色文化发展水平的大型文化设施,挖掘、抢救和利用一批历史文化资源,培育和扶持一批大众传媒、文化旅游、文化信息等文化骨干企业,发展一批具有较强辐射力的文化市场,组织一批有规模、上档次的文化活动,树立一批社会文化先进典型,培育一批优秀文化人才,初步形成一支政治素质好、业务水平高、档次结构合理的文化人才队伍。

7.6.2　全民节水行动和节水文化建设

节水型社会建设是全社会的共同任务,全民参与节水行动是节水型社会建设的重要内容之一。要充分提高各县(区)、各部门、各行业广大干部和群众的参与热情,使全社会各阶层都来参与节约用水,积极开发先进的节水技术,鼓励节水技术和实践的创新。

充分利用多种媒体和多种途径,深入持久地开展节水型社会建设宣传,重视宣传的有效性、广泛性和连续性,逐步使公众树立资源稀缺、资源有价、用水有偿、水是商品以及节约和保护水资源的意识。将节约用水纳入机关干部教育、企业文化教育、学校教育中。制作节水公益广告,印发节水宣传读本,开展乡土地理教育,举办节水展览。

坚持依法管水与以德节水相结合,形成“节水光荣”的社会舆论氛围,树立自觉节水的社会风尚,提倡节约用水的文明生活方式。开展“节水型灌区”、“节水型企业”、“节水型机关”、“节水型学校”、“节水型社区”、“节水家庭”和“节水模范”等评比活动。

榆林市全民节水活动和节水文化建设要与“十一五”规划的有关内容相结合,积极利用所搭建的政治、经济、文化、舆论平台开展活动。

进行节水文化建设应注意目的性,应立足于水文化,立足于丰富人民文化生活,寓教于乐。

节水文化建设要立足于服务节水型社会建设,重视其精神动力作用,重视水患意识和节水意识的建立。具体可利用的方式、形式、时机等包括:

(1)充分利用榆林市的民间传统文化方式承载水文化。以信天游、大秧歌、陕北道情、说书等形式,选择或新编与水关系较大或反映节水思想的节目,利用各种节日进行宣传演出。

有意识地引导或组织与水有关的剪纸、石刻主题创作。

以玉林桃花水为核心,做足有关文章,包括榆林豆腐、酒等。

(2)充分利用榆林市旅游资源。榆林市丰富的旅游资源几乎都与水、节水、水土保持等有关。在旅游景点进行水文化或节水文化宣传,或组织专线旅游,都可达到修身养性、寓教于乐的作用。

（3）重视水工程及畔水工程的物质文化作用。水工程、畔水工程设计要尽可能追求建筑美化，有意识地突出水及节水理念，要与水及周边环境相协调。要在发挥工程作用的同时，体现审美和景观价值。

（4）普遍开展组织节水文化建设。在全市普遍开展组织节水文化建设。榆林要着力打造国家能源化工基地，打造文化大市，要重点在能源化工园区打造企业节水文化和社区、在乡村打造社区（乡村）节水文化。积极引导和推进组织节水文化建设或在组织文化建设中体现水文化或节水文化理念。

组织文化建设是节水文化建设的最重要的环节。

（5）建设亲水场所。充分利用资源优势，建设亲水场所，如滨河滨湖路、主题广场等，使公众有更多的机会接触水、关心水、爱护水。

（6）公益宣传。利用行政管理和干涉职能，明确给电视台、电台、报纸、杂志、网站等分配相关宣传报道任务。在河、湖、海子等水体边设立温馨提示标志，彰显对水的尊重，对河流、湖泊、海子的尊重及对水生生命体的尊重。

（7）抓住一切有利时机"搭车"推进。要结合文明单位创建、卫生创建等其他活动，搭车推进节水文化建设。

应抓住的机会还包括各种政府、企业、民间团体等举行的专项活动等。

（8）充分开展各项主题活动。有计划地开展征文、演讲、专题展览等活动，并使之持之以恒。

（9）政府部门间广泛合作是节水文化建设（培育）的基本条件之一。

7.7　榆林市节水型社会建设投资分析

7.7.1　投资预测

榆林市节水型社会投资包括工程建设和行业节水、制度与能力建设和公众参与等方面所需投资，初步估算总投资为48.6亿元。其中工程建设和行业节水47.24亿元，制度与能力建设1.26亿元，公众参与

0.1 亿元。

工程建设和行业节水投资包括水源工程、农业节水及灌溉工程、供水工程、工业节水、污水雨水处理、生活服务业节水等投资。制度与能力建设包括制度建设、体制改革、规划制定、科学技术研发、能力建设、基础信息管理平台与决策支持系统、监测系统等投资。公众参与包括宣传教育和创建活动投资(见表 7-3)。

表 7-3 榆林市节水型社会建设投资估算

序号	项目名称	建设内容与规模	总投资(亿元)	建设年度	"十一五"投资(亿元)
	合计		48.6		19.58
一	工程建设和行业节水		47.24		18.99
1	水源工程		23.84		10.29
1.1	采兔沟水库	总库容 7 281 万 m³,年供水 5 419 万 m³	1.1	2005~2007	1.1
1.2	朱盖沟水库	总库容 4 156 万 m³,有效库容 1 550 万 m³,年供水 2 000 万 m³	1	2010~2015	0
1.3	王圪堵水库	总库容 3.18 亿 m³,年供水 2.81 亿 m³	11.9	2009~2014	3
1.4	定边引黄二期工程	8 条供水支管 323 km,加压站 8 座,引水 2 亿 m³	4.1	2006~2012	3
1.5	府谷岩溶水(黄河漫滩地下水)开发	建设供水管线,取水 1 亿 m³	2.4	2006~2015	1
1.6	天桥黄河引水	总库容 0.7 亿 m³,有效库容 0.4 亿 m³,一期引水 3 亿 m³,二期引水 3 亿 m³	0.35	2012~2020	0
1.7	大柳树引水	总库容 107.4 亿 m³,有效库容 50 亿 m³,一期引水 6 亿 m³,二期引水 8 亿 m³	0.4	2012~2020	0
1.8	碛口黄河引水	总库容 126 亿 m³,一期引水 5 亿 m³,二期引水 10 亿 m³	0.4	2015~2020	0
1.9	病险水库加固	除险加固 18 座水库	2.19	2006~2010	2.19
2	农业节水及灌溉工程		4.8		2.55

续表 7-3

序号	项目名称	建设内容与规模	总投资（亿元）	建设年度	"十一五"投资（亿元）
2.1	灌区改造工程	改造 27 条国营灌渠,衬砌 278 km,整修建筑物 951 座	2.6	2006 ~ 2015	1.3
2.2	集雨节灌工程	建设配套集雨井 1 万眼,发展灌溉面积 1 万亩	0.5	2006 ~ 2010	0.1
2.3	基本农田及小型水利工程	建设机井、小高抽,发展灌溉面积 5 000 亩,提高农田标准	0.6	2006 ~ 2010	0.6
2.4	涧地治理项目	治涧保涧,建设农田 5 000 亩	0.3	2006 ~ 2015	0.15
2.5	农业用水排水计量管理设施	干渠量水断面,干渠直开口量水设施,排水沟道尾水	0.8	2006 ~ 2015	0.4
3	供水工程		6.9		2.5
3.1	城市供水项目	新建配水厂 27 个,配水管网 670 km,输水管道 335 km,供水水源 15 处	0.55	2006 ~ 2010	0.2
3.2	乡镇供水项目	新建、改造 222 个乡镇供水管网	1.9	2006 ~ 2015	0.8
3.3	工业供水项目	金泰绿碱厂、盐化厂等供水水源改造	2.3	2006 ~ 2015	0.5
3.4	农村供水项目	兴建各类工程 2 250 处,解决 63 万人的饮水困难和不安全问题	2.15	2006 ~ 2015	1
4	工业节水		3.1	2006 ~ 2020	1.25
4.1	工业节水改造		2.5		1.0
4.2	水平衡测试		0.5		0.2
4.3	工业用水计量	重点企业取水、用水和排水实现计量与监控	0.1		0.05
5	污水雨水处理		6.15	2006 ~ 2020	2.15
5.1	榆林市污水处理厂一期工程	4 万 t/d	1		1
5.2	榆林市污水处理厂二期工程	10 万 t/d	3		0
5.3	靖边污水处理厂	5 万 t/d	2		

续表 7-3

序号	项目名称	建设内容与规模	总投资（亿元）	建设年度	"十一五"投资（亿元）
5.4	雨水利用	街心花园、公园、规模以上单位等兴建积雨环境用水工程 100 项	0.15		0.15
6	生活服务业节水		2.45	2006～2020	0.25
6.1	生活水表更新	每年 10 万只	0.3		0.03
6.2	生活用水器具更新改造	每年 10 万件	0.15		0.02
6.3	生活小区循环用水系统建设与改造		1		0.1
6.4	服务业循环用水系统建设与改造		1		0.1
二	制度与能力建设		1.26		0.54
1	制度建设		0.29	2006～2020	0.15
1.1	地方条例、管理办法制定和修订		0.02		0.02
1.2	水资源管理制度建设	制定地下水资源管理办法、水资源费和水资源保护管理办法	0.02		0.01
1.4	水权分配制度建设与分配方案	制定初始水权分配制度、初始水权配置方案和调度预案	0.04		0.02
1.5	水权转让制度建设与水市场培育	水权转让制度建设,市场交易规则制定,水市场管理	0.05		0.02
1.6	计划用水制度与定额标准制定	计划用水及相关制度制定,用水定额制定和修订	0.03		0.02
1.7	水价制度改革与实施	科学水价形成机制的建设,合理的水费收取制度建设	0.02		0.01
1.8	节水经济激励政策与市场管理	激励与处罚制度、节水产品认证和节水产品市场规范	0.05		0.02
1.9	水资源保护制度建设	水资源保护管理办法、排污管理办法、排污权交易管理办法	0.04		0.02
1.10	非常规水资源利用鼓励政策	非常规水鼓励政策的制定与实施	0.02		0.01
2	体制改革		0.09	2006～2020	0.05

续表 7-3

序号	项目名称	建设内容与规模	总投资（亿元）	建设年度	"十一五"投资（亿元）
2.1	水务体制改革	制定体制改革方案,推进并深化体制改革	0.02		0.02
2.2	农村水管体制改革	成立农民用水者协会,建立相关制度,形成良性运行	0.03		0.01
2.3	农村小型水利工程管理体制改革	制定改革实施方案,推动改革实施,建立长效机制	0.02		0.01
2.4	城市和工业供水体制改革	制定实施方案,推动改革实施,建立市场运营机制	0.02		0.01
3	规划制定		0.14	2006~2020	0.06
3.1	综合规划及实施方案制定	社会经济、生态环境和水资源等综合规划制定	0.08		0.03
3.2	专业规划制定	各专业节水规划制定	0.04		0.02
3.3	规划管理办法制定和出台	流域综合规划意见书实施办法等	0.02		0.01
4	科学技术研发		0.15	2006~2020	0.06
4.1	基础研究	开展各项专题研究	0.05		0.02
4.2	技术研发	相关实用技术研发与推广	0.05		0.02
4.3	试验与实验	专项试验与实验	0.05		0.02
5	能力建设		0.11	2006~2020	0.05
5.1	政府管理能力建设	各级政府部门人员培训和能力建设	0.03		0.01
5.2	水管单位能力建设	各级水管单位人员培训和能力建设	0.02		0.01
5.3	专业服务能力建设	专业技术人员培训和能力建设	0.02		0.01
5.4	监督和执法	执法队伍建设	0.04		0.02
6	基础信息管理平台及决策支持系统		0.24	2006~2020	0.06
6.1	节水型社会建设基础信息平台	GIS平台建设、专业数据库建设、信息管理系统建设、信息共享平台建设	0.1		0.02

续表 7-3

序号	项目名称	建设内容与规模	总投资（亿元）	建设年度	"十一五"投资（亿元）
6.2	灌区水量调配决策支持系统	信息采集管理系统、自控系统、调配决策系统建设	0.1		0.02
6.3	节水型社会建设网站	信息数字化、信息管理网络平台建设	0.04		0.02
7	监测系统		0.24	2006 ~ 2015	0.11
7.1	地表水水质监测	完善地表水水质监测（新建 20 处）	0.08		0.04
7.2	地下水情监测设施	浅层观测井、深层观测井，动态监测	0.06		0.03
7.3	排污口与水环境监测设施	地表水体水质、地下水水质和主要排污口水质监测	0.1		0.04
三	公众参与		0.1	2006 ~ 2020	0.05
1	宣传教育	媒体宣传、网站	0.02		0.01
2	创建活动	节水社区、节水村镇、节水企业创建管理、奖励	0.08		0.04

　　榆林市节水型社会建设所需投资中，"十一五"期间（试点时期）约需 19.58 亿元（其中含"十一五"水利建设投资 12.29 亿元）。

7.7.2　资金来源分析

　　节水型社会建设需要各级政府的大力推动和扶持，需要全社会的广泛参与和支持。节水型社会建设所需资金应坚持"谁受益、谁投资"、"谁污染、谁治理"的原则，同时坚持"城市反哺农村"的原则，采取政府投资、企业出资、政策融资、银行贷款、市场运作、社会筹资、利用外资等多种方式，形成多元化、多渠道、多层次的投融资结构，形成各级政府和社会共同出资建设节水型社会的局面。

　　制度与能力建设和公众参与，包括制度建设、体制改革、规划制定、科学技术研发、能力建设、基础信息管理平台与决策支持系统、监测系统、宣传教育和创建活动等,所需经费由政府投资。水源工程、农业节水灌溉工程、供水工程、污水雨水处理、生活节水等以政府投资为主,辅以市场融资和受益者摊资。工业节水、服务业节水以企业投资为主,政府支持、扶持。经营性项目要特别注重运用市场机制,吸纳社会资金,拓宽水利建设投资渠道,按照"谁投资、谁决策、谁受益、谁承担风险"的原则,建立社会办水利机制,明确划分投资者在水利工程建设中的权益和责任。

第 8 章　节水型社会建设考察

8.1　宁夏回族自治区节水型社会建设考察

8.1.1　水资源概况

宁夏地处我国西北内陆,多年平均降水量 289 mm,其中中北部地区不足 200 mm。宁夏大部分地区日照多、湿度小、风大、蒸散发强烈,全区平均水面蒸发量为 1 250 mm,平均干旱指数为 4.3。宁夏当地水资源总量为 11.633 亿 m^3,其中地表水资源量 9.493 亿 m^3,地下水资源量 30.733 亿 m^3,重复计算量 28.593 亿 m^3。

宁夏可按水资源状况大致分为三个区域:北部引黄灌区、中部干旱风沙区、南部黄土丘陵区。

北部引黄灌区:平均降水量 178 mm,当地地表水资源量 2.18 亿 m^3,地下水资源量 26.89 亿 m^3,重复计算量 24.90 亿 m^3,水资源总量 4.17 亿 m^3,占全区水资源量的 35.8%。

中部干旱风沙区:多年平均降水 266 mm,当地地表水资源量 1.51 亿 m^3,地下水资源量 0.94 亿 m^3,重复计算量 0.79 亿 m^3,水资源总量 1.66 亿 m^3,占全区水资源量的 14.3%。

南部黄土丘陵区:多年平均降水量 472 mm,当地地表水资源量 5.80 亿 m^3,地下水资源量 2.91 亿 m^3,重复计算量 2.91 亿 m^3,水资源总量 5.80 亿 m^3,占全区水资源量的 49.9%。

宁夏经济社会发展主要依赖黄河水资源。黄河在宁夏境内流程 397 km,多年平均入境(下河沿水文站)水量 306.8 亿 m^3,出境(石嘴山水文站)水量 281.2 亿 m^3,进出境相差 25.6 亿 m^3。根据国务院 1987 年黄河水量分配方案,正常年份允许宁夏耗用黄河水资源量为 40 亿

m^3,加上不重复计算的 1.5 亿 m^3 地下水资源可利用量,水资源可利用总量 41.5 亿 m^3,人均 706 m^3。

8.1.2　节水型社会建设规划

2004 年,鉴于水资源对宁夏经济社会发展的制约作用,宁夏率先在全国提出建设省级节水型社会。2006 年 3 月,水利部、国家发改委审查通过了《宁夏节水型社会建设规划》。2006 年 12 月,宁夏自治区人民政府印发《宁夏节水型社会规划提要》,节水型社会建设试点全面启动。

根据《宁夏节水型社会建设规划》,到 2010 年,通过节水型社会建设,水权制度框架体系初步形成,水资源利用效率和效益明显提高,万元 GDP 用水量和耗水量年均下降 8%;农业用水量和耗水量年均分别下降 2% 和 1.5%,工业和服务业用水水平达到国内同类地区先进水平。全区耗水总量控制在 41.5 亿 m^3 以内,引扬黄水量控制在 65 亿 m^3 以内,人饮安全保障程度显著提高,一般年份供需基本平衡,水环境质量明显改善,重点水生态系统得到保护。

在具体技术指标方面,灌溉水有效利用系数由 0.38 提高到 0.45,万元 GDP 用水量和耗水量分别由 1 669 m^3 和 829 m^3 下降到 856 m^3 和 444 m^3,万元工业增加值用水量由 173 m^3 下降到 138 m^3 以下,城市供水管网漏损率由 18% 下降到 13%,水处理回用率由 5% 上升到 60%,节水器具普及率由 40% 上升到 65%。

8.1.3　实施情况

8.1.3.1　机构、体制和制度建设

截至 2009 年 10 月,全区成立了 17 个水务局,5 个地级市全部成立了水务局,实现了黄河年度用水计划管理和全灌区水量统一调度。积极推进城市、工业和农业的供水管理体制改革,相继成立宁东、太阳山、宁西、金积、海原新区水务公司,初步实现了工业、农业和生活统一供水,并实行供水、用水和排水的一体化管理,实施了取水许可和建设项目水资源论证制度。

推行了农民参与管理模式。组建农民用水者协会 1 384 个,建立了"农民—用水者协会—水管单位"的管理机制。

宁夏先后颁布了《宁夏回族自治区节约用水条例》、《宁夏湿地保护条例》和《宁夏回族自治区取水许可和水资源费征收管理实施办法》,修订颁布了《〈中华人民共和国水法〉实施办法》,出台了自治区工业产品、城市生活用水定额及《银川市再生水利用管理办法》、《石嘴山市城市地下水资源开发利用管理办法》等行业标准和管理办法,制定了《黄河宁夏河段水量调度实施办法》、《宁夏灌区机井运行管理办法》、《入河排污口管理办法》、《宁夏水资源论证管理办法》、《宁夏黄河水权转换实施意见》等。

8.1.3.2　农业节水

在加快灌区节水改造的基础上,调整种植结构,因地制宜地开展井渠结合灌溉,推广畦灌、覆膜保水等节水技术。

全区发展设施农业 64.1 万亩,高效特色产业 120 万亩,发展节水灌溉工程 310 万亩,其中渠道防渗衬砌面积 175 万亩,低压管道面积 13 万亩,微灌、喷灌 13.6 万亩,每年推广水稻控灌面积 75 万亩、激光平地田间节水技术 17 万亩。

引进节水设备和技术,开展滴灌、喷灌等高效节水示范,建立了惠农、青铜峡等万亩节水示范区。

以高效节水补灌工程建设为重点,采取穴播点种、拉水补灌方式,大力发展马铃薯、西甜瓜等特色产业,亩均定额减少为原来的 1/10,水分水产率提高 3 倍以上。

推广彭阳小流域经验,库坝塘池井窖联合运用,坚持农业、生态、人畜用水有机结合,实现高效利用雨洪水资源。

8.1.3.3　工业和城市节水

关停小火电机组,新上火电项目推行空冷技术。2008～2009 年新建的 6 个火电项目全部采用空冷技术,投产后每年可节约新鲜用水量 5 000 万 m^3。

石油化工企业(中国石油宁夏石化分公司)实施系统节水改造,工业用水重复利用率达到 97% 以上。

淘汰小造纸企业 60 家,每年减少地下水开采量 1 000 万 m³,减少 COD 排放量 1.6 万 t 以上。实施造纸企业节水减污节能改造,全区 7 大造纸企业全部完成碱回收项目改造,实现废水综合利用。

创建银川市国家节水型城市,主要城市推广普及生活节水器具,全区完成供水管网改造 140 km,新增供水管道 473 km,管网漏失率由 2005 年的 18% 下降为 16%。

利用国债资金和区内配套环保专项资金,建成运行的污水处理厂 13 座,日处理污水能力为 65.6 万 t。

8.1.3.4　水权与水权转换

宁夏自治区明晰了各市(县、区)初始水权及灌区用水的初始水权,调整了生活、工业、农业、生态用水比例。

在水利部和黄河水利委员会指导下,自治区制定了黄河水权转换等相关制度,编制了《宁夏黄河水权转换总体规划》,积极开展黄河干流农业水权有偿转换试点工作,建设完成了黄河水利委员会批复的 3 个水权转换项目,年转换水量 5 390 万 m³,探索了通过农业节水支持工业发展用水、以工业发展反哺农业的道路。

8.1.3.5　水价

实行"一价制"水价政策和"一票制"收费方式。

银川市率先实行阶梯水价,全区其他各市(县、区)也陆续调整了城市水价,有效促进了城市节水。

逐步建立了合理的农业供水价格机制。2004 年以来 3 次调整农业水价,其中自流和扬水灌区分别由试点前的每立方米 1.2 分和 9 分提高到 3 分和 14.7 分,水价经济杠杆作用有效发挥。

调整水资源费征收标准,全区征收水资源费由试点前的不到 500 万元增加到 4 000 万元,征收比例提高至 90% 以上。

8.1.3.6　水资源配置与节水工程体系

实施灌区续建配套与节水改造项目,唐徕渠和西干渠、惠农渠和汉延渠干渠合并工程完成合并改造 19 km。水权转换唐徕渠和惠农渠灌域节水改造工程全部建成。沙坡头水利枢纽工程通过水利部竣工验收。

进行城市水系改造(简称河西总排干工程),实现了洪水资源化管理、湖泊湿地资源化利用、清水污水分离使用。

在农田水利建设实施方面,实施了灌排设施整治、末级渠系节水改造、中低产田改造、水土保持生态治理等重点建设项目,提高了农业综合生产能力,促进了农业节水增收。

2006 年以来,全区共完成引水安全投资 5.32 亿元,解决了 84 万人的饮水安全问题。

全面开展城市和工业水源调配工程建设,陆续建成宁东、太阳山和金积供水工程,西夏渠具备供水条件,海原新区供水工程已建成。

8.1.3.7　节水文化

通过采取广场启动、送戏下乡、制作展板、发放宣传品等有效形式,促进全社会节约用水。充分利用广播、电视、报刊、互联网等媒体广泛宣传报道节水型社会建设和水权转换等工作,积极开展节水型灌区、企业、社区、机关、校园等各类节水型社会载体建设。银川市 2007 年获"国家节水型城市"称号。青铜峡市成为"全国节水教育基地"。社会各界的节水意识不断增加。

8.1.3.8　效果

通过以上措施,与 2005 年相比,全区用水总量减少约 7 亿 m^3,灌区灌溉水利用系数由 0.38 提高到 0.40,万元 GDP 用水量和耗水量分别下降到 851 m^3 和 454 m^3,工业万元增加值用水量下降至 108 m^3。城市节水器具普及率由 40% 提高到 60%,城市污水处理率由 30% 提高到 60%。

8.2　内蒙古鄂尔多斯市水权转换试点考察

8.2.1　基本情况

鄂尔多斯位于内蒙古自治区西南部,南临古长城与晋、陕、宁三省区毗邻,西、北、东三面黄河环绕,与呼和浩特市和包头市构成内蒙古最具活力的"金三角"。鄂尔多斯东西长约 400 km,南北宽约 340 km,总

面积 86 752 km²,总人口 154.8 万人,其中蒙古族 17 万人。全市下设 7
旗 1 区(伊金霍洛旗、达拉特旗、杭锦旗、准格尔旗、乌审旗、鄂托克旗、
鄂托克前旗、东胜区),是一个以蒙古族为主体、汉族占多数的地级市。
市政府所在地康巴什新区于 2004 年 5 月开始全面动工兴建,2006 年 7
月 31 日正式投入使用,是全市政治、文化、金融、科研教育中心和技术
产业基地。

　　鄂尔多斯东部为丘陵山区,西部为坡状高原,中部为毛乌素和库布
其两大沙漠,北部为黄河冲积平原。平原约占总土地面积的 4.33%,
丘陵山区约占总土地面积的 18.91%,坡状高原约占总土地面积的
28.81%,毛乌素沙漠约占总土地面积的 28.78%,库布其沙漠约占总
土地面积的 19.17%。鄂尔多斯平均海拔为 1 000 ~ 1 500 m。鄂尔多
斯市属典型的温带大陆性气候,日照丰富,四季分明,无霜期短,降水少
且时空分布极为不均,蒸发量大。年日照时数为 2 716 ~ 3 194 h,年平
均气温 5.3 ~ 8.7 ℃,年降水量为 170 ~ 350 mm,年蒸发量 2 000 ~
3 000 mm,降水主要集中在 7 ~ 9 月,全年 8 级以上大风日数 40 d 以
上,无霜期 130 ~ 160 d。

　　北部黄河冲积平原区分布于杭锦旗、达拉特旗、准格尔旗沿黄河
23 个乡、镇内。其成因和地质构造与整个河套平原相同,同属沉降型
的窄长地堑盆地。现代地貌主要是由洪积和黄河挟带的泥沙等物沉积
而成。海拔 1 000 ~ 1 100 m,地势平坦,水热条件极好。该地区土壤类
型可分为草甸土、沼泽土、盐碱土、风沙土四个类型,其中以草甸土为
主。草甸土是该区土壤中质地与生产性能良好的土壤,是培养稳产高
产农田的基础土壤。

　　东部丘陵沟壑区分布于鄂尔多斯市、伊金霍洛旗、准格尔旗和达拉
特旗南部,海拔为 1 300 ~ 1 500 m,该区属鄂尔多斯沉降构造盆地的中
部,地表侵蚀强烈,冲沟发育,水土流失严重,局部地区基岩裸露,是典
型的丘陵沟壑区。土壤种类以栗钙土为主,大多不宜耕作,属宜林宜牧
地区,特别适宜发展松柏等价值高的经济林。

　　库布其、毛乌素两大沙漠,位于鄂尔多斯市中部,库布其沙漠北
临黄河平原,呈东西条带状分布。毛乌素沙漠地处鄂尔多斯市腹地,

分布于鄂托克旗、鄂托克前旗、伊金霍洛旗部分地区和乌审旗。这一地区大多为固定半固定沙丘,流动性的新月形沙丘及沙丘链极少。库布其多为细、中沙,而毛乌素则以中、粗沙为主,地下水赋存条件很好。

坡状高原区位于鄂尔多斯市西部,包括鄂托克旗大部和鄂托克前旗、杭锦旗的部分地区。该区地势平坦,起伏不大,海拔 1 300~1 500 m。这里气候较为干旱,降水稀少,年平均降水量在 200 mm 左右,属典型的半荒漠草原。土壤成分以钙土为主,部分地区也有不少风积沙,植被以野生植物为主。

改革开放之初,鄂尔多斯处于自治区落后水平,全市 8 个旗区中 5 个"国贫旗"、3 个"区贫旗",被称为内蒙古的"西部"。1978 年,地区生产总值只有 3.46 亿元,人均收入 344 元。经过 30 年的发展,到 2007 年,地区生产总值达到 1 150.91 亿元,人均收入突破 10 000 美元。2001~2007 年地区生产总值平均增速高达 24.8%。三次产业结构从 1978 年的 45∶28∶27 调整为 2007 年的 4∶55∶41,成功实现由以农牧业为主向以工业为主的转变。2007 年城市化率达到 61%,初步形成了独具特色的区域城镇化格局。全市基础设施日趋完善,航空运输、高速公路、地方铁路从无到有,立体化交通格局基本形成。近 6 年来,累计用于社会事业的投入达 45 亿元。义务教育普及程度和质量位居全区领先水平,市旗乡村四级卫生服务网络基本形成。2007 年,城镇居民人均可支配收入达到 16 226 元,比 1978 年增长了 57.2 倍;农牧民人均纯收入达到 6 123 元,增长了 30.5 倍。城镇居民家庭每百户拥有汽车 16 辆,农牧民家庭每百户拥有生活用汽车 8 辆,人民群众的生活水平正向宽裕型小康迈进。

2007 年,全市植被覆盖率由 2000 年的 30% 提高到 75%,森林覆盖率由 12.6% 提高到 18.07%,入黄泥沙量减少了 12.5%,沙尘暴由过去的每年 20~30 次下降到 8 次以下。占全市总面积 48% 的沙漠、48% 的丘陵沟壑和干旱硬梁区全部披上了绿装,局部地区再现"风吹草低见牛羊"的胜景。全市空气质量优良天数达到 325 d。

8.2.2　经济社会发展模式

鄂尔多斯市经济社会发展模式可概括为:

(1)在资源富集地区,积极探索资源节约型生产方式。一是通过提高企业装备水平,实现对资源的高效开采,减少资源浪费。建设了一批单井产能、装备技术、全员工效达到世界一流水平的现代化矿井,采掘机械化率由不足10%提高到65%以上。二是通过拉长产业链条,向资源的精深加工延伸,提高资源的利用效率。如煤化工产业重点在煤制油、醇、醚、烯烃、甲酰胺、醋酸等下游系列延伸上求突破。三是通过大力发展循环经济,实现对资源最大限度的综合利用。积极支持企业形成上下游产品有序链接循环发展关系,实现产业链条内原料和废弃物"吃干榨尽",初步形成了煤—电及其废弃物利用、煤—煤化工及其废弃物利用等循环产业链。四是通过推进产业多元化,优化产业结构,减少对资源的依赖。全力打造汽车产业和煤机、化机及矿业机械等装备制造业集群,积极发展生物制药、电子产业、新材料工业等高新技术产业,构筑多元支撑的现代化产业体系。

(2)在经济社会发展滞后地区,努力打造跨越式发展模式。一是通过引进先进技术,实现产业技术的跨越式提升。在对全市煤矿进行关闭、淘汰的基础上,对整合保留下来的煤矿全部进行了技术改造。引进了许多拥有国际和国内一流技术的大项目、好项目,如上湾煤矿的现代化程度世界领先。二是通过引进先进企业,实现优势生产要素的跨越式聚集。引进先进的大企业建设大基地,吸引大项目,聚集科技、人才、资本、管理等优势生产要素。三是通过推进集中发展,实现生产潜能的跨越式释放。推进企业向园区集中、工业向基地集中,规划建设了蒙西、棋盘井、树林召等一批大型工业基地,迅速形成了先进的生产力。

(3)在偏远的内陆地区,着力构建资源优化配置的市场体系。一是变革农牧业生产经营方式,解放和发展农牧区生产力。在全区率先尝试土地承包到户,随后又破除制约人口转移的政策和体制障碍,建立和完善土地草场流转制度,加速土地草场向种养能手、龙头企业集中,提高了农牧业劳动生产率。二是推进国有企业改革,激发了经济活力。

在自治区率先对国有中小企业进行"资产一次脱钩,债务一次划定,产权一次买断,改制一步到位"的改革,实现竞争性领域国有资本的战略性退出。三是扶持发展非公有制经济,形成多种经济有序竞争的生动局面。按照"非禁即入"的要求,大力引导和鼓励非公有制经济发展,从政策、资金等方面对中小企业予以倾斜,放宽民间资本进入领域,引入民间资本进行基础设施建设。大力扶持鄂尔多斯、伊煤、伊化、亿利四大集团实现股票上市,成功实施低成本扩张。四是不断深化行政管理体制改革,优化发展环境。以清理行政审批、收费、政策文件 3 个方面为切入点和突破口,实行了"重砍三刀"的政策,削减了 3/4 的行政审批和一批行政性收费、政策文件,推行政务公开和"一站式"服务,实现政府职能从直接配置资源到创造发展环境的转变。五是不断扩大对外对内开放的领域和范围。在 1979 年就率先以补偿贸易的方式,引进日本成套技术和设备,建立了伊盟羊绒衫厂。目前,有来自全国 20 多个省(区、市)、港台及海外 10 多个国家和地区的投资商到鄂尔多斯市投资。

(4)在生态脆弱地区,开拓创新环境优化保护和有效利用模式。通过变革生产方式、转移农牧业人口、企业化运作、产业化经营,将生态环境的保护与农牧业生产的发展和农牧民生活的改善结合起来,将生态环境的保护与有效开发利用结合起来,创造出生产发展、生活改善、生态恢复的多赢局面,实现人与自然的和谐相处。一是实施收缩转移、禁牧休牧轮牧,让生态环境休养生息。2000 年以来,全市转移农村牧区人口 40 万人。全市禁牧草原面积达到 3 518 万亩,占草原总面积的 39.9%;休牧草原面积达 5 298 万亩,占草原总面积的 60.1%。2007 年又将面积分别占全市总面积 36.8% 和 51.1% 的土地划为农牧业限制开发区和禁止开发区。启动建设 2 万 km² 无人居住的生态自然恢复区。二是全力组织实施退耕还林、退牧还草等生态建设工程。2000 年以来,完成退耕还林 502.7 万亩、退牧还草 3 013 万亩,完成人工造林 1 016万亩;组建了拥有 10 架飞机的鄂尔多斯通用航空公司,共实施飞播造林 838 万亩。三是大力发展林沙等生态产业和环保产业。把生态建设与产业开发有机结合起来,扶持和培育一批农牧业龙头企业,加快草畜林沙产业化,不仅改善了生态,而且增加了农牧民收入。乌审旗为加大毛乌素沙漠治理,引进建设了世界首家利用沙生灌木平茬生物质进行直燃发电项目——乌审旗生物质热电厂,一期工程配套治理60万亩荒漠化土地。

(5)在民族地区,努力探索多元和谐的文化发展模式。一是将文化作为巨大的旅游资源,推进经济与文化的融合。充分利用本地文化资源所具有的鲜明民族特色和悠久历史渊源,以及文化资源的垄断性,努力挖掘文化优势,打造文化旅游品牌,将发展大文化与大旅游结合起来。二是将文化作为品牌工程,推进城市与文化的融合。在城市建设中,重视注入较多的文化因素,大力建设具有地域特点、民族特色、现代特征的城市雕塑、文化广场、图书馆、博物馆等文化设施,提升城市品位和形象。三是将文化作为提升地区形象的重要抓手,挖掘整合社会资源。集中开展"文化建设年"活动,成功举办了两届鄂尔多斯国际文化节,大力建设具有影响力的各具民族特色的文化之乡。四是将文化作为朝阳产业,积极支持文化精品创作。近年来,全市涌现了一批在全国较有影响的文化艺术精品。

(6)在推进科学发展的实践中,建立健全落实科学发展观的保障机制。通过相关的体制制度创新和行为规范设计,完善利益激励、补偿和约束机制,合理调整利益关系,使人们追求利益的过程成为自觉地贯彻落实科学发展观的过程,形成了一系列有利于落实科学发展观的利益引导机制。一是形成了促进生态改善、农牧民增收、企业发展相统一的利益共生机制。确立"立草为业、为养而种、以种促养、以养增收"的思路,实行禁牧休牧、生产方式变革、人口转移几大政策,促使人口大量向城镇第二、三产业转移,留下来的人拥有比过去更多的生产资源,生态环境得以自我平衡、自我修复。二是建立健全引导产业有序发展的政策体系,形成了正确的投资导向机制。通过产业规划的编制、投资指南和目录的发布,以及设立产业发展引导基金和贷款贴息、创业投资等方式,加强对符合经济结构调整导向的重点产业、新兴产业的投资扶持。对煤炭、电力行业投资主动收缩,严格审批。鼓励发展煤矸石、园区自备、热电联产项目及风能、太阳能、生物质等可再生能源开发。三是立足以人为本,建立发展成果由人民共享的机制。坚持共创财富、共享成果、共建和谐。2003 年在全区率先推进免征农牧业税,2004 年率先实施义务教育"两免一补"政策,2005 年率先推行新型农村牧区合作医疗,推行农牧民低保制度,建立城镇居民低保制度。2007 年启动了城镇无业居民医疗保险,农村牧区低保标准由 600 元/年提高到 1 000 元/年,城镇居民低保标准由 160 元/月提高到 230 元/月。从 2007 年起,全市行政事业单位职工工资和津贴补贴实行同城待遇。在城市建设中,坚持拆迁富民原则,政府让利于民,补偿到位,公开透明,建立了一整套拆迁富民的机制。

8.2.3　水权转换一期工程

据分析,鄂尔多斯市地表水资源量为 13.1 亿 m^3,地下水资源量为 27.22 亿 m^3,其中地下水与地表水重复量为 4.49 亿 m^3,水资源总量为 35.83 亿 m^3。此外,黄河过境水量为 316 亿 m^3。

由于各种原因,目前鄂尔多斯地表水可用量为 2.7 亿 m^3,地下水可用量为 12.2 亿 m^3。在国家分配给内蒙古自治区的 58.6 亿 m^3 黄河耗用水指标中,鄂尔多斯的配额为 7.0 亿 m^3。

鄂尔多斯市水资源短缺,在其发展过程中以及今后的发展中,水资源都是最严重的制约因素。过境黄河干流及其境内支流的地表水是鄂尔多斯市的主要水源。根据内蒙古自治区对 58.6 亿 m^3 黄河耗用水指标的初始水权划分,鄂尔多斯具体的耗用水指标分配为:南岸灌区 6.2 亿 m^3,沿黄小灌区 0.016 亿 m^3,工业及生活用水 0.784 亿 m^3。

根据《黄河水资源公报》,内蒙古自治区近年来一直超指标引用黄河水,已引起水利部和黄河水利委员会的高度重视,须逐年压减实际引用水量。因此,在西线南水北调工程生效前,内蒙古自治区及鄂尔多斯市均无再增加引用黄河水量的可能。

用水结构不合理,农业用水比例高、效率低是鄂尔多斯水资源开发利用存在的主要问题。通过农业节水,将节约的水用于工业和城市发展是破解水资源制约"瓶颈"的有效途径。

2004 年,按照水利部《关于内蒙古宁夏黄河干流水权转换试点工作的指导意见》,在水利部、黄河水利委员会的指导和支持下,内蒙古自治区编制了《内蒙古自治区水权转换总体规划报告》,2005 年 4 月,黄河水利委员会对规划进行了批复。根据该规划,在确保灌溉用水和初始水权的前提下,以渠系衬砌节水为基础,2010 年内蒙古引黄灌区可转换水量 2.711 亿 m^3,2020 年可转换水量 3.829 亿 m^3,其中鄂尔多斯引黄灌区可转换水量 2010 年为 1.3 亿 m^3,2020 年为 1.63 亿 m^3。

按照黄河水利委员会的部署,鄂尔多斯南岸自流灌区开展了水权转换试点工程(一期)建设。具体做法是,由用水企业出资对灌区节水工程进行建设,根据工程节水量分析并考虑一定安全富余量后,将该节约出来的水量使用权转换给企业,转换期限为 25 年,用水企业正常缴纳水资源费和水费。

鄂尔多斯水权转换一期工程全部安排在黄河南岸灌区上游的杭锦旗。境内由昌汉白、牧业、巴拉亥、建设四个灌域组成,现状灌溉面积 32 万亩,为黄河水自流灌溉,截至 2007 年底全部完成。一期工程共完成渠道衬砌 1 584.69 km,其中总干渠 133.124 km,分干渠 32.46 km,支渠 214.284 km,斗渠 304.191 km,农渠 850.531 km,毛渠 50.1 km,累积投资近 6.9 亿元,工程设计总节水量 1.41 亿 m^3,转换水量 1.3 亿 m^3。涉及的企业有鄂绒硅电、大饭铺电厂、达电四期、亿利一期 (PVC)、亿利二期、华能魏家峁电厂、新奥煤化工、广晶公司、伊泰煤制油、久泰能源、杭锦煤矸石电厂、国电长滩电厂、准旗伊东煤炭、鄂绒联合化工、奈伦集团合成氨尿素等。

水权转换一期工程给鄂尔多斯的发展提供了水资源保障。同时,通过水权转换,也给农牧业生产带来了变革,对社会变革也产生了良性的影响,主要表现在:

(1)灌区工程完善配套,用水量减少。通过水权转换工程,南岸自流灌区渠系、配水建筑物协调配套,输配水安全适时,输水损失大幅度减少,用水效率提高,灌溉用水大幅度下降,灌区地下水位下降,土壤盐碱化危害减轻,灌区面貌焕然一新。灌区 2005 年以前平均引水量约为 3.6 亿 m^3,实施水权转换一期工程后,2006～2008 年的引水量分别为 2.32 亿 m^3、1.94 亿 m^3、2.34 亿 m^3,节水效果明显。

（2）企业用水得到保障，区域经济迅速发展。通过水权转换，一大批工业项目得以上马，促进了区域经济的快速发展。据测算，每转换 1 m³ 水，可为鄂尔多斯市财政增加 25.5 元收入。

（3）融资渠道拓宽，农业基础设施加强。水权转换工程为鄂尔多斯市政府整合土地、农业综合开发、渠系改造等提供了资金，为实现规模化种植、高效灌溉、机械化作业、产业化经营等提供了基础条件，有力地推进了农业生产由传统农业向现代农业的转变。

（4）农民得到收益。由于灌溉用水及时，灌溉时间缩短，水量浪费减少，水费支出也大幅度减少。与 2005 年相比，2007 年农民灌溉时间缩短 5~7 d，水费支出减少 1/3~1/2。

（5）社会良性流动，促进社会进步。在水权置换过程中，鄂尔多斯市还在农田整合区域内开展土地合理流转，农田则逐步向善于经营的种田大户集中或实现产业化经营，组织和引导农村劳动力实施劳务输出，向第二、三产业转移，向农业工人转变，多渠道增收。据初步统计，农田整合区域可转移劳动力 7 200 余人，现已转移 5 100 人。

8.2.4 水权转换二期工程

2009 年 3 月和 10 月，黄河水利委员会分别审查批复了《鄂尔多斯市引黄灌区水权转换暨现代农业高效节水工程规划》（以下简称《二期规划》）和《鄂尔多斯市引黄灌区水权转换暨现代农业高效节水工程可行性研究》（以下简称《可行性研究》）。

《二期规划》和《可行性研究》在总结一期工程成功的经验基础上，紧扣鄂尔多斯经济社会发展的需求，除为工业项目寻求水源和全面提升灌区灌溉水平外，更加突出了以水权转换推进现代农牧业建设和新农村、新牧区建设的主题，同时也结合生态文明建设和农牧区人口转移的需求，与鄂尔多斯市国民经济和社会发展"十一五"规划密切相联系。

根据《鄂尔多斯市国民经济和社会发展"十一五"规划纲要》，鄂尔多斯提出了"加快农牧业产业化发展重心向沿河地区战略转移，集中建设社会主义新农村、新牧区"的战略部署，即按照"生产发展、生活宽裕、乡风文明、村容整洁、管理民主"的要求,坚持"多予、少取、放活"的方针,积极把握工业反哺农业、城市带动农村的发展趋势,发挥黄河、无定河流域的比较优势,大力实施收缩转移战略,优化区域发展布局,统筹城乡发展,集中建设沿河现代农牧业产业带,加速农牧业现代化进程,扎实稳步推进新农村、新牧区建设。到2010年,第一产业增加值将达到60亿元,年均递增8%,其中沿河地区农牧业增加值占第一产业增加值的比重达到70%以上。具体包括以下几方面内容。

8.2.4.1　推进农牧业发展重心向沿河和城郊地区转移

基于沿河和城郊地区立地条件较好,农牧业人口相对集中,可以发展现代农牧业、避灾农牧业,建设社会主义新农村的基础和优势,收缩传统农牧业战线,引导农牧业向水源富集区和城郊地区集中,推动农牧业产业化、现代化发展,加快建设沿河高效农牧业经济带和城郊农牧业经济区。要加快沿河百万亩速生丰产林建设,大力改造沿河200万亩盐碱地。在沙区、硬梁和丘陵地区加快发展林沙产业,重点建设以灌木为主的工业原料林基地。

8.2.4.2　推进现代农牧业建设

加强农牧业创新能力建设,大力推广农牧业先进技术,逐步改变落后的农牧业生产方式,以规模化种养、企业化发展、标准化生产、组织化经营、市场化运作,集中推动农牧业走向现代化。

提高农牧业综合生产能力,大力实施"沃土工程"和农业综合开发,加强农田水利建设和中低产田改造,提高耕地质量和农业防灾抗灾能力,增强粮食生产能力。

推进农牧业结构调整,在稳定粮食生产能力的同时,扩大经济作物和饲草料播种面积。优化农业品种品质结构,积极发展高产、优质、高效、生态、安全农产品。加快畜牧业发展步伐,继续推进禁牧、休牧和划区轮牧政策,稳步发展草原畜牧业,大力发展农区畜牧业,提高养殖规模与效益,实现农牧业结构由种植业主导型向养殖业主导型转变,畜牧业增加值占第一产业的比重达到50%以上。

推进农牧业主导产业集约化发展,坚持以市场为导向,以发展肉羊和林沙产业为主攻方向,推进优势特色农畜产品的区域布局、科学种养、标准化生产,加快农牧业产业化进程。以工业化方式发展现代农牧业,大力培育壮大农业企业,支持工商企业和个人投资发展农业规模生产,支持农业企业和示范大户依法集中经营种养业,健全公司加农户、协会加农户等运作机制,切实提高农业的组织化程度,推进农畜产品由原料生产型向转化增值型转变。

完善农牧业服务体系,强化政府提供公益性农牧业服务的职责,加快健全农牧业技术推广、良种繁育、农产品质量和安全标准、农产品市场、动物防疫和植物保护等农业服务体系。

8.2.4.3　采取综合措施,推进农牧民向第二、三产业转移,多渠道增加农牧民收入

坚持"多予、少取、放活"方针,合理调整国民收入分配结构,积极落实"工业反哺农业、城市支持农村"方针,创造农民增收条件,培养社会主义新型农牧民,提高农牧民自我发展增收的能力。集中政府资源,加大对"三农"关键环节的投入,保证市级财政用于"三农"的资金总额占一般预算支出的比重逐年提高;完善并落实粮食直补、良种补贴、农机补贴、培训补贴等各项政策。加强监管,严禁变相增加农牧民负担。采取贴息、补助、税费减免等措施,引导信贷资金合理流向农村,引导和支持商业保险服务"三农",引导企业和个人投入农业开发和农村建设。

要以增强农牧民就业增收能力为出发点,继续实施农牧区劳动力转移工程,加强对农牧民新生劳动力、富余劳动力职业技术教育和就业培训,转变就业观念,提高就业能力,积极稳妥地推进农牧区人口有序转移,确保农牧民转得出、稳得住、能致富,同时积极鼓励外出务工人员回乡创业。"十一五"期间完成农牧区人口转移 25 万人。

8.2.4.4　推进新农村新牧区集中化建设

坚持以政府为主导、农牧民为主体,从有利于生产力发展和提高人民群众生活水平出发,走集中建设、集中发展道路,重点抓好沿河和城郊等优势地区新农村、新牧区建设。坚持新农村、新牧区建设与城市化推进、农牧民转移与撤乡并镇相结合的原则,把规划作为新农村建设的前提和基础,提升建设水平和品位。要坚持先试点后推开,选择一批重

点村镇,以村容村貌整治、转变生产生活方式和创建文明村镇为重点,结合农村公路建设改造,优化村庄布局,引导农村住宅适度集中,改善农村人居环境和卫生环境,确保建一个成一个、建一批成一批。总体目标是:一年突破、三年见效、五年变样,率先在自治区基本建成"经济繁荣、设施配套、功能齐全、环境优美、生态协调、治安良好、社会稳定、文明进步"的新农村、新牧区。

8.2.4.5　推进农牧区扶贫开发

加大扶贫开发力度,转变扶贫开发方式,完善扶贫开发机制,基本解决绝对贫困人口的温饱问题。以贫困人口集中的贫困村为重点,因地制宜地实行以"基础设施、基础产业、人口基本素质"建设为重点的整村推进扶贫开发方式。对具备基本生存条件的贫困地区,重点改变其生产生活条件极为落后的状况,积极发展特色产业项目,实施开发式扶贫。对丧失劳动能力的贫困人口建立救助制度,对缺乏生存条件地区的贫困人口科学实施易地扶贫。更加注重对贫困家庭子女的教育扶助,强化普及九年义务教育和技能培训,防止贫困代际传递。积极推动普通教育与职业教育接轨,使有条件的贫困人口掌握一技之长。加大财政扶贫投入,继续实施扶贫小额贷款,增强贫困地区自我脱贫的能力。继续搞好党政机关和企事业单位集团式扶贫,鼓励各类企业、社会团体、非政府组织、个人等广泛参与扶贫。

8.2.4.6　推进生态建设由分散治理向集中恢复转变

在收缩农牧业生产战线的同时,从国土资源状况出发,坚持人与自然和谐、草畜平衡,对土地、草牧场实施分类管理。在自然条件恶劣、不适宜人居地区划定无人居住的生态恢复区,下决心把人口迁出来,实施"大漠披绿"和"水草丰美"工程,恢复生态。在条件较好、适宜发展现代农牧业的地区合理确定人口承载量,从户籍管理、生产准入等方面制定一整套管理制度和办法,有效减轻生态压力。对黄河、无定河流域沿岸资源和生态要实行保护性开发,形成生态平衡、风景秀美的沿河沿边环境保护带。实行更加严格的禁牧、休牧、划区轮牧政策,在巩固"十五"期间生态建设成果的基础上,坚定不移地建设"绿色大市"。

8.2.4.7 推进农村牧区综合改革,重点推进土地和草牧场向规模经营集中

坚持和完善统分结合的双层经营体制,落实好土地承包政策,尊重、保障农牧民的土地承包权和经营自主权。建立和完善土地草牧场流转制度,按照依法、自愿、有偿的原则,引导农牧民采取入股、出租、联营等形式转让土地和草牧场使用权。深化农村金融体制改革,健全农村金融服务体系。以土地流转和户籍制度改革为主攻点,破除制约人口转移的政策和体制障碍,促使农牧民低成本进入城镇。加大财政支持力度,建立工业反哺农业、城市反哺农村的有效补偿机制。认真落实农村税费改革政策,强化农民负担监督管理,坚决防止农民负担反弹。

为实现上述目标,鄂尔多斯市出台了许多政策并采取了许多措施,如发布《鄂尔多斯市人民政府关于推进现代农牧业发展的指导意见》、《鄂尔多斯市人民政府关于进一步加快农村牧区人口转移的指导意见》、《鄂尔多斯市人民政府关于公布〈全市农村牧区土地承包经营权流转暂行办法〉的通知》、《鄂尔多斯市人民政府关于促进牧民增收牧区发展的紧急通知》、《鄂尔多斯市人民政府办公厅关于进一步加强禁牧休牧工作的紧急通知》、《全市现代农业示范基地科技服务体系建设实施方案》等,开展鄂尔多斯市百万亩现代农业示范基地建设项目,组织开展现代农牧业示范基地喷灌设施安装使用管理及综合农艺措施技术培训工作等。

《二期规划》和《可行性研究》涉及的灌区灌溉规模为94.2万亩,其中自流灌区32万亩,扬水灌区58.2万亩,扬水灌区地下水设施农业区灌溉面积4.0万亩。全灌区喷灌24.92万亩,大田滴灌3.08万亩,设施农业区大棚滴灌7万亩,畦田改造44.92万亩,扬水灌区黄灌改井渠双灌14.28万亩。具体方案包括:

(1)泵站工程。包括渠首一级泵站10座,灌区内二、三级泵站9座。

(2)渠道工程。干渠(扬水一级渠道)14条,衬砌长度113.06 km;支渠(扬水二级渠道)86条,衬砌渠道长度276.39 km;斗渠(扬水三级渠道)469条,衬砌长度588.58 km;喷灌区引水渠208条,衬砌渠道长

度 39.08 km;滴灌区喂水渠 242 条,衬砌渠道长度 312.92 km。

(3)渠系配水建筑物。灌区共建渠系配水建筑物 7 538 座,其中干渠进水闸 20 座,节制闸 30 座;支渠进水闸 96 座,节制闸 97 座;斗渠进水闸 723 座,节制闸 480 座;农口闸 5 753 座,交通桥 339 座。

(4)灌区田间工程。包括斗渠以下的末级固定渠(农渠)、路(田间路、机耕路)、田(机械化作业的条田、格田、畦田)、护田林带、土地平整五项工程。

(5)大田滴灌工程。包括首部、主干管道、支管道系统、滴灌。大田滴灌面积为 3.08 万亩。

(6)喷灌工程。全灌区喷灌面积 24.92 万亩,共布置喷灌地块 242 块,平均地块面积 1 030 亩,单块最大面积 2 256 亩,最小面积 313 亩,共配置 242 套喷灌机。

(7)设施农业。设施农业区是灌区内集约化、工厂经营化的高效农业种植基地,主要种植蔬菜,是采用日光温室、普通大棚、露地蔬菜相结合的高效蔬菜种植区。设施农业区以地下水及地表水为水源,节水灌溉配套采用滴灌系统。

(8)沉沙池。全灌区共布置沉沙池 104 处,其中干渠上 6 处,支渠上 21 处,斗渠上 26 处,引水渠上 51 处。沉沙池由上游进水区、沉沙池、隔墙、清水池、下游出水区等五部分组成。

据《可行性研究》分析,灌区节水总量为 12 368.64 万 m³(不含井渠结合措施节水量),按 20% 左右折减后,可转换水量取为 9 960 万 m³。工程投资估算为 14.35 亿元,总费用 23.03 亿元,单方水年转换价格为 0.925 元,水权转换单方水投资 14.41 元。为保证公平参与水权转换,所有企业以单方水 14.41 元价格按其用水量缴纳水权转换费用。

可以预见,鄂尔多斯市的二期水权转换工程将对该地区的经济社会发展发挥不可估量的作用。

8.3　深圳市水平衡测试考察

水平衡测试是对用水单位进行科学管理行之有效的方法,也是进一步做好城市节约用水工作的基础。它的意义在于,通过水平衡测试能够全面了解用水单位管网状况、各部位(单元)用水现状,依据测定的水量数据,找出水量平衡关系和合理用水程度,采取相应的措施,挖掘用水潜力,达到加强用水管理、提高合理用水水平的目的。

为了在城市节水管理工作中推广应用这一科学管理方法,建设部于1987年4月发布了部颁标准《工业企业水量平衡测试方法》(CJ 20—87),1990年全国能源基础与管理标准委员会发布国家标准《企业水平衡与测试通则》(GB/T 12452—90)。2005年3月1日起执行的《深圳市节约用水条例》规定,单位用户(指在生产、经营、科研、教学、管理等过程中发生用水行为的非居民生活用户。年实际用水量超过3万 m³ 的称为重点单位用户,年实际用水量不足3万 m³ 的称为一般单位用户)应当至少每3年进行一次水量平衡测试,产品结构或者工艺发生变化时,应当及时复测。水量平衡测试结果应当报送市、区水务主管部门。单位用户应当根据行业用水定额、水量平衡测试确定的合理用水水平、年度用水总量等申报年度每月用水计划。

2006年5月1日起,深圳实施《深圳市水量平衡测试办法》,其主要内容如下:

(1)水量平衡测试实行分级管理。年实际用水量在30 000 m³ 以上(含30 000 m³)的单位用户,其水量平衡测试工作由市节约用水管理机构负责管理。罗湖、福田、南山、盐田区年实际用水量在5 000～30 000 m³ 以下的单位用户,其水量平衡测试工作由市节约用水管理机构负责管理;年实际用水量不足5 000 m³ 的单位用户,其水量平衡测试工作由区水务主管部门负责管理;宝安、龙岗区年实际用水量不足30 000 m³ 的单位用户,其水量平衡测试工作由区水务主管部门负责管理。

(2)凡本市行政区域内的单位用户,应根据市节约用水管理机构或区水务主管部门的安排至少每3年进行一次水量平衡测试。经审查的水量平衡测试结果是确定单位用户年度用水计划的重要依据。

(3)不同用水性质的用水应分表计量。单位用户每个用水单元和用水设备应按水量平衡测试要求安装计量设施,符合日常用水节水管理要求。用水计量设施应有质量技术监督部门或其授权机构出具的检验合格证明。

(4)市节约用水管理机构或区水务主管部门负责制定单位用户的水量平衡测试工作安排方案,并及时通知单位用户。单位用户应当按照工作安排方案的要求完成本单位水量平衡测试工作。需要调整测试时间的,应当在接到工作安排方案通知之日起两个月内,向制定工作安排方案的市节约用水管理机构或区水务主管部门提出书面申请,市节约用水管理机构或区水务主管部门可根据实际情况进行调整。

测试单位应当在测试前一周将测试工作时间安排报市节约用水管理机构或区水务主管部门备案,市节约用水管理机构或区水务主管部门根据情况组织现场抽查。

(5)年实际用水量在 30 000 m³ 以上的重点单位用户,可委托独立的水量平衡测试机构(以下简称独立测试机构)进行测试。年实际用水量在 5 000 ~ 30 000 m³ 以下的一般单位用户,可委托独立测试机构进行测试;或可自行组织测试,并取得独立测试机构的复核合格意见。

年实际用水量不足 5 000 m³ 的一般单位用户,可委托独立测试机构进行测试,也可自行组织测试。

(6)单位用户按管理权限将水量平衡测试结果报市节约用水管理机构或区水务主管部门验收。市节约用水管理机构或区水务主管部门验收合格的,应当及时出具水量平衡测试验收合格证明文件。

单位用户经水量平衡测试发现有不合理用水的,应当按照市节约用水管理机构或区水务主管部门确认的整改方案进行整改。

整改期间,其用水计划按照整改前实测的合理用水水平系数确定;整改完成后,其用水计划按照市节约用水管理机构或区水务主管部门整改验收合格后的合理用水水平系数确定。

(7)单位用户水量平衡测试验收合格后,市节约用水管理机构或区水务主管部门应当按照水量平衡测试验收合格证明文件确定的合理用水水平系数和用水性质构成等调整用水计划。

2007 年颁布的《深圳市重点单位用户水量平衡测试验收办法》规定如下:

（1）对专业测试机构的验收是指对其工作过程和测试成果的验收，旨在规范测试机构实施水量平衡测试的工作过程，控制测试质量，确保测试结果能够客观、公正、科学、全面地反映被测试单位用户的用水和节水管理情况。

（2）对单位用户的验收旨在通过综合考核其实际用水水平和节约用水管理水平，为确定单位用户的年度用水计划提供依据，并通过用水计划促进单位用户改进用水方式或生产工艺，提高节水管理水平，节约用水。对单位用户的验收包括两部分：一是依据水量平衡测试结果，计算并分析单位用户的节水技术指标，按照节水技术指标进行验收评分；二是调查单位用户的用水系统布局和各种用水的历史、现状和发展规划，以及节水管理措施等情况，按照用户的节水管理水平进行验收评分。

专业测试机构负责在对单位用户进行调查和完成水量平衡测试的基础上，分别填写《单位用户节水管理工作考核表》和《单位用户节水技术指标考核表》的机构测评栏，上述表格和水量平衡测试结果一起编写在《单位用户水量平衡测试报告书》中。市节水办负责对《单位用户水量平衡测试报告书》组织评审和审查批复，并以审查合格的《单位用户水量平衡测试报告书》为依据，结合现场核查，对单位用户的节水管理工作和节水技术指标进行综合验收和评分。

（3）测试申请需提交资料方面的规定如下：测试机构在测试前一周向市节水办提交测试申请、测试日程及单位用户用水设施现状资料和用水节水管理现状资料，汇总编写《单位用户水量平衡测试基础资料》（装订成册）。

单位用户用水设施现状资料（复印件，按顺序装订成册），包括单位用户概况（主要业务内容，主要职能，用水特征，人员数量，服务类型、规模，主要产品，产量、产值，历年用水量及用水单耗）；用水水源情况调查表及近 3 年用水情况调查表；给排水管网平面图（注明管材、管径、建设年代）及水表计量网络图（注明用水设备、计量仪表位置）；生产工艺，包括工艺流程图、工艺特征、工艺先进性水平、产值水平、耗水指标；用水设施调查表，包括二次供水设施（水池容积及个数）；水表配备计量情况调查表,包括用水部门,水表位置、直径及编号;节水型器具检查表,包括水龙头、便器等。

单位用户节水管理现状资料(复印件,按顺序装订成册),包括单位用户节水工作主管领导工作职责、相关文件制度及工作记录;单位用户确定节水主管部门和节水管理责任人的相关文件;节水管理岗位责任制度和节水管理网络图,以及工作记录;计划用水和节约用水的管理措施;用水原始记录(水费发票复印件)和年度用水统计分析报表;用水情况巡回检查及问题处理记录;给排水管网近期改造规划图(如果有);内部用水实行定额管理,节奖超罚的文件及相关资料;用水计量管理制度;用水设备、管道、器具定期检修制度及相关检修记录;节水设备运行管理制度及运行记录和维修记录。

用水户(用水单位)用水水平衡测试是节水型社会建设十分重要的环节,该环节与取水许可制度和计划用水制度、水价制度相结合,必将使节水型社会建设迈进新的境地。

8.4　对黄河水量统一调度的考察

黄河是我国西北、华北地区最大的供水水源,承担着流域内及相关供水区约 1.4 亿人口(占全国 12%)、2.4 万亩耕地(占全国 15%)、50多座大中城市、晋陕宁蒙能源基地以及中原油田、胜利油田的供水任务,是黄河流域乃至全国经济社会可持续发展的重要战略保障。根据1956~2000 年水文资料统计,黄河多年平均天然径流量 535 亿 m^3,水资源总量 707 亿 m^3,流域内人均水资源量 647 m^3,不到全国水平的30%,耕地亩均水资源量 290 m^3,仅为全国的 20%,水资源供需矛盾十分突出。

黄河水量统一调度缘于 20 世纪 90 年代频繁出现的黄河干流断流。黄河 1972 年首次出现断流,之后断流越来越频繁。根据黄河水文站的资料统计,1991~1999 年断流的天数分别为 16、83、60、74、122、136、226、142、42 d,其中 1997 年断流时间最长,为 226 d,黄河从河口到开封全线干涸。

用水量剧增是黄河断流的主要原因。20 世纪 50 年代,黄河流域各省(区)工农业引用黄河水量约 122 亿 m³,到 90 年代增加到 410 多亿 m³,占黄河流域水资源总量的 71%,水资源利用率为全世界大江大河所罕见。

黄河断流带来了严重的生产、生活和生态问题,同时也带来了许多社会问题,甚至有人将黄河的断流与中华民族和中华文明的兴衰联系在一起。黄河断流引起了全社会的高度重视。1998 年 1 月,163 位中国科学院院士和中国工程院院士联名呼吁:"行动起来,拯救黄河!"1998 年 12 月 14 日,经国务院批准,国家计委、水利部联合颁布了《黄河可供水量年度分配及干流水量调度方案》和《黄河水量调度管理办法》,正式授权黄河水利委员会统一调度黄河水量。1999 年 3 月 1 日,黄河水利委员会发出第一份调水令,2000 年开始,黄河结束了频繁断流的历史。2006 年 7 月 24 日,国务院第 472 号令颁布了《黄河水量调度条例》,该条例于同年 8 月 1 日起施行。

黄河水量统一调度需要综合考虑流域上下游各省(区)的用水需求,包括灌溉、水力发电、工业、生活等方面的用水需求,保证防洪、防凌安全,减缓水库、河道淤积,遏制水质恶化趋势,保证河流最基本的生态水流、输沙水流和一定量的入海流量,需要把流域管理和区域管理相结合,需要水行政主管部门、各级地方政府及社会各界的大力配合。主要的措施包括以下几个方面。

8.4.1 明晰初始水权

早在 1987 年,国务院就批准了《黄河可供水量分配方案》。该方案采用的黄河天然径流量为 580 亿 m³,将其中 370 亿 m³ 的黄河可供水量分配给流域内 9 省(区)及相邻缺水的河北省、天津市,分配河道内输沙等生态用水为 210 亿 m³。详见表 8-1。

作为黄河流域初始水权的分配方案,国务院"87"分水方案一直沿用至今,是黄河水量统一调度的基础。流域各省(区)总量控制、不超指标用水是保证黄河不断流的前提。

表 8-1　黄河可供水量分配方案

表 8-1　黄河可供水量分配方案　　　　（单位:亿 m³）

省(区)	四川	青海	甘肃	宁夏	内蒙古	陕西	山西	河南	山东	津、冀
指标	0.4	14.1	30.4	40	58.6	38	43.1	55.4	70	20

目前,流域内各省(区)均已将国务院分配给自己的用水指标分配到相关市(区),即市(区)级的初始水权已得到明晰。有的省(区)已将初始水权明晰到县(旗)级。

8.4.2　丰增枯减和计划用水

国务院"87"分水方案是平水年的用水指标,在实际水调年度(每年 7 月 1 日至翌年 6 月 31 日),黄河水利委员会根据来水预测按照同比例丰增枯减,综合平衡各省(区)申报的用水计划确定各省(区)年度水量(年度水量调度计划)。在年度水量调度计划和申报的旬、月用水计划基础上制订并实施旬、月水量调度方案。各省(区)根据黄河水利委员会下达的年度水量调度计划和旬、月水量调度方案制订并实施管辖范围内的相应计划和方案。

各级上报计划和方案时,同时上报上一个时间单元的实际引用水量。

8.4.3　水库调度

黄河水利委员会对龙羊峡、刘家峡、万家寨、三门峡、小浪底、西霞院、故县、东平湖实施水量调度,下达旬、月水量调度方案和实时调度指令。必要时也可以对大峡、沙坡头、青铜峡、三盛公、陆浑实施水量调度,下达调度指令。

上述水库构成了黄河水量统一调度的骨干配水工程,保障水调计划和水调方案的实施。

8.4.4　河道流量控制

河道流量控制分两个方面:一是指水文断面实际流量必须符合月、

旬水量调度方案和实时调度指令确定的断面流量控制指标,包括日平均流量、旬平均流量和月平均流量;二是指干支流重要控制断面的流量不能低于水调预警流量。黄河干流省际和重要控制断面预警流量、黄河重要支流控制断面最小流量指标及保证率见表8-2和表8-3。

表8-2　黄河干流省际和重要控制断面预警流量　　　(单位:m³/s)

断面	下河沿	石嘴山	头道拐	龙门	潼关	花园口	高村	孙口	泺口	利津
预警流量	200	150	50	100	50	150	120	100	80	30

表8-3　黄河重要支流控制断面最小流量指标及保证率

河流	断面	最小流量指标（m³/s）	保证率（%）	河流	断面	最小流量指标（m³/s）	保证率（%）
洮河	红旗	27	95	渭河	北道	2	90
湟水	连城	9	95		雨落坪	2	90
	享堂	10	95		杨家坪	2	90
	民和	8	95		华县	12	90
汾河	河津	1	80	沁河	润城	1	95
伊洛河	黑石关	4	95		五龙口	3	80
大汶河	戴村坝	1	80		武陟	1	50

　　河道流量控制由相应的省(区)人民政府和水库主管单位或部门负责保障。

8.4.5　应急调度

　　应急调度指出现严重干旱、省际或者重要控制断面流量降至预警流量、水库运行故障、重大水污染事故等情况下的调度,包括调整取水计划和水库运行计划、压减取水量、动用水库死库容、下令关闭取水口、指令相关企业限产或者停产等。

8.4.6　取水许可与水权转换

取水许可制度是实施"总量控制"与"定额管理"的重要手段。国务院 2006 年颁布实施的《取水许可和水资源费征收管理条例》规定,实施取水许可应当坚持地表水与地下水统筹考虑,开源与节流相结合、节流优先的原则,实行总量控制与定额管理相结合。批准的水量分配方案或者签订的协议是确定流域与行政区域取水许可总量控制的依据。按照行业用水定额核定的用水量是取水量审批的主要依据。黄河流域已全面实现了取水许可制度和建设项目水资源论证制度。

在初始水权明晰的基础上,实施水权转换(转让),是促进节约用水、以有限的水资源支撑经济社会可持续发展的必要手段。2003 年起,黄河流域的宁夏、内蒙古两区在水权转换方面进行了有益的探索。2009 年 9 月,黄河水利委员会印发了《黄河水权转让管理实施办法》,规定三种情形下应进行水权转让:一是引黄耗水量连续两年超过年度水量调度分配指标,且超出幅度在 5% 以内的省(区),需新增项目用水的;二是与黄河可供水量分配方案相比,取水许可无余留水量指标的省(区),需新增项目用水的;三是与省(区)人民政府批准的黄河取水许可总量控制指标细化方案相比,市(地、盟)无余留水量指标的行政区域,需新增项目用水的。该办法规定,水权出让方必须是依法获得黄河取水权并在一定期限内通过工程节水措施或改变用水工艺拥有节余水量的取水人,取水工程管理单位和用水管理单位不一致的,以用水管理单位为主作为水权出让方。水权受让方拟建的项目应充分考虑当地水资源条件,符合国家法律法规和相关产业政策,采用先进的节水措施和用水工艺。黄河水权转让必须在国务院批准的《黄河可供水量分配方案》确定的耗水量指标内进行。

8.4.7　功能性不断流

2008 年底,黄河水利委员会提出了实现黄河功能性不断流的目标,包括经济用水、输沙用水、生态用水、稀释用水四个方面。

(1)经济用水。在黄河流域,当前及今后一个时期经济用水主要集中在农业灌溉上,要改变传统的沿河灌区自下而上凭经验要水、黄河水调部门被动制订供水计划的局面;强化对灌区土壤墒情、蒸散发和作物生长期有效降水的科学监测,研究分析不同作物及其不同生长阶段的需水规律,推广适宜的节水灌溉方式,主动超前提出灌区最佳灌溉时机、灌溉水量和灌溉过程,使黄河水资源在沿河农业灌溉方面得到优化配置。

(2)输沙用水。进入水库和河道中的泥沙,需要借助一定的水流动力输沙入海,因此输沙用水必须成为黄河水量调度功能用水的一项重要内容。要根据水库及下游河道的冲淤规律,研究提出具有较高效率并应长期维持的输沙流量及其过程,并通过水沙的调控措施来实现这一目标要求。为此,在继续做好汛前调水调沙工作的同时,汛期要充分利用中小洪水进行调水调沙,通过对不同区域来水来沙量及其过程的组合调度,塑造协调的水沙关系,达到水库排沙、河道输沙和主槽泥沙冲淤相对平衡的目标。

(3)生态用水。维持河道、河口生态系统良性循环,防止海水倒灌,满足生物种群新陈代谢对淡水的需求,需要黄河提供一定的水量及其过程。因此,应对河道及河口生态系统进行深入研究,基于对淡水补给的基本需求,反向提出调度要求,正向进行调度操作。

(4)稀释用水。在严格省(区)界断面管理、强化排污控制的同时,为了改善超规定标准的黄河水质,需要有相应的水量及其过程稀释污染物。要做到这一点,必须首先做好污染物浓度监测及预测,进而研究提出污染物稀释到符合国家规定水质标准的需水量及其过程。

8.5 对节水型社会建设的再认识

当前,节水型社会建设已经成为一种社会运动。这种社会运动体现出如下特征:

(1)在中央政府专业部门和地方政府的共同努力下,节水型社会建设已成为共识。

(2)节水型社会建设主要在以市级行政区域为载体的空间进行。

（3）尽管地方参与节水型社会建设有争取中央投资的动机与愿望，但对节水型社会建设的认识具有高度的一致性，参与的积极性空前高涨，节水型社会建设中涌现出一大批成功的典型或典范。

（4）以制度建设为核心在某些地区演变为以制度建设为主要内容。

（5）节水型社会建设成功与否，与地方党委和政府的重视程度密切相关。

（6）在水资源短缺的地区，通过水权转换筹措资金，促进转让方和受让方共同节水，是节水型社会建设的成功经验。

（7）制度建设、明晰水权、取水许可、水平衡测试、水权转换是节水型社会建设的核心环节。

（8）节水型社会建设还有很长的路要走，节水型社会建设一定要和区域经济社会发展和生态文明建设密切结合；反过来，节水型社会建设也能极大地促进区域经济发展，推动社会进步。

第9章　结论与展望

9.1　结论和创新

（1）节水型社会建设是我国目前正在进行的一项涉及全国的行动，也是当前及今后一个时期水利工作的重点。2007年，国家发展和改革委员会、水利部、建设部发布了《节水型社会建设"十一五"规划》。这是我国第一个节水型社会建设规划，是"十一五"期间全面建设节水型社会的行动纲领。规划的出台，标志着我国节水型社会建设工作在试点经验的基础上，开始在全社会全面推行；也标志着节水型社会建设工作实现了由水利行业推动到全社会建设的跨越。

（2）节水型社会的实践呼唤相应理论研究的升华及其对实践的指导。当前，在节水型社会建设理论和实践方面，存在关注工程技术多、关注经济社会不足，单项方法理论多、理论体系研究不足的问题。本书更多地从综合角度研究节水型社会，以节水型社会架构为切入点，系统地研究工程与经济社会节水系统及相应的理论和实践框架，并以榆林为对象对相应的技术问题进行探讨。

（3）本书围绕自然—资源—水—人—社会—经济—制度—文化的线索和自然水—社会水—自然水的循环线索，全面探讨节水型社会的架构及其理论和实现，着力于引起对节水型社会复合特征的更高关注，使节水型社会及其建设和谐地融入到社会主义和谐社会建设的进程中。

（4）陕西榆林位于我国西北地区，多年平均降水量405 mm，自产水资源量32.29亿 m³，人均占有水量918 m³，水资源开发利用率19.6%，用水中高度紧张，水资源远不能满足建设适合人类生存和发展的良好生态环境用水要求（地表径流深74.1 mm）。榆林市辖榆阳等

12个县(区),2005年人口351.63万人,GDP 342.83万元。近年来,随着国家级能源化工基地建设和经济社会的整体发展,对水资源供应提出了更高的要求。本书以榆林市为实证研究对象,对节水型社会建设涉及的技术问题进行了探讨,包括自然背景分析,经济社会背景分析,水资源与水环境分析,节水潜力、需水预测与供需矛盾分析,节水型社会构建潜力分析,战略布局,法规制度建设,节水型组织建设,节水文化,保障体系等内容。

(5)节水型社会 WSS 是一种社会形态,表征为在全社会建立起以水权管理为核心的水(资源)制度,在生活和生产过程中普遍具有水患意识和节水观念,通过水资源优化配置、节约和保护,提高水的利用效率,实现节水生产和清洁生产,促进经济结构、社会发展和生活方式各个层面的变革,维持优良的水生态和水环境。从水循环的角度,WSS 可以理解为:人类社会按照自己的意愿改变水的自然循环过程,而对其进行蓄、供、用、排和减少其耗和污、治理其害的过程,以及相应的各种制度、手段、文化的综合。从制度政策层面(第三次)考察,WSS 社会是具有高度复合特征的常态型社会,在水制度的约束下,涉水事务上规范、有序、理性,社会与自然、个人与社会、个人与自然相和谐。文化角度的 WSS 是关于节水的观念、制度、工具、产品的综合。

(6)WSS 的总体架构大致可分为 8 个层次,即主体,对象或客体,工程技术措施,目标要求,管理模式,管理手段,经济社会文化背景,资源环境生态背景。因此,节水型社会架构包括环境情景(主体、客体和环境的组合)、水制度、科学技术、节水文化、目标要求等,也包括节水型社会分析设计的解构和结构技术,即节水型社会的全景体系或其相应的理论框架。

(7)水(资源)制度、工程科学技术、节水文化是 WSS 三元主架构。从社会学的角度考察,水制度是规范人类涉水行为的一种社会制度,是我国节水型社会顺利建立并维持良性运转的重要基础。作为一项社会制度,水制度由相应的价值系统、规范体系、组织系统、设备系统构成,其主要功能包括涉水行为导向、社会整合调适、传播和创造水文化。工程科学技术体现节水型社会相应的各种科学、技术、工程手段,包括水资源调控工程、非常规水源工程、生态工程、环境工程、节水生产和清洁生产、行业节水改造,以及生活节水、管理、决策支撑等。其中节水生产和清洁生产是核心。狭义的节水文化,即以节水为核心的社会文化、道德氛围建设,体现节水型社会观念上层部分,是节水型社会的重要组成部分和必要保证。广义的节水文化包括观念节水文化、制度节水文化、节水工具文化、节水产品文化。

(8)榆林市用水量近年呈轻微上升之势,2005 年为 6.33 亿 m^3,农业、工业、生活用水比例大致在 80:10:10。万元 GDP 用水量则下降明显,2005 年为 198 m^3。预计榆林市未来将继续沿着工业化的道路发展。预计 2010 年湿润、正常和干旱年景总需水量分别为 69 581 万 m^3、77 763 万 m^3 和 83 763 万 m^3。预计 2020 年湿润、正常和干旱年景总需水量分别为 107 899 万 m^3、116 081 万 m^3 和 122 081 万 m^3。预计正常年景 2010 年农业、工业、生活用水大致比例为 48:38:14,2020 年将为 37:50:13。

(9)利用增加值定额法、弹性系数法、灰色系统法、双累积法、规划校核法等对工业需水进行的预测表明,各种方法预测的差别较大。产业结构发生较大变化,能源化工基地建设急速推进,各种预测方法均难以反映这种结构的急剧变化,这是预测成果与能源化工基地需水统计相比较小的根本原因。工业用水预测的最终成果采用增加值预测法、双累积法和规划校核法的平均值,即 2010 年需水 29 299 万 m^3,2020年需水 58 647 万 m^3。

(10)对榆林市各县(区)节水型社会相关的 66 个指标进行分析,形成了 31 个主成分和 3 个原始变量。主成分分析结果表明,榆阳自然环境、水资源条件最好,自然灾害情况较弱。神木、府谷、横山、靖边、定边年降水量在 300 mm 以下,属干旱地区,该自然条件对节水型社会建设较为不利。吴堡、府谷、米脂、清涧、佳县、绥德 6 县农业规模较大,节水难度大,但节水潜力也大。靖边、榆阳、横山、神木、定边工程供水规模较大,水资源控制程度较好。神木、靖边、绥德、府谷、定边农业用水规模较大,相应节水潜力较大。榆阳非农业用水综合水平最高,吴堡最低。榆阳、米脂、神木、府谷、绥德法规制度基础较好。

　　(11)以主成分分析为基础,对榆林各县(区)的聚类分析表明,县(区)间欧氏距离最近的是佳县和清涧县,为0.59,表明该两县的WSS建设背景最为相似;距离最远的是榆阳和靖边、榆阳和吴堡,均为2.04,即榆阳与靖边、吴堡差异最大。从县(区)间欧氏距离的均值看,从小到大的顺序依次为佳县、清涧、子洲、米脂、绥德、吴堡、府谷、定边、横山、神木、靖边和榆阳。欧氏距离代表了县(区)间的差异情况,该顺序也是普通性由强到弱和特殊性由弱到强的顺序。

　　以1.0为临界欧氏距离,佳县、清涧、子洲、米脂、绥德、吴堡分为一类,其余各县自成一类,共7类。佳县、清涧、子洲、米脂、绥德、吴堡全部位于榆林南部黄土丘陵沟壑区,多被黄土层覆盖,厚50~100 m。基岩为中生界沙页岩。区内梁峁起伏,沟壑发育,地形破碎,干旱缺雨,水资源短缺,节水型社会建设的条件十分不利。

　　通过计算可知,Cophenetic 相关系数为0.95,delta(0.5)为0.07,delta(1)为0.08,拟合效果较好。

　　(12)榆林市现状供水能力情况下,预计2010年正常年景(供水能力6.8亿 m^3)缺水1.0亿 m^3,干旱年景(供水能力5.9亿 m^3)缺水2.5亿 m^3;预计2020年正常年景缺水4.8亿 m^3,干旱年景缺水6.3亿 m^3,因此需进一步开辟水源及强化节水措施。

　　榆林市节水型社会建设应以水权水市场理论为基础、以提高水资源的利用效率和效益为目标、以制度建设为核心,建立与用水指标控制相适应的水资源管理体系、与区域水资源和水环境承载力相适应的经济结构体系,以及与水资源优化配置相适应的水利工程体系,以农业节水为突破口,逐步实现节水生产和清洁生产,组织好能源化工基地需水的供应保障工作,增强公众的节水意识,形成健康文明、节约用水的消费方式。

　　综上所述,本书在以下几个方面有所创新和突破:

　　(1)本书系统地梳理了节水型社会的理论体系;提出了由制度建设、科学技术、节水文化等组成的节水型社会的架构,并对节水文化的内涵进行了系统探索。

　　(2)本书以榆林市为案例,收集与整理了丰富的数据资料,采用主成分、聚类分析等方法对榆林市节水型社会建设的主要因素和指标进行了系统分析;提出了榆林市节水型社会架构;应用双累积法等对榆林地区的需水量进行了预测。

（3）在建立节水型社会目标体系和用水类型体系的基础上,本书提出了榆林市产业结构调整、水资源合理配置、涉水制度改革等节水型社会建设方案,对榆林市节水型社会建设具有重要的应用价值,可为其他地区节水型社会建设所借鉴。

9.2 展望

随着节水型社会建设的社会化进程,我国的水资源开发利用将进入一个全新的时期,用水、节水水平将大大提高,水资源短缺的局面将得到缓解,以水资源的可持续利用维持经济社会可持续发展的目标将逐步实现。与此同时,与节水型社会建设相适应的理论研究将呈现繁荣的局面,政府和社会各界也将会对节水型社会给予更广泛的关注。本书提出的部分观点、模式、体系、架构也将有机会得到验证或引起有关部门、人员的重视,从经济、技术、社会、文化、环境等多角度关注节水型社会及其建设的局面也将形成。

由于时间和资料等因素,本书涉及的许多侧面未能展开,许多理念未能得到更有效的梳理,理论阐述和实践结合尚有待进一步验证。另外,在实证分析方面,水环境承载力几乎未涉及,需水预测有待检验,提出的双累积方法和规划校核法有待完善,行业和组织节水针对性较弱,节水文化尚不成体系。希望本书能起到抛砖引玉的作用,引起大家对节水型社会的复合特征的更高关注,使节水型社会及其建设和谐地融入到社会主义和谐社会建设的进程中。

参 考 文 献

[1] 蔡守秋,吴贤静. 论节水型社会的法律框架[J]. 中国水利,2005(13):50 - 52.

[2] 曹印革. 论企业文化建设[J]. 邢台职业技术学院学报,2006,23(4).

[3] 陈丹,莫兴国,林忠辉,等. 基于 MODIS 数据的无定河流域蒸散模拟[J]. 地理研究,2006,25(4):7.

[4] 陈绍金. 对水文化建设的思考[J]. 中国水利,2004(13).

[5] 陈莹,刘昌明,赵勇. 节水及节水型社会的分析和对比评价研究[J]. 水科学进展,2005,16(1):83 - 89.

[6] 陈志恺. 中国水资源[J]. 中国水利,2000(8).

[7] 成建国,杨小柳,魏传江. 论水安全[J]. 中国水利,2004(1).

[8] 程殿龙,尚全民,万海滨,等. 以科学精神和积极态度对待洪水资源化[J]. 中国水利,2004(15).

[9] 程国栋. 虚拟水——水资源安全战略的新思路[J]. 中国科学院院刊,2003 (4):260 - 265.

[10] 程娟. 新型资源观与实现水资源的可持续利用[J]. 中国水利,2003(2B).

[11] 程银才,林洪孝. 我国水资源管理现存的主要问题及对策[J]. 山东农业大学学报:社会科学版,2003,5(3):10 - 14.

[12] 褚俊英,王建华,秦大庸,等. 我国节水型社会建设的模式研究[J]. 中国水利,2006(23):36 - 40.

[13] 崔金星. 节水型社会建立的基础和条件[J]. 水利发展研究,2004(9):20 - 23.

[14] 崔延松,陈海涛. 节水型社会水价系统分析[J]. 华北水利水电学院学报,2006(2):14 - 17.

[15] 崔玉川,等. 城市与工业节约用水手册[M]. 北京:化学工业出版社,2002.

[16] 邓平. 水利工程的环境美化[J]. 中国水利,2004(8).

[17] 丁东华,鱼晓利. 建设节水型社会,突破水资源瓶颈制约[J]. 地下水,2006,28(6):107 - 109.

[18] 丁渠. 重新审视水事纠纷的价值[J]. 中国水利,2005(4):57 - 58.

[19] 董辅详,董欣东. 城市与工业节水理论[M]. 北京:中国建筑工业出版社,2000.

[20] 董国凤,何云雅,王晓东. 天津市创建节水型社会的总体目标及发展模式[J]. 中国给水排水,2006,22(20):80－84.

[21] 董文虎. 水利工程公益性服务的边界界定[J]. 中国水利,2000(1).

[22] 黄河水利委员会. 黄河流域及西北内陆河水功能区划. 2001.

[23] 冯广志. 关于农业高效用水体系建设的几个问题[J]. 中国水利,2001(11).

[24] 冯海燕,张昕,李光永,等. 北京市水资源承载力系统动力学模拟[J]. 中国农业大学学报,2006 ,11(6):106－110.

[25] 冯晓东. 民间资本参与中水供给的可行性及模式探讨[J]. 中国水利,2005(2):24－26.

[26] 甘泓,李令跃,尹明万. 水资源合理配置浅析[J]. 中国水利,2000(4).

[27] 国家发展和改革委员会,水利部.“十一五”节水型社会建设规划工作大纲. 2005.

[28] 国家发展和改革委员会,水利部,国家统计局. 2005 年各地区每万元工业增加值用水量情况通报. 2006.

[29] 国家发展和改革委员会,科技部,水利部,等. 中国节水技术政策大纲. 2005.

[30] 国家发展和改革委员会,科技部. 中国节能政策技术大纲. 2005.

[31] 国家统计局. 2005 年国民经济和社会发展统计公报. 2006.

[32] 国务院办公厅. 国务院办公厅关于进一步推进西部大开发的若干意见(国发〔2004〕6 号). 2004.

[33] 国务院办公厅. 国务院办公厅关于开展资源节约活动的通知(国办发〔2004〕30 号). 2004.

[34] 国务院. 国务院关于做好建设节约型社会近期重点工作的通知（国发〔2005〕21 号). 2005.

[35] 国务院. 中华人民共和国国民经济和社会发展第十一个五年规划纲要. 2005.

[36] 洪大用. 环境社会学与环境友好型社会建设[J]. 中国人民大学学报,2007(1):114－121.

[37] 侯全亮. 河流伦理——维持黄河健康生命的人文基础[J]. 中国水利,2005(1):60－62.

[38] 胡鞍钢,王亚华. 以体制创新建设节水型社会[J]. 瞭望新闻周刊, 2003,43:26－27.

[39] 胡鞍钢,王亚华. 转型期水资源配置的公共政策:准市场和政治民主协商[J]. 中国软科学, 2000 (5): 5－11.

[40] 胡和平,彭祥. 博弈论视角下节水型社会制度建设的基本内涵、组成结构与基本表征[J]. 中国水利,2005(13):53-58.

[41] 黄守宏. "量水而行"指导国民经济发展[J]. 中国水利,2002(10).

[42] 黄文胜. 甘肃省水资源的特征与节水型社会的建设[J]. 地下水,2006,28(6):104-107.

[43] 黄晓荣,张新海,裴源生,等. 基于宏观经济结构合理化的宁夏水资源合理配置[J]. 水利学报,2006(3):371-375.

[44] 贾永勤,段疆. 张掖市节水型社会试点建设效果分析[J]. 水利规划与设计,2006(2):18-21.

[45] 姜文来. 绿色水利及其与节水型社会关系研究[J]. 中国水利,2005(13):43-46.

[46] 焦彩霞,殷文杰. 面向21世纪陕西省水资源综合开发利用研究[J]. 干旱区资源与环境,2002,16(1):43-48.

[47] 矫勇. 浅谈水资源管理中的资源配置[J]. 中国水利,2002(12).

[48] 矫勇. 正确把握水资源配置内涵,科学制定水资源配置方案[J]. 中国水利,2004(19).

[49] 金光炎. 人水和谐与水资源保护[J]. 江淮水利科技,2006(1):12-14.

[50] 李顶峰. 环境规制的范式及其政治经济学分析[J]. 暨南学报:哲学社会科学版,2007(2):47-52.

[51] 李锋瑞. 干旱农业生态系统研究[M]. 西安:陕西科技出版社,1998.

[52] 李佩成,冯国章. 论干旱半干旱地区水资源可持续供给原则及节水型社会的建立[J]. 干旱地区农业研究,1997,15(2):1-7.

[53] 李佩成. 认识规律,科学治水[J]. 山东水利科技,1982(1):18-21.

[54] 李琪. 国外水资源管理体制比较[J]. 水利经济,1998(1):62-63.

[55] 李希. 建设节水型社会,促进可持续发展[M]∥罗祖孝,魏万进. 河西内陆河流域生态建设与社会经济可持续发展. 兰州:兰州大学出版社,2003:89-95.

[56] 李远华,赵金河,张思菊,等. 水分生产率计算方法及其应用[J]. 中国水利,2001(8).

[57] 李宗礼,杨贤远,沈清林,等. 建立节水型"社会—经济—生态"复合大系统的战略对策[J]. 中国水利,2005(13):76-79.

[58] 林园梓. PPP融资模式及其与其他融资方式的比较[EB/OL]. http://blog.gmw.cn/uo/3526/archives/2005/8176.html,2005.

[59] 刘斌. 关于水权的概念辨析[J]. 中国水利,2003(1).

[60] 刘斌. 河西地区率先建设节水型社会的探讨[J]. 中国水利,2004(10).

[61] 刘昌明. 21世纪中国水资源若干问题的讨论[J]. 水利规划设计,2002(1):14-20.

[62] 刘昌明,李云成. 绿水与节水:中国水资源内涵问题的讨论[J]. 科学对社会的影响,2006(1):16-20.

[63] 刘昌明. 界面水分调控[M]. 北京:气象出版社,1999.

[64] 刘昌明,陈志恺. 中国水资源现状评价和供需发展趋势分析[M]. 北京:中国水利水电出版社,2001:178-179.

[65] 刘昌明,何希吾,任鸿遵. 中国水问题研究[M]. 北京:气象出版社,1996:20-32.

[66] 刘昌明,何希吾. 中国21世纪水问题方略[M]. 北京:科学出版社,1998.

[67] 刘昌明,何希吾. 我国21世纪上半叶水资源供给分析[J]. 中国水利,2000(2).

[68] 刘昌明,李丽娟. 解决我国水问题的途径[J]. 科学对社会的影响,1999(3).

[69] 刘昌明. 土壤水资源评价[M]∥刘昌明,任鸿遵. 水量转换实验与计算分析. 北京:科学出版社,1988.

[70] 刘昌明. 我国西部大开发中有关水资源的若干问题[J]. 中国水利,2000(8).

[71] 刘昌明. 华北平原农业节水与水量调控[J]. 地理研究,1989(3).

[72] 刘丹,严冬,张乾元,等. "节水型社会"建设模式选择研究[J]. 中国农村水利水电,2004(12):19-24.

[73] 刘恒. 水资源可持续利用的原则与保障条件[J]. 中国水利,2000(8).

[74] 刘慧梅. 水资源承载能力分析模式与计算模型[J]. 中国农村水利水电,2005(9).

[75] 刘建林,孔珂,康文祥,等. 城市用户群用水自律的心理分析与对策[J]. 城市管理与科技,2006(6):269-271.

[76] 刘建林,刘艳艳,王慧芬. 论节水型社会建设中的文化传承[EB/OL]. http://www.gotoread.com/mag/1632/contribution 92778.html,2005.

[77] 刘强,陈进,黄薇. 水资源承载能力研究[J]. 中国水利,2003(5B).

[78] 刘青勇,张保祥. 水资源承载能力特性与影响因素分析[EB/OL]. http://www.hwcc.com.cn/newsdisplay/newsdisplay.asp?Id=26157,2001.

[79] 刘苏峡,毛留喜,莫兴国,等. 黄河沿岸陕豫区土壤水分的空间变化特征及其

驱动力因子分析[J]. 气候与环境研究,2008,13(5).

[80] 刘苏峡,张士锋,刘昌明. 黄河流域水循环研究的进展和展望[J]. 地理研究,2001,20(3):257 – 265.

[81] 刘文,黄河,张旺,等. 全国节水型社会建设试点:一场深刻革命的尝试[J]. 水利发展研究,2003(6):4 – 7.

[82] 柳长顺,陈献,乔建华. 国外用水审计对我国建设节水型社会的启示[J]. 中国水利,2005(13):127 – 130.

[83] 马静,汪党献. 虚拟水贸易与跨流域调水[J]. 中国水利,2004(13).

[84] 莫兴国,郭瑞萍,林忠辉. 无定河区域 1981 ~ 2001 年植被生产力和水量平衡对气候变化的响应[J]. 气候与环境研究,2006,11(4):477 – 486.

[85] 莫兴国,刘苏峡,林忠辉,等. 无定河流域水量平衡变化的模拟[J]. 地理学报,2004,59(3):341 – 348.

[86] 宁堆虎. 梨园河灌区建设节水型社会初步实践[J]. 中国水利,2003(5B):13 – 14.

[87] 钱敏. 试论水资源统一管理的基本内涵[J]. 中国水利,2002(10).

[88] 钱易. 水资源管理需要新思路新策略[J]. 中国水利,2002(10).

[89] 钱正英,张光斗. 中国可持续发展水资源战略研究报告(综合报道及各专题报告)[M]. 北京:中国水利水电出版社,2001.

[90] 钱正英. 对河西走廊生态环境河水资源合理配置的几点认识[J]. 中国水利,2001(11).

[91] 裘江海. 论绿色水利与浙江省节水型社会建设的关系[J]. 浙江水利科技,2007,149(1):18 – 21.

[92] 全国节约用水办公室. 全国节水规划纲要(2001—2010). 2002.

[93] 全国人大常委会. 中华人民共和国水法. 2002.

[94] 全国人大常委会. 中华人民共和国水土保持法. 1991.

[95] 全国人大常委会. 中华人民共和国水污染防治法. 2008.

[96] 冉连起. 对确定用水定额相关问题的探讨[J]. 中国水利,2005(11):19 – 20.

[97] 陕西省水利厅. 陕西省水资源开发利用发展规划. 2003.

[98] 陕西省水资源管理办公室. 榆林市水资源年报. 1998—2005.

[99] 陕西省行业用水定额编制工作组. 陕西省行业用水定额(试行). 2004.

[100] 陕西省政府. 陕西省节约用水办法. 2003.

[101] 陕西省政府. 陕西省节水型社会发展纲要. 2003.

[102] 邵益生. 我国城市供水水质督察工作回顾与展望[J]. 给水排水,2007(8).

[103] 邵益生. 试论水的"三权分离"与"三权分立"[J]. 中国水利,2002(10).

[104] 沈国舫. 生态环境建设与水资源的保护与利用[J]. 中国水利,2000(8).

[105] 沈振荣,汪林. 节水新概念——真实节水的研究与应用[M]. 北京:中国水利水电出版社,2000:14-22.

[106] 施雅风,等. 乌鲁木齐河流域水资源承载力及其合理利用[M]. 北京:科学出版社,1992.

[107] 水利部. 开展节水型社会建设试点工作指导意见. 2002.

[108] 水利部. 关于印发节水型社会建设规划编制导则(试行)的通知. 2004.

[109] 水利部. 关于印发开展节水型社会建设试点工作指导意见的通知. 2002.

[110] 水利部. 中国水资源公报. 2005.

[111] 孙立平. "道德滑坡"的社会学分析[J]. 中国青年政治学院学报,2001(9):65-69.

[112] 汤奇成,曲耀光,周聿超. 中国干旱区水文及水资源利用[M]. 北京:科学出版社,1992.

[113] 万育生,张继群,姜广斌. 我国水资源管理制度的研究[J]. 中国水利,2005(7):16-20.

[114] 汪恕诚. 解决水资源短缺的根本出路[J]. 南水北调与水利科技,2006(4):1-2.

[115] 汪恕诚. C模式:自律式发展[J]. 中国水利,2005(13):11-17.

[116] 汪恕诚. 落实科学发展观,全面推进节水型社会建设[J]. 水利经济,2004,22(3):1-2.

[117] 汪恕诚. 怎样解决中国四大水问题[J]. 水利经济,2005,23(2):1-4.

[118] 汪恕诚. 建设节水型社会工作要点[J]. 中国水利,2003(11).

[119] 汪恕诚. 以水资源的可持续利用促进经济社会的可持续发展[J]. 中国水利,2003(3B).

[120] 王浩,王建华,陈明. 中国北方干旱地区节水型社会建设的实践探索[J]. 中国水利,2002(10):140-144.

[121] 王浩. 水资源评价准则及其计算口径[J]. 水利水电技术,2004(2).

[122] 王浩,汪党献,倪红珍,等. 中国工业发展对水资源的需求[J]. 水利学报,2004(4).

[123] 王浩,王建华,陈明. 北方干旱地区节水型社会建设的实践探索——以我国第一个节水型社会建设试点张掖地区为例[J]. 中国水利,2002(12):1496-1502.

[124] 王浩,王建华,秦大庸,等. 基于二元水循环模式的水资源评价理论方法 [J]. 水利学报,2006,37(12):1496-1502.

[125] 王玲,夏军,张学成. 无定河20世纪90年代入黄水量减少成因分析[J]. 应用基础与工程科学学报,2006,14(4):463-469.

[126] 王晓东,杨柠. 重视激发节水型社会建设主体有效的内在驱动力[J]. 中国 水利,2005(13):84-86.

[127] 王修贵,张乾元,段永红. 节水型社会建设的理论分析[J]. 中国水利,2005 (13).

[128] 王亚华. 我国建设节水型社会的框架、途径和机制[J]. 中国水利,2003 (10):15-18.

[129] 王会肖,王红瑞. 中国水环境水生态的若干问题及其对策[J]. 科学对社会 的影响,2006(1):21-26.

[130] 王西琴,刘昌明,张远. 基于二元水循环的河流生态需水水量与水质综合评 价方法——以辽河流域为例[J]. 地理学报,2006,61(11):1132-1140.

[131] 王学凤,赵建世,王忠静,等. 水资源使用权分配模型研究[J]. 水科学进 展,2007,18(2):241-245.

[132] 魏永安,侯秀凤,李乾生,等. 包头市节水型社会建设初探[J]. 科技与经 济,2006,24:191-192.

[133] 吴传清,刘陶. 以色列节水型社会建设模式的制度经济学分析[J]. 世界经 济,2005(1):40-44.

[134] 吴季松. 水资源的优化配置是中国先进生产力的发展要求[J]. 中国水利, 2000(8).

[135] 吴季松. 四川绵阳建设生态节水(防污)型社会的目标体系[J]. 中国水利, 2004(8).

[136] 吴普特,黄占斌,付国岩. 人工汇集雨水利用技术研究主要进展[J]. 中国 水利,2001(7).

[137] 吴东杰,王金生,丁爱中. 干旱气候条件下黄河流域自产水资源调配方案研 究[J]. 工程勘察,2007(6):13-18.

[138] 夏军,乔云峰,宋献方,等. 岔巴沟流域不同下垫面对降雨径流关系影响规 律分析[J]. 资源科学,2007,29(1):71-78.

[139] 徐中民,龙爱华,张志强. 虚拟水的理论方法及在甘肃省的应用[J]. 地理 学报,2003,58(6):861-869.

[140] 徐宗学,张楠. 黄河流域近50年降水变化趋势分析[J]. 地理研究,2006,25

(1):27－34.

[141] 许新宜,杨志峰. 试论生态环境需水量[J]. 中国水利,2003(3A).

[142] 许新宜. 关于节水型社会建设的几点认识[J]. 中国水利,2005(12):38－39.

[143] 许新宜. 浅谈水资源合理配置与水资源承载能力[J]. 中国水利,2002(10).

[144] 薛万功. 加强流域水资源管理,促进流域节水型社会建设[J]. 水利发展研究,2007(3):40－45.

[145] 杨根生,董光荣,曲耀光,等. 甘宁蒙陕农牧交错带不宜大规模开垦[J]. 中国沙漠,2002,22(5):409－415.

[146] 余达淮,许圣斌,陆晓平. 节水型社会的伦理理念和原则[J]. 水利发展,2005(9):27－30.

[147] 榆林市发展和改革委员会,等. 榆林能源化工基地工业园区及重点产业项目用水量估算及水源配置. 2005.

[148] 榆林市人民政府. 榆林市国民经济和社会发展第十一个五年规划纲要. 2006.

[149] 榆林市水利局. 榆林市水利发展"十一五"规划报告. 2005.

[150] 榆林市统计局. 榆林市国民经济与社会发展统计公报. 2001—2005.

[151] 曾思育,傅国伟. 中国水资源管理问题分析与集成化水管理模式的推行[J]. 水科学进展,2001,12(1):81－86.

[152] 曾毅. 人口分析方法与应用[M]. 北京:北京大学出版社,1993.

[153] 张爱胜,李锋瑞,康玲芬. 节水型社会:理论及其在西北地区的实践与对策[J]. 中国软科学,2005(10).

[154] 张春玲,杨小柳,阮本清. 水资源恢复的经济补偿初探[J]. 中国水利,2004(9).

[155] 张光斗. 面临21世纪的中国水资源问题[J]. 地球科学进展,1999,14(1):16－17.

[156] 张光斗. 对水利几个具体问题的看法[J]. 中国水利,2002(11).

[157] 张录强. 科学与社会发展范式的革命[J]. 经济管理,2005(3):16－18.

[158] 张明. 榆林地区土地利用与土地覆被变化[D]. 北京:中国科学院地理研究所,1998.

[159] 张汝山. 论企业文化的审美价值取向[J]. 石油大学学报:科学社会版,2005,21(2).

[160] 张旺,张天辉. 对水利社会管理的几点认识[J]. 中国水利,2005(11):5-7.

[161] 张晓晨,龙腾飞. 上善若水与人水和谐[J]. 水利科技与经济,2006,12(10):655-656.

[162] 赵伟. 我国水权制度建设是一个长期的过程[J]. 中国水利,2005(4):27-29.

[163] 郑炳章, 郭秀莲, 贾丽双. 节水型社会概念初探[J]. 石家庄经济学院学报,2003, 26(4):365-369.

[164] 郑通汉. 制度 文化 水危机——兼论水的治道变革[J]. 中国水利,2005(1):32-37.

[165] 中国工程院"西北水资源"项目组. 西北地区水资源配置、生态环境建设和可持续发展战略研究[J]. 中国工程科学,2003,5(4):1-26.

[166] 钟华平,耿雷华. 虚拟水与水安全[J]. 中国水利,2004(5).

[167] 钟玉秀, 刘洪先, 杨柠. 张掖市节水型社会建设试点的经验和启示[J]. 水利发展研究,2003(7):45-49.

[168] 周君亮. 中国水利可持续发展探讨[J]. 中国水利,2000(8).

[169] 邹再进, 张志良. 西北地区建立区域节水型社会经济体系的突破点[J]. 世界科技研究与发展,2003,25(2):32-36.

[170] 朱党生,王筱卿,纪强,等. 中国水功能区划与饮用水源保护[J]. 水利技术监督,2001(3):33-37.

[171] 张友琴,童敏,欧阳马. 社会学概论[M]. 北京:科学出版社,2000.

[172] 方青,孔文. 社会学概论[M]. 合肥:安徽大学出版社,2005.

[173] 李琴. 社会学概论[M]. 济南:山东大学出版社, 2009.

[174] 左其亭,张培娟,马军霞,等. 水资源承载能力计算模型及关键问题[J]. 水利水电技术,2004(2).

[175] Allan J. A. . Virtual Water: A Long Term Solution for Water Short Middle Eastern Economies [A] // Paper Presented at the 1997 British Association Festival of Science. University Environments, 1999, 43: 121-131.

[176] Feng Q. , Cheng G. D. . Current Situation, Problems and Rational Utilization of Water Resources in Arid North-Western China [J]. Journal of Arid Environments, 1998, 40: 373-382.

[177] Geldof G. D. . Policy Analysis and Complexity—A Non-equilibrium Approach for Integrated Water Management[J]. Water Science and Technology, 1995, 31(8): 301-309.

[178] Hotelling H.. Analysis of a Complex of Statistical Variables into Principal Components[J]. J. Educ. Psychol. ,1933, 24:417 -441.

[179] Li F. R. , Cook S. , Geballe G. T. , et al. Rainwater Harvesting Agriculture: An Integrated System for Water Management on Rainfed Land in China's Semi-arid Areas [J]. Ambio,2000, 29(8) : 477 -483.

[180] Mo. X. , S. Liu, Z. Lin,et al. Prediction of Evapotranspiration and Stream Flow with a Distributed Model over Large Wuding River Basin[J]. IAHS publication,2003,282:301 -307.

[181] Mo. X. , S. Liu, Z. Lin,et al. Simulating Temporal and Spatial Variation of Evportranspiration over the Lushi Basin[J]. Journal of Hydrology,2004, 285:125 - 142.

[182] North D. . Institutions, Institutional Change and Economic Performance [M]. New York: Cambridge University Press,1990.

[183] Pearson K.. On Linear and Planes of Closest Fit to System of Points in Space [J]. Philosophical Magazine, 1901(2).

[184] RAND. China's Continueel Economic Progress :Possible Adversities and Obstacles . Beijing :Annual CRF-RAND Conference ,2002.

[185] Varis O. ,Vakkilainen P. . China's Challenges to Water Resources Management in the First Quarter of the 21st Century[J]. Geomorphology, 2001, 41: 93 - 104.

[186] Wang G. X. , Cheng G. D. . Water Resource Development and Its Influence on the Environment in Arid Areas of China—the Case of the Hei River Basin [J]. Journal of Arid,Environments,1999,43:121 - 131.

[187] Framing Committee of the GWSP. The Global Water System Project: Science Framework and Implementation Activities. Earth System Sci. Partner-ship Proj. , Global Water Syst. Proj. , Bonn,Germany,2004.

[188] Meybeck M. , C. J. Vörösmarty. The integrity of River and Drainage Basin Systems: Challenges from Environmental Change, in Vegetation, Water, Humans and the Climate: A New Perspectiveon an Interactive System. edited by P. Kabat et al. , Springer-Verlag, New York,2004: 297 -479.

[189] Pahl-Wostl C. , H. Hoff, M. Meybeck, et al. The Role of Global Change Research for Aquatic Sciences[J]. Aquat. Sci. , 2002,64:4 -6.

[190] Revenga C. , J. Brunner, N. Henninger, et al. Pilot Analysis of Global Ecosys-

tems: Freshwater Systems, World Resour. Inst. , Washington, D. C. ,2000.

[191] Ross T. F. ,J. N. Lott. A climatology of 1980—2003 extreme weather and climate events, Tech. Rep. 2003 – 1, Nat. Clim. Data Cent. , Asheville, N. C. ,2003.

[192] Shiklomanov I. A. , J. Rodda. World Water Resources at the Beginning of the 21st Century. U. N. Educ. Sci. and Cult. Organ. , Paris,2003.

[193] Vörösmarty C. J. , M. Meybeck, B. Fekete, et al. Anthropogenic sediment retention: Major Global Impact from Registered River Impoundments[J]. Global Planet. Hange,2003,39:169 – 190.

[194] World Commission on Dams. Dams and Evelopment: A New Framework for Decision-Making, Earthscan, London,2002.

[195] World Water Assessment Programme. Water or People, Water for Life: First U. N. World Water Evelopment Report. U. N. Educ. Sci. and Cult. Organ. , Paris,2003.

[196] Global Systems Water Project. The Global Water System Project: Science Framework and Implementation Activities. Earth System Science Partnership, 2005.

[197] Penning de Vries, F. W. T. , H. Acquay, D. Molden, et al. Integrated Land and Water Management for Food and Environmental Security. Comprehensive Assessment of Water for Agriculture-Working Paper. IWMI, Colombo, Sri Lanka,2002.

[198] Turner K. , S. Georgiou, R. Clark, et al. Economic Valuation of Water Resources in Agriculture: From the Sectoral to a Functional Perspective of Natural Resource Management[J]. FAO Water Reports, 2004,27.

[199] Vörösmarty C. J. Global Water Assessment and Potential Contributions from Earth Systems Science[J]. Aquatic Sciences, 2002,64: 328 – 351.

[200] Vörösmarty C. J. , D. Lettenmaier, C. Leveque, et al. Humans Transforming the Global Water System [J]. Eos, Transactions, American Geophysical Union, 2004,85(48).

致 谢

本专著是在刘昌明先生的悉心指导下完成的,在此对先生致以诚挚的谢意,感谢先生的教诲和指导,更感谢先生的信任。

感谢朱庆平先生和欧阳晓红女士,是他们使我们有机会以榆林市为实例开展研究。

感谢刘苏峡女士在本书构思、草拟、成稿诸环节给予的帮助和鼓励,更感谢她在诸多技术环节的建议和具体帮助。

作 者
2009 年 12 月